CPSIA information can be obtained
at www.ICGtesting.com
Printed in the USA
LVHW042239291022
731895LV00003B/183

9 789198 701067

اعتقال الحياة

من أدب المنافي
والمعتقلات

جمانة طه
JUMANA TAHA

اعتقال الحياة

من أدب المنافي والمعتقلات

SAMEH
دار سامح للنشر Publishing

حقوق النشر

اعتقال الحياة – من أدب المنافي والمعتقلات © 2022 جمانة طه

© 2022 جميع الحقوق محفوظة للناشر

SAMEH Publishing دار سامح للنشر

البريد الإلكتروني: info@sameh.se

الموقع الإلكتروني: www.sameh.se

يُمنع إعادة إنتاج أي جزء من هذا الكتاب أو تكييفه أو نقله بأي شكل من الأشكال وبأي وسيلة إلكترونية أو ميكانيكية، وكذلك يُمنع نسخه أو تسجيله بأية طريقة من طرائق التسجيل أو غير ذلك، من دون إذن خطي من الناشر.

تصميم الغلاف: كريم محمد

التصميم الداخلي: ياسمين

لوحة الغلاف:

Nikolai Yaroshenko (1846–1898): A Prisoner in His Cell, 1878

الطبعة الأولى، 2022

ردمك:

978-91-987010-6-7

•••

Detaining Life, Stories from Exiles and Prisons

© 2022 Jumana Taha.

© 2022 Sameh Publishing.

info@sameh.se

www.sameh.se

Notice of Rights

All rights reserved. No parts of this book may be reproduced, adapted or transmitted in any form by any mean, electronic, mechanical, photocopying, recording or otherwise, throughout the world without permission of the publisher. For information on getting permission, prints and excerpts, contact publisher.

Cover Design: Karim Mohamad

Cover Painting: Nikolai Yaroshenko (1846–1898): A Prisoner in His Cell, 1878

Interior Design: Yasmine

ISBN: 978-91-987010-6-7

الفهرس

كلمة لا بد منها

في طفولتي وأنا في الطريق كنت أشعر بالتعاسة عندما أرى شرطيا يسوق أمامه شخصا مقيد اليدين، ويضعه في السجن الموجود في قبو مبنى السرايا القريب من بيتنا. وعندما أسأل أهلي عن سبب ذلك، يقولون: إما أنه لص أو قاتل، أو أنه في شهر رمضان أكل في الطريق ولم يراع حرمة الصيام. فظننت في تلك المرحلة من العمر، أن الحبس بُني لمثل هذه الأسباب.

لكني مع الأيام عرفت من السماع ومن القراءة، أن هنالك أمورًا أخرى يدخل بها مقترفها السجون ولسنوات مديدة يُسلب فيها زهرة شبابه وزهو أيامه.

وهذا ما حصل ويحصل للمخالفين آراء السلطة السياسية ومواقفها، من قضايا وطنية أو قومية وربما دولية أيضًا.

وكما يقول الفيلسوف والباحث الاجتماعي ميشال فوكو: فمن احتفاليات طقوس التعذيب العلنية إلى سرية التأديب وإقصاء الخارجين على السلطة، هي نقلة من الانتقام إلى الاستبداد، ومن التحطيم إلى التدجين.

وإذا نحن سلمنا بما هو سائد ومتعارف عليه من أن البشر يولدون أحرارًا، فهذا يعني بأن الفكر مذ وجد كان حرًا والتمرد والتحدي هما علة وجوده. أوليس هذا ما دفع بروميثيوس إلى أن يتحدى ربّ الأرباب زيوس، ويحمل

إلى البشر قبسًا من النار المقدسة، نار الفكر، غير مبال بالقيود الدامية ولا بالنسر الذي التهم كبده؟

وهذا يشير إلى أن أشرس عداء هو عداء الفكر للفكر، وأن العلاقة بين الفكر والأدب والعلم وحقوق الإنسان علاقة وثيقة، ولا تحتاج إلى متحدث عنها عندما تكون الحرية متاحة في الأوطان والمجتمعات.

أما عن هذا الكتاب فلي معه قصة تعود إلى عشرين عامًا، وأكثر. فحين امتدت خطواتي في المشهد الثقافي والأدبي، احتلني حلم يشبه اليقين بالكتابة عن حياة الأدباء الذين دفعوا حياتهم ثمنًا للمطالبة بالعدالة الاجتماعية وبرفع القمع عن حرية الرأي، وإشراك الشعب في تقرير مصيره السياسي والمعيشي والثقافي والاقتصادي. لكن خوفًا مبهمًا كان يخامرني، ويؤخرني عن تحقيق حلمي. خوف لم أعرفه ولم أجربه، وإنما سمعت عنه من أصدقاء ترافقوا معه في ليالي ونهارات التعذيب. وخوف آخر، من اتهام بعض الكتاب والأدباء لي بالمروق على السلطة الحاكمة والإساءة إليها، وتوهين المشاعر الوطنية.

ولكن وبرغم كل ما رافقني من خوف وتخوف وتشابك بين الأفكار والمشاعر، أخذت أجمع أسماء أدباء ذاقوا مرارة الحبس والاعتقال والتوقيف والتحقيق والتعذيب، وأسماء كتبهم من روايات وأشعار وقراءة ما تضمنته عن سراديب الظلام. وظلت الكتابة فيه هاجسي إلى أن تحول الحلم حقيقة، مع أني أصدرت قبله حوالي عشرين كتابًا.

ولا بد من التنويه إلى أني لم أستطع الكتابة عن عدد أكبر من الأدباء الذين جربوا السجن والنفي، فهذا عبء كبير أنوء به كعمل، ويضيق عنه كتاب واحد.

وأخيرًا..

لنردد مع الشاعر الكبير محمد الماغوط قصيدة الحصار:

دموعي زرقاء

من كثرة ما نظرت إلى السماء

وبكيت..

دموعي صفراء

من طول ما حلمت بالسنابل الذهبية

وبكيت..

فليذهب القادة إلى الحروب

والعشاق إلى الغابات

والعلماء إلى المختبرات

أما أنا فسأبحث عن مسبحة وكرسي عتيق

لأعود كما كنت

حاجبًا قديمًا على باب الحزن

ما دامت كل الكتب والدساتير والأديان

تؤكد أنني لن أموت

إلّا خائفًا، أو سجينًا.

الباب الأول:
المثقفون

1

المثقفون والأدباء والسلطة

ما إن تطرق مسامعنا لفظة السجن أو الأسر أو الاعتقال أو النفي، حتى نظن أنها ألفاظ آتية من عهود استعمارية قديمة، لاقى المناضلون في أثنائها مختلف أشكال العنت والتعذيب. أو أنها ألفاظ تعبر عن محتلٍّ رمى أحرار الأرض المحتَلَّة خارج الحدود، تخلصًا من تصديهم لبطشه ولنظامه الأمني. لكن الواقع يؤكد على أن السجون هي ابتكار أوجدته الأنظمة السياسية منذ بعيد الأزمان وفي جميع أنحاء العالم، لإحكام قبضتها على البلاد والعباد وعلى الأدباء والمفكرين بالتحديد.

وحين نقرأ الشرائع العراقية القديمة ابتداءً من قانون أوركاجينا وإصلاحاته الاجتماعية ومرورًا بقوانين أورنمو وشريعة حمورابي وما تلاها، نلحظ ظهور المزيد من القوانين الردعية القاسية بالتوازي مع ما تم من تطورات وتحولات إيجابية في تلك المجتمعات. فقد فرضت تلك القوانين في عمومها على المخالفين غرامات مادية عالية، تمشيًا مع التطور المادي الحاصل وبما يسهم في تثبيت دعائم الدولة المركزية.

فقد افتتح حمورابي شريعته، بقوله: «إن الآلهة هم الذين يبادرون بإصدار

القوانين». وختمها بقوله: «إن الذين لا يتبعون هذه القوانين سيعاقبون من قبل الآلهة».

وضمّن شريعته 52 مادة تعاقب بالموت، كل من يقوم بمخالفات اجتماعية وعملية. ويقول الآشوريون: «الإنسان، ظلُّ الله على الأرض. وظلُّ الإنسان، الناس الآخرون. والإنسان، هو الملك الذي يشبه مرآة السماء».

ولم يكن جميع الخلفاء والحكام الذين توالوا عبر الزمن بعيدين تمامًا عن القسوة التي وسمت عصر حمورابي وسواه. فالحكام في المجمل آلهة، وإذا تواضعوا فهم أنصاف آلهة. والخطأ معهم أصعب من الخطأ مع الإله الخالق، فهو يغفر الذنوب وهم لا يغفرون. فالتاريخ العربي بشقيه الأدبي والسياسي يشير إلى أن ما حصل ويحصل من تعذيب للمعتقلين من مثقفين ومفكرين وشعراء وكتّاب جسديًا وإهانتهم وتعنيفهم لفظيًا، يفوق ما سبق وجوده عند تلك الأمم.

ويرى الرئيس الإيراني الأسبق د. محمد خاتمي (1943-) «أن بداية الاستبداد في الخلافة الإسلامية، ظهر في العصر الأموي. فالاستبداد اللانهائي الذي كان بوجهه المعلن هو القاعدة الأساسية للسياسة السائدة في عالم الإسلام منذ عصر الأمويين، قضى على مجال التفكير في شأن السياسة. مما أغلق الباب أمام بوابات الثقافة والأدب، وبالتالي تجنب المفكرون النظر في السياسة».[1]

لكن الأمر لم يتوقف عند ذلك، بل قام بعض المثقفين بتوجيه الأنظار نحو هذا الواقع الاستبدادي، وتبرير وجوده.[2]

أما عن ظهور أول صراع بين المثقف العربي والسلطة «فقد جاء متزامنا مع أحداث سياسية مهمة شكلت علامات بارزة في تاريخ الأمة، وهي موقعة صفين. أي حينما قررت جماعة من القراء وكتاب الوحي تجنب النزاع بين طرفي الصراع، والقيام بما من شأنه رأب الصدع».[3]

ففي العصور التي تلت عصر صدر الإسلام، كان يُطلق لقب المثقف على كل من يجيد العلوم واللغة والنحو وقول الشعر والخطابة والكتابة الأدبية. وهو مجال يرغب أصحاب السلطان في التاريخ القديم تقريب من يتصفون به وإغرائهم بالمال والجاه ليمدحوهم. وهذه العلاقة بين الشعراء والخلفاء وأمرائهم، تدوم بدوام المديح وتنتهي بانقطاعه. مما يشير إلى أن علاقة المثقف بالسلطة السياسية بعد صدر الإسلام كانت في مجملها شائكة وغير سليمة، لأن الذين جاءوا بعد الخلفاء الأول اختزلوا الحكم بشخصهم وأولياء عهودهم.

ولكي نفهم كيف ترسخ مفهوم الاستبداد والتسلط عند الخلفاء والولاة، لا بد من العودة إلى الآداب السلطانية التي تزامن ظهورها مع انقلاب الخلافة إلى مُلْك وتبلور مفهومها في القرن الثاني الهجري. وكانت في جزء كبير منها نقلًا واقتباسًا من التراث السياسي الفارسي، ويعد عبد الله بن المقفع (106-142 هـ) الأب الروحي لها.

وتقوم هذه الكتابات في أساسها على مبدأ نصيحة أولي الأمر في تسيير شؤون سلطتهم، وتضمنت مجموعة هائلة من النصائح الأخلاقية والسلوكية الواجب على الحاكم اتباعها. بدءًا مما يجب عليه أن يكون في شخصه إلى طرق التعامل مع رعيته، مرورًا بكيفية اختيار خدامه واختبارهم وسلوكه مع أعدائه.

فجسّدت حلقة من حلقات تاريخ الأفكار السياسية في الإسلام في أبعادها الثقافية والاجتماعية، وصارت «كتب السياسة تقوم بالإرشاد إلى طريق استقرار النظام الذي يصبح العمران والأمن فيه توأمين. ولكن محور النظام وقاعدته، لن يكونا شيئًا سوى النفوذ المتمركز في شخص السلطان والملك».(4)

ويلحظ بأن غاية مؤلفي الآداب السلطانية قد تلخصت بإرشاد السلطة

وتقديم دليل عملي لها في مسألة العدالة وتقنيات تطبيقها، انطلاقًا من ثقافتهم وخبرتهم وتجربتهم وتأسيسًا على مواقعهم من السلطان. وقد خطا الماوردي (364-450 هـ) خطوة عظيمة في هذا المجال «عندما قام باستخراج الأحكام السلطانية وقوانين الملك والسياسة من المصادر الدينية، وجمع الأحكام والقضايا الفقهية المتفرقة التي كانت تتعلق بالحاكم والمجتمع والعلاقات الاجتماعية في صورة عمل مستقل. واستكملها باجتهاده الخاص، بما يتفق مع ظروف العصر والمكان».[5]

وفي قراءة فاحصة لمفهوم العدالة في الدولة السلطانية تكشف عن اكتسابه بعدًا دنيويًا، بحيث أصبح الدين أداة تُسخّر لمصلحة السلطة. ولاسيما أن هذا الجنس الأدبي توجه في مضمونه إلى السلطان، لا إلى الرعية. «فالحاكم هو المعني في النص، وصلاح السلطان يؤدي حتمًا إلى صلاح الرعية اقتناعًا بشمولية مسؤولية الحاكم. فكان هناك من يذكر بأن السلطان مسؤول عن جميع الخلق، وآخرون يحمّلونه مسؤولية ما يجري للرعية».[6]

وفي المجمل كان خطاب الكتّاب في الآداب السلطانية خطاب محاباة ومداراة توجهوا به إلى السلطان أو الحاكم، ودثروا فيه الاستبداد بعباءة العدالة. ومن المرجح أنه جاء بطلب من الخليفة ومن يماثله، بما يتماشى مع طموحه في استمرار سلطته. ولأن الدائرة السلطانية هي الرحم الذي ولد فيها مفهوم العدالة، بدت العدالة السلطانية وكأنها عرجاء. لكونها صيغت بإرادة طرف الحاكم، لا بإرادة الطرف المحكوم. مع أن الغاية لم تكن للرقابة على السلطان، وإنما لتليين الفجوة بين السياسة والشرع. يقول الطرطوشي (451-520 هـ) في كتابه «سراج الملوك»:

«لولا أن الله تعالى أقام السلطان في الأرض يدفع القوي عن الضعيف وينصف المظلوم من الظالم، لأهلك القوي الضعيف وتواثب الخلق بعضهم

على بعض فلا ينتظم لهم حال». [7]

«وبما أن العدل والاستبداد لا يمكن الجمع بينهما كالماء والنار، فإن كاتب الآداب السلطانية أعطى الحاكم وصفة تجمع بين المتناقضين وتحقق العدالة السلطانية بوساطة آلية التخويف والترويع، وآلية الملاطفة والاستقطاب». [8]

فقد أجاز العديد من كبار الأدباء في العصر العباسي لأبي جعفر المنصور بأن يكون «الحاكم باسم الله تأسيًا بما كانت عليه مكانة الشاه في فارس. فأدبيات ابن المقفع في مجملها، على سبيل المثال، لا تُفهم إلا في سياق التبرير والتنظير لجوانب من الدعوة العباسية. حتى صار أبو جعفر المنصور يدعي بأنه يصدر في حكمه عن إرادة الله، «وطاعة الإمام من طاعة الله». لكن عندما قدم له ابن المقفع في «رسالة الصحابة» رؤية إصلاحية متقدمة على زمانها يتم فيها الفصل بين ما هو ديني وسياسي، لم يتقبلها وقتله.

ويقول الجاحظ (159-255 هـ)، في كتابه «التاج في أخلاق الملوك»:

«إن الله أوجب على العلماء تعظيم الملوك وتوقيرهم وتعزيزهم وتقريظهم، كما أوجب عليهم طاعتهم والخضوع والخشوع لهم». موضحًا ومبررًا، «أن سعادة العامة في تبجيل الملوك وطاعتهم». وفي الوقت ذاته يشير إلى أن «الملوك هم الأسس، والرعية هي البناء. ومن لا أسس له، مهدوم». [9]

ومع أن الماوردي يذهب في كتابه «نصيحة الملوك» إلى أبعد من ذلك في تعظيم الملوك وتفضيلهم على سائر البشر مستعينًا بآيات قرآنية، إلّا أنه يعود ليقول:

«الملك بطبعه القدرة على طبائع الأنفة والجرأة والبطر والعبث، ثم أنه كلما ازداد في العمر نفسًا وفي الملك سلامة زاد في هذه الطبائع الأربعة، حتى يسلم إلى سكر السلطان الذي هو أشد من سكر الشراب. فينسى النكبات

والعثرات والغِيَر والدوائر وفحش تسلط الأيام ولؤم غلبة الدهر، فيرسل يده ولسانه بالقول والفعل».[10]

ويقول ابن طباطبا (ت 322 هـ)، في كتابه «الفخري في الآداب السلطانية»، بوجود أمرين جليلين «لا يصلح أحدهما إلّا بالتفرد والاستبداد، ولا يصلح الآخر إلّا بالاشتراك. فأما الذي لا يصلح إلّا بالانفراد فَالمُلْك، فمتى وقع فيه الاشتراك فسد. وأما الذي لا يصلح إلّا بالاشتراك فالرأي، متى وقع فيه الاشتراك وثق فيه بالصواب».[11]

وتعد جدلية العمل مع السلطان أو الحاكم الأكثر تداولًا في المصنفات السلطانية، بما تختزنه من آراء بين المؤيدين والمعارضين. فالمؤيدون من الفقهاء يرون العمل مع السلطان واجبًا دينيًا، لأنه يقوم على النصيحة والإصلاح مع كل ما يحمله من مخاطر وتبعات.[12]

أما ابن خلدون (732–808 هـ) فيرى بأن الفقهاء هم أبعد الناس عن السياسة، وإن لم يتخلوا عن محض النصيحة للسلطان باعتبارها «واجبًا» وحقًا تمليه الشريعة. أما المثقفون الذين يتخذون مركبًا صعبًا بكونهم مع السلطة، فهم في الوقت ذاته يعملون لصالح همهم الجمعي. من خلال استثمار دورهم، في الوسط الذي تخلق فيه أوامر السلطان. وهذا النوع لا يعنيه السلطان نفسه لأنه أمر واقع، وإنما يعنيه أن يحقق أهدافًا لصالحه ولصالح المجموع. فجاء خطابه مبطنًا، بوجهين: أحدهما خفي يدعو إلى التغيير، ورسم مشاركة ديمقراطية في الحكم. والآخر معلن، يدعو إلى الطاعة ويروج للسيطرة والاستغلال، وهو ما تستفيد منه السلطة بصفتها سلطة مركزية تملك سلطة الكلام.[13]

أما المعارضون من الفقهاء «فيرون أن العمل مع السلطان مذموم لأنه يصطدم بمصالح العامة، ويفقدهم هيبتهم واستقلالهم لمراعاتهم مصالح السلطان والاحتيال لها. وتطبيق الفقهاء للواجب الشرعي بمحض

السلطـان النصيحة ومساعيهم لإنصاف العامة، يضعهم في تناقض بين الرغبة والخوف».[14]

ويذكر الطرطوشي، عن عبد الملك بن مروان أنه عندما أراد الحج استحضر سَلَمَة بن دينار ليعظه. فيسأله الخليفة عن سبب عزوفه عن زيارته: «ما لك لا تأتينا يا أبا حازم؟ فيجيبه: وما أصنع بإتيانك؟ إن أنت أدنيتني فتنتني، وإن أقصيتني حزنتني. وليس عندي ما أخافك عليه، ولا عندك ما أرجو لك».[15]

ويذكر أيضًا أن كلثوم بن عمرو العتابي (135–220 هـ) سئل يومًا:

لم لا تصحب السلطان على ما فيـك من الأدب؟ فأجـاب: «لأني رأيته يعطي عشرة في غير شيء ويردي من السور في غير شيء، ولا أدري أي الرجلين أكون».[16]

وتعيدنا هذه المرويات إلى الشاعر والفقيه لسان الدين بن الخطيب (713–776 هـ) الذي عاش حياته بين اقتراب من السلطان، وبين ابتعاد عنه واغتراب عن المكان. ففي زمن الاقتراب من حاكم غرناطة أبي الحجاج يوسف الأول (718–755 هـ)، استلم ابن الخطيب رئاسة ديوان الإنشاء من عام 749 إلى عام 760 هـ بمرتبة وزير وما له من ألقاب. وفي زمن الاغتراب وجد نفسه مطاردًا مسلوب المال والجاه بعد انقلاب غرناطة، واستلام الحكم اسماعيل بن يوسف من ملوك بني نصر بن الأحمر.

فأخرجه من الهلاك سلطان المغرب أبو فارس عبد العزيز بن علي المريني (749–774 هـ)، وأكرم وفادته ومنحه فرصة العيش في كنفه. وتعد فترة وجوده في المغرب، من أخصب فترات حياته الفكرية. لكن غيابه عن الحكم لم يطل، فعاد واستخلص عددًا من المدن من يد أعدائها. وعندما استشعر أنه أصبح هدفًا لخصومه رغب بالزهد والاعتكاف، فترك الوزارة وهرب إلى المغرب واستقر في فاس. فلم يتركه خصومه بل لاحقوه واتهموه بالزندقة

والخروج على شريعة الإسلام، وذلك بتحريض من تلميذه ابن زمرك وابن الجذامي قاضي الجماعة في غرناطة. فاعتقل ورمي في السجن، ووقع التشاور على قتله. فدس عليه الوزير ابن داود بعضًا من حاشيته، وقتلوه خنقًا. ولسوء حظه أنه لم يستطع أن يحقق كل ما فكر به، وأراده في الحقل الثقافي.[17]

وبعد دراسة وافية قام بها محمد عابد الجابري لكتب الآداب السلطانية، رأى أنها تقوم على مبدأ النصيحة ووعظ وإرشاد الأمراء، وتتوخى تدبير أمور الدولة وتقدم خبرتها في هذا المجال. ويشير إلى أن الأيدلوجيا السلطانية في الثقافة العربية منقولة في معظمها عن الأدبيات السياسية الفارسية، ومن مبررات هذا النقل أن «أوضاع المجتمع العربي في العصر العباسي الأول كانت تتطور في الاتجاه نفسه الذي تطورت فيه أوضاع المجتمع الفارسي من قبل، وذلك عبر عملية انتقاله من دولة 'الدعوة والخلافة' إلى دولة 'السياسة والسلطان'.[18]

فطرح ثلاثة مفاهيم مركزية تقوم عليها «الأيديولوجيا السلطانية» وهي مفاهيم السلطان والخاصة والعامة، وتشكل الأساس الذي ترتد إليه كل الخطابات السياسية السلطانية. وهي نفسها تعبير نظري عن واقع فعلي بدت ملامحه في الأفق منذ انتصار الثورة العباسية، ويتمثل في ظهور ثلاثة منازل. «منزلة الخليفة/ السلطان في القمة، ومنزلة الخاصة في الوسط- كمنزلة بين المنزلتين، وأخيرًا منزلة العامة في قاعدة الهرم. وهذه التراتبية الجديدة هي إيذان بالانتقال من وضعية القبيلة إلى وضعية الإمبراطورية، وتحول من الدعوة واعتبار الناس سواسية كأسنان المشط إلى الدولة ومراعاة مبدأ الطبقية».[19]

فقوام الآداب السلطانية، في رأي الجابري، «ثلاثة أنماط من السلوك يؤسسها جميعًا مبدأ إنزال الناس منازلهم: الترفع على العامة... والانبساط مع الخاصة..، والانصياع التام للسلطان..».[20]

أما ما يشد الانتباه في تحليل الجابري، في رأي الباحث عز الدين العلّام، هو وضعه اليد على أسس الاستبداد السلطاني الذي يجد في هذه الآداب مسوغة «الأيدولوجي». وهكذا يتوسع في شرحه لمبدأ المماثلة بين الله والسلطان من خلال ما كتبه الطرطوشي والماوردي والجاحظ، معتبرًا إياه ثابتًا من الثوابت البنيوية المتحكمة في الأيديولوجيا السلطانية، ويشير إلى أن «العقل السياسي العربي مسكون ببنية المماثلة بين الإله والأمير، ولا نتيجة للإقرار بمثل هذا المبدأ غير تقديس الحاكم وتسويغ استبداده لتماهي إرادته مع الإرادة الإلهية».[21]

ومن خلال ما مرّ عن الآداب السلطانية نتوصل إلى أن الاستبداد يهيمن على خطاب هذه الآداب، كما يقول عزيز العظمة: «فالعلاقات مع الملك أو من يماثله أحادية الجانب، فهو يولي ويعزل ويأمر وينهى كما يشاء، ورعاياه مجرد امتداد له ولا وجود لهم إلا بوجوده. لذا يغلب الحديث في الآداب عن المَلك وليس عن الدولة، وفي جميع الأحوال تظهر الدولة في هذه الآداب باعتبارها لاحقة ل الملك».[22]

وفي الدراسة النقدية التي أنجزها الناقد العراقي نطونيو عدنان حسين أحمد عن أدب السجون خلال سنوات الحكم الدكتاتوري في العراق، قسّمَ المثقفين إلى ثلاثة أقسام: القسم الأول: وهم الفئة المتخندقة مع السلطة، ويمكن تسميتهم بوعاظ السلاطين. والقسم الثاني: وهم الفئة المناوئة والمناهضة لهذه السلطة بالفكر والموقف، وقد ينتهي بهم المطاف إلى المنافي الداخلية أو الخارجية. أما القسم الثالث، فهم الفئة التي آثرت المسالمة والابتعاد عن الأضواء والانعزال، خوفًا من تفاقم خلافات تعرض المجتمع إلى هزات لا تحمد عقباها.[23] وكأنهم جنحوا واستكانوا إلى المثل القائل: «سلطان غشوم، خير من فتنة تدوم».

وهنا لا بد من الإشارة إلى أنه ليس لنا أن نكون دائمًا مع الانتفاضات على

الحكم، ونزعم أنها تشكل وجهًا من وجوه الصراع بين المثقف والحاكم. فبعض الثورات جرَّتْ على البلاد الويل والدمار، كثورة الزنج التي حاول بعض المثقفين اليساريين أن يباركوها مدعين أنها ثورة على الظلم والاستبداد. مع أنها في رأي أطراف أخرى شعوبية حاقدة فاقدة لأخلاقية الثورة، وأهدافها النبيلة. فاستمرت خمسة عشر عامًا، دمرت مدينة البصرة وهدمتها. ومن قصيدة قالها ابن الرومي في هذه المناسبة، أقتطف:

ذاد عن مقلتي لذيذ المنام شُغْلها عنه بالدموع السجام
أيُّ نومٍ من بعد ما حلّ بالبصـ ـرة من تلكم الهناتِ العظامِ
أيُّ نومٍ بعد ما انتهك الزنـ ـجُ جَهارًا محارم الإسلام
إنَّ هذا من الأمور لأَمرٌ كاد أنْ لا يقوم في الأوهامِ

ومع مرور العصور وتباين حكامها لم تنته إشكالية العلاقة بين الحكام ومثقفيهم، بل ظلت قائمة ومستمرة سواء بالقرب منهم أم بالبعد عنهم. ولاسيما أن من عادة الحكام العمل على تقريب بعض الأدباء والفقهاء، لكونهم يجدون فيهم سندًا يدعم سلطتهم ويروج لهم في الوسط الشعبي. لكن الذين استحبوا التقرب والمداهنة والحصول على المكاسب، لم يدركوا بأن السلطة السياسية ليس لها صديق. فمصاحبة السلطان غير مأمونة النتائج، ففي لحظة قد يقلب المِجَنُّ ظهره وتنتهي حياة المُقرَّب بالموت. ومثالنا على ذلك محنة الفقيه أحمد بن حنبل ونكبة الفيلسوف المفكر ابن رشد.

ولهؤلاء يقول الإمام الشافعي (150-204 هـ):

إنَّ الملوك بلاءٌ حيثما حَلّوا فلا يكن لك في أكنافهم ظلُّ
ماذا تؤمّلُ من قوم إذا غضبوا جاروا عليكَ وإن أرضيتَهم مَلّوا
فاستغنِ بالله عن أبوابهم كرمًا إنَّ الوقوف على أبوابهم ذلُّ

وبفضل التغيير على الأحوال الاجتماعية والثقافية والاقتصادية، لم يعد هناك

ما يبرر للمثقفين والكتاب موالاتهم السلطة الاستبدادية من أجل المكسب المادي. فقد تعددت طرق تحصيل المال عبر نشر الكتب وإلقاء المحاضرات وإقامة الأماسي الثقافية من شعر وقصة، مع توافر الوظائف في المؤسسات الثقافية والتعليمية.[24]

وكما هو معروف فقد حفل تاريخنا الأدبي السياسي القديم والمعاصر بمثقفين «عملوا على توجيه أنظار العامة نحو واقع الاستبداد وتقبل وجوده، بدلًا من العمل على التركيز على استبداد الحكام وسطوتهم. فتجاهلوا العلاقة الشائكة بين الإنسان المفكر والآخر عدو التفكير، ولم يدركوا بأن سياسة أساسها الاستبداد تكون معرضة دائمًا لتهديد استبداد آخر».[25]

فقد أتاح استبداد الحكام الفرص للعديد من الكتائب والتنظيمات الإسلامية المتطرفة والمتشددة، للظهور في أكثر من بلد عربي. وهيأ للحاكم المستبد بأن يكون قويًا في مواجهة التهديد الدائم، المعرض له. وترك المثقفين وأصحاب الرأي بين مطاردين بكلمتهم، أو محميين بقربهم من مركز السلطة السياسية والأمنية في أوطانهم. ومن أهم من تكلم في هذه الفكرة المفكر الفرنسي ميشال فوكو، فقال: «إن الدولة الحديثة طورت أساليبها في التحكم والسيطرة على الناس، وإنها صارت معنية بتقديم نفسها لا على أنها السلطة القوية القاهرة فحسب، بل على أنها التعبير الصحيح عن المجتمع. ومن آثار هذا أن المتمردين على هذه الدولة ليسوا في حاجة إلى قهرهم وهزيمتهم وعقابهم بعنف كما كان يحدث من قبل، وإنما هم في حاجة إلى التعامل معهم كشخصيات مريضة منبوذة مثلهم مثل المرضى والمجانين ويجب عزلهم عن المجتمع في السجون. فالعقوبة كالصلب والحرق والتعذيب لم تعد تحقق الغرض، بل قد تكون ضارة بالدولة بما تثيره من التعاطف بين الجماهير. وبدلًا من أن تحقق الدولة هدفها بردع فكرة التمرد، فإذا بها تنتج متمردين جدد».[26]

وردًا على عسف الأنظمة السياسية الوطنية، انشغل الكثير من الأدباء والمثقفين والمفكرين بقضية الحرية التي هي لهم «مرادفة للإنسانية وللوطن، بما لها من تأثير على أمن الناس وحياتهم الاجتماعية والاقتصادية والنفسية. فالحرية كما نردد دائمًا لا توهب ولا تهدى، وإنما تصنعها القلوب المحبة للوطن وتضحيات الناس والعقول الحية المستنيرة».[27]

كما أنها ليست حقًا يعطى بل واجبًا في رأي الأديب الجزائري مالك حداد، وعلى الأديب أن يبذل كل ما في وسعه من أجل الظفر بها. إنها الشيء الوحيد، الذي ليس لنا الحرية في التخلي عنه.[28] فمن دون المثقفين، كما يقول إدوارد سعيد، «لم تشتعل أي ثورة رئيسية في التاريخ الحديث، وبالمقابل لم تقم أي حركة مضادة للثورة من دون المثقفين. فالمثقفون هم آباء الثورات، وأمهاتها».[29] ولا يجوز أن تقل مبدئية المثقف عن يسوع المسيح وسقراط، في دفاعه عن المعايير الأزلية للحق والعدل. إنما علينا في الوقت نفسه ألا ننسى أن هذا المثقف يمكن أن يتحول إلى مجرد بوق أو كاتب عند السلطة السياسية.[30]

وبلا ريب في أن الحكومات ترغب بأن يتحول المثقفون إلى خدام لها وعندها، يبتدعون من أجلها خطابات تشيد بمكارمها وتزين أخطاءها بعبارات فضفاضة رنانة. وعندما يتساءل إدوارد سعيد: «هل المثقفون فئة كبيرة جدًا من الناس، أم هم نخبة رفيعة المستوى وضئيلة العدد؟»

يجيبه المفكر الإيطالي أنطونيو غرامشي (1891-1937) على تساؤله: «بإمكان المرء القول إن كل الناس مثقفون، لكن ليس عليهم كلهم أن يؤدوا وظيفة المثقفين في المجتمع».[31]

لقد تعددت السجون وتنوعت، في مختلف العصور العربية. والتاريخ العربي بشقيه السياسي والأدبي يحفل بأسماء مثقفين من مفكرين وفلاسفة وعلماء كبار، عانوا بسبب آرائهم ومواقفهم من ظلام السجون وقسوة الحكام، ممن

ينطبق عليهم قول تشارلز ديكنز (1812-1870): «إن العظيم بين الناس من كان عظيمًا في شقائه، وعظيمًا في سجنه، وعظيمًا في قيوده».[32]

ونستذكر من المناوئين للسلطة الأديب عباس محمود العقاد (1889-1964) وموقفه من ملك مصر فؤاد الأول. وذلك حين أراد الملك أن يسقط مادتين من الدستور، تنص إحداها على أن الأمة مصدر السلطات والأخرى أن الوزارة مسؤولة أمام البرلمان. فاحتج العقاد وكان نائبًا في البرلمان، وارتفع صوته رافضًا تنفيذ إرادة الملك. فتوجه إلى زملائه في المجلس، وقال:

«حضرات النواب. أرى أن مجلس النواب لا بد وأن يكون له موقفًا حازمًا وواضحًا من هذا العبث السياسي، لأن الأزمة ليست أزمة وزارة فحسب بل هي أزمة مجلس النواب نفسه، بل أزمة الدستور المصري. وليعلم الجميع أن هذا المجلس مستعد لأن يسحق أكبر رأس في البلاد، في سبيل صيانة الدستور وحمايته».

فمثل أمام النيابة وامتد التحقيق معه عدة أيام، صدر بعده أمر رسمي باعتقاله وحبسه تسعة أشهر في سجن القلعة. عانى العقاد في حبسه من البرد، إذ كانت زنزانته مثل سائر حجرات وغرف السجن ذات نافذة مفتوحة إلّا من القضبان الحديدية. وبعد مكاتبات ومفاوضات بين مصلحة السجون ووزارة الحقانية (العدل) وافق الوزير على تغطية النافذة بألواح من الزجاج تفتح وتغلق بحسب الحاجة.[33]

وإذا كان المثقف العربي قد واجه في بدايات عصر النهضة العربية مشكلة الاستعمار وما كان يقوم به من تقييد للحريات ومحاربة جميع أنواع الثقافة، إلّا أن التخلص من الاستعمار لم يخفف من الضغط عليه بل ظل الاستبداد حاضرًا بقيوده القمعية على غير الموالي لحكمه. ومن خلال أساليبه المتعددة جرد المواطن من إنسانيته، ومارس عليه كل أنواع الرقابة ليزرع الخوف

في نفسه. فالسلطة الاستبدادية تنتهج كل أساليب التحريض والمداهمة والتعذيب، ترسيخًا لوجودها في الحكم.

«فالمتأمل لكلية الأنظمة السياسية العربية القبائلية أو العشائرية أو الملكية أو الجمهورية التي تسمح بهامش من الحرية والتعددية والديمقراطية، يلاحظ في جوهرها جرثومة الهيمنة الشمولية وعدم تداول السلطة الفوقية إلا بالموت أو الانقلاب العسكري. واعتمادها بحسب طبيعة كل وطن وتاريخه وتركيبة بنائه الطبقي، على آلية عسكرية وأمنية، وقهرها وقمعها وتهميشها للمثقفين الذين يفترض أنهم يصوغون الرأي العام ويشكلون وعي الأمة وضميرها. واستلابهم هذا الدور يؤدي إلى غيبوبة وفقدان الوعي لدى الإنسان العادي المغمور».(34)

وفي حين يرى فوكو أن فكرة السجن «لم تكن مجرد تطور إنساني مبني على رؤى فلاسفة التنوير وحقوق الإنسان، وإنما هو الوسيلة التي تحقق هدف الدولة في إفهام المتمرد والمجتمع بأنه عنصر مريض منبوذ يجب استبعاده حتى يعود إلى رشده».(35)

أما الروائي المغربي الطاهر بن جلون (1947-) فيأخذ على الميدان الثقافي العربي ما فيه من فوضى، ويجد أنها تستدعي تحديد مسؤولية المثقفين، بعيدًا عن المزج بين الأيديولوجيا الإسلامية والإبداع. «فللمثقف الحق المطلق في الإبداع، ويجب أن نقرأ ما يكتبه دون أن نقوم بمحاكمته على أسس دينية. فالدين يجب أن يحترم، ويبقى مقدسًا في ضمير كل إنسان. لكن حرية الإبداع مقدسة أيضًا، ولا بد من احترامها».(36)

وحينما وصف المفكر السوري عبد الرحمن الكواكبي (1855-1902) قلوب المستبدين بالهواء، كان على يقين بأن المعتدين على إنسانية الناس يعيشون الخوف من العلم وأهله ومن دورهما في تقويض حكم الاستبداد،

فقال: «إن قلوب المستبدين الشرقيين هواء ترتجف من صولة العلم، كأن العلم نار وأجسامهم من بارود».[37]

وإذا كان الاضطهاد لم يغب عن أصحاب الرأي المناوئين لسياسة الأنظمة بالاعتقال والملاحقة والرقابة وإغلاق مكاتب الأحزاب أو الصحف والسجن والتعذيب، فهذا لا يعني أن جميع أصحاب الرأي مناوئون. فكثير منهم انسحبوا من العمل السياسي لصالح نظام ما، تزلفًا من أجل مركز أو حظوة مادية أو معنوية. وكثير منهم حاولوا التوكيد على ولائهم من خلال وشايات، زجّت بزملاء لهم في السجون سنوات مديدة. أو من خلال تجاهلهم وسكوتهم على جرائم قُتل فيها كتاب وأدباء، تمثلًا لموقف السلطة ورأيها. ولا يبتعد ابن خلدون عن هذا الرأي، فيقول: «إن هذه التصرفات صَنْعة وأصحابها صُنَّاعًا، لانحرافهم بتصرفاتهم عن مهمة الثقافة ومواقفها».[38]

كما أتى الجاحظ على ذكر هذه المواقف، بقوله: «إنها (خِدْمة)، وأصحابها خدامًا. والسلطان سوق، إنما يجلب إلى كل سوق ما ينفق فيها. وقد نظرت في التجارة التي اخترتها والسوق التي أقمتها، فلم أر فيها شيئًا ينفق إلا العلم والبيان عنه».[39] ففي كلام الجاحظ ما يشير إلى أن العلم في زمنه كان سوقًا، ويتم التعامل معه، من قبل البعض، على أنه بضاعة تجارية.

والمثقفون عند عبد الرحمن الكواكبي، هم أخطر شريحة اجتماعية توظف نفسها في خدمة المستبد. فما من مستبد في ديار العرب، إلا وله بطانة من المثقفين تسبّح بحمده. ويقول: «إن ثمة بونًا شاسعًا بين المثقف الحقيقي والمثقف الزائف الذي يتحول إلى مخبر وخادم أمين يسير في ركاب السلطة الجائرة مدججًا بالضغينة».[40] ويزيد على ذلك بوجوب طرد هذا النوع من المثقفين المخبرين خارج دائرة الثقافة والفكر، وإلحاقهم بزمرة المخبرين والشرطة وسدنة السلطات المستبدة.

فليس على الكتّاب أن يكونوا سياسيين، كما يقول الكاتب من الأورغواي إدواردو غاليانو (1940-2015) بل عليهم أن يكونوا أمناء في ما يفعلونه ويكتبونه وليس عليهم أن يبيعوا أنفسهم. ولا أن يسمحوا لأنفسهم أن يُشتروا، بل عليهم أن يحترموا أنفسهم ويصونوا كرامتهم.[41]

وفي مقالة للشاعر السوري شوقي بغدادي (1928-) بعنوان «القطيع والراعي»، قرأت:

«حين يعدو القطيع لا عمل له وهو يرعى العشب سوى التغني بفضائل الراعي، فماذا يكون هذا القطيع؟ وحين يغدو الراعي لا عمل له سوى حض القطيع على الإشادة بشخصه كقائد فماذا يكون الراعي؟»

ويقول: «أما مشهد المبدعين في الفن والفكر حين يقدمون فروض الطاعة والولاء للحكام المستبدين شعرًا أو مسرحًا أو غناء أو تصويرًا بالرسم أو تنظيرًا إلى غيرها من تصرفات بدافع من الخوف أو النفاق، فلا تفسير لهذا التصرف إلا باعتبار هؤلاء المبدعين بشرًا فقدوا أو تخلوا عن كرامتهم الأخلاقية والإبداعية وصاروا قطيعًا من أفراد أو جماعات».[42]

ومما يؤسف له أن يحاصر الأديب أو يعتقل عندما يمارس دوره في إيقاظ الجماهير، ويسهم في تنمية المجتمع علميًا وثقافيًا. فقد تم اعتقال الأديب والصحافي السعودي عبد الكريم الجهيمان (1912-2011) لاتخاذه من الصحافة منبرًا للتعبير عن أفكاره ورؤاه التنويرية، ومناداته بتعليم البنات أسوة بالبنين. ففي العام 1956 نشر في صحيفته «أخبار الظهران» مقالة، تطالب بتعليم البنات. فاستنكرت السلطة السياسية والمؤسسة الدينية ما جاء في المقالة، ورأتا فيها مطالبة سابقة لأوانها. ولما سئل عن كاتبها، أنكر معرفته به وأقرّ بموافقته على مضمونها. فتم توقيفه عن العمل وإغلاق الصحيفة، والحكم عليه بالسجن ستة شهور. ودخل الجهيمان السجن مرة أخرى

ولفترة أطول، حينما أدرج اسمه ضمن شبكة سرية من الأسماء كانت توزع منشورات، ولم يكن له علاقة بها. وعندما تمت تبرئته من تلك التهمة، وقبيل الإفراج عنه عثرت لجنة التحقيق على كتاب «رأس المال» لكارل ماركس كان معه، فحكمت عليه بالسجن أربع سنوات.

هكذا عُومل في المملكة أحد رواد الكتابة في الأدب الشعبي والثقافة، الذي قال عنه الشاعر غازي القصيبي: «يجيئنا محملًا بأساطير الجزيرة كلها، حتى لنحسه أسطورة من أساطيرها. ويروي لنا مثلًا، حتى لنظنه أصبح بشخصه مثلًا يردده السُّمار».

وإذا كـان الكتّـاب العمـانيـون قد أهملوا الكتابة عن السجون إلا أن العديد من الفقهاء والمثقفين لم ينجوا من دخولها والمعاناة من أهوالها منذ القديم حتى اليوم.

والناشط العماني محمد الفزاري (1988-) دفع ثمن المناداة بالحرية والدعوة إلى تطبيق حقوق الإنسان، سجنًا ونفيًا عن الوطن. فقد احتجزه الأمن الداخلي في زنزانة انفرادية بضوء ساطع لم يطفأ وهو مقيد بالأصفاد، وأخضعه لاستجوابات مكثفة مدة 28 يومًا. نقل بعدها إلى منشأة قرب سجن سمائي المركزي، أمضى فيها 23 يومًا في حبس انفرادي. لينقل بعدها إلى مركز الشرطة ويحشر فيه ثمانية أيام، مع لصوص وتجار مخدرات. وفي المرة الرابعة تم نقله إلى المرفق، قرب سجن سمائي المركزي مدة ثمانية عشر يومًا. إلى أن أصدرت المحكمة الابتدائية في مسقط الحكم عليه بالسجن مدة عام ونصف العام مع غرامة وضمانة مالية، بتهمة التجمع غير القانوني وإزعاج النظام وإهانة السلطان والحد من هيبة البلاد.

وفي العام 2013 أطلقوا سبيله، وبعد عام تم استدعاؤه من جديد وتوقيفه في مقر الشرطة بمسقط. لكن الفزاري تمكن من الهروب في العام 2015،

واللجوء إلى بريطانيا وليس في حوزته أي أوراق ثبوتية.[43]

وعطفًا على ما تقدم نستطيع أن نلخص أزمة المثقف العربي في العصر الراهن، بما يلي:

1- غياب المؤسسات والقوانين التي تضمن للمثقف حرية الرأي، وحقوق المواطنة.
2- ادعاء بعض المثقفين أو معظمهم بأن لهم دورًا حاضرًا فكريًا وثقافيًا، في عملية التغيير الاجتماعي والسياسي.
3- غياب التناغم بين الإعلام والمثقف.

ويشير الباحث المغربي علي أومليل إلى أن حديث المثقفين حول دورهم يحمل نبرتين متنافرتين، «فهم من جهة يرون أنفسهم روادًا وصناع وعي وتغيير ولهم رسالة، وفي الوقت نفسه تُوشّي أحاديثهم نبرة مريرة من عدم الاعتراف بدورهم وبضعف تأثيرهم في واقع الحياة. وفعليًا هم ليسوا عنصرًا فعالًا في القرار السياسي، ولا في الرأي العام».[44]

ويضاف إلى ذلك غياب التواشج والتوافق في الرؤية والعمل بين المثقفين، لأنهم ليسوا طبقة كما يقول محمد عابد الجابري «وإنما هم أفراد يتحددون بوعيهم الفردي تمامًا كما تتحدد 'الطبقة' بالوعي الطبقي. فالمشتغلون بفكرهم من أهل العلم والمعرفة أيّا كان نوعهم لا يكونون 'مثقفين' إلّا إذا كان الوعي الفردي مهيمنًا عليهم».[45]

أما الشاعر اللبناني عمر محمد شبلي (1944-) فيشبّه المثقف العربي اليوم، بالانتحاري. «لصعوبة ما ينتظره من عيون وعسس وغرف ضيقة رطبة مملوءة بالليل والكرابيج الثخينة والروائح النتنة، والأصوات التي لا تبرحها لمعذَّبين سابقين. والمثقف هو جندي محارب، وعليه أن يكون ناقدًا باستمرار وجارحًا باستمرار وإن كان يعيش في بلاد نظامها صحيح.

فالصحيح، بحاجة دائمًا إلى تصحيح».[46]

ويقول: «إن المثقفين الذين يدورون في فلك السلطة هم كالعملة المزيفة، لأنهم يلمعون أخطاءها لتبدو مضيئة أمام الشعب المظلوم. فخيانة الوعي من أصعب ما يوصم به الإنسان، لأنها مفسدة له ولمجتمعه ولا صلاح بعدها».[47]

تعد الأنظمة العربية بأشكالها المختلفة واحدة في ممارسة القمع، فأجهزة السلطة دائما جاهزة لكبح تطلعات المواطنين للحرية والعدالة الاجتماعية. وهذا مما جعل العلاقة بين المثقف والسلطة علاقة تصادمية ودموية، في الكثير من أطوارها. ونعني بالمثقف هنا كاتب النص الإبداعي على وجه التحديد، كأن يكون قصة قصيرة أو قصيدة أو مسرحية أو سيرة ذاتية. وعن هذه المعاناة، يقول الشاعر السوري عبد النور هنداوي (1950-):

«ولأن المثقف العربي أعلى الثورة على السماء/ قرر لوحده أن ينام فوق الزمن. وأن تكون مثقفًا جيدًا يجب أن يكون في فمك حجارة يابسة وساخنة// وأرصفة عقيمة/ وأصابع امتدت إلى نهاية الأرض// وتثاؤب- لا يزال- يغط في نوم عميق».[48]

ويرجع الأديب السوري إبراهيم صموئيل (1951-) الذي عانى من السجن أزمة المثقف الراهنة إلى غياب التواصل مع الإعلام الذي هو ثورة العصر، وحامل لواء الكلمة السياسية والأدبية والفنية بجميع أشكالها وتنوعاتها. فمنذ عرف البشر الكلام، وُجد أشخاص أتقنوا فنون الكلم وصاروا لسان أهلهم وصوت عشائرهم. وهذا ما كان يفعله الشعراء في مرحلة ما قبل الإسلام وبعده، بما يصح تشبيهه بالإعلام حاليًا. فقصيدة واحدة كانت تكفي لترفع من شأن القبيلة، أو لتضع من مكانتها. ويقول: وبالرغم من التقدم العلمي في المجتمع والتعرف على المنجزات التقنية الهائلة، استطاع الإعلام بوسائله كافة أن يسطو على العقول وعلى جميع مرافق الحياة

دعائيا ومعرفيًا وسياسيًا واجتماعيًا. بدرجة صار كل ما يخرج عنه، هو الكلمة الفصل والأكثر صدقية.[49]

وهـذا في رأيي يعـود إلى أن الوسـائل الإعلامـية العـامة والخـاصة عديـدة ومتنوعة، وقد تم احتكارها والسيطرة عليها من قبل السلطة السياسية. فالسيـطرة على أجهـزة المعلـومات يحقق للجـهة الحـاكمة دورًا فـاعلًا في تنفيـذ عمليتـها التضليلية، ويؤكـد على أن حقـوق المـواطن في وطنه ليست سـوى أسطـورة. «وتضليـل عقول البشر هو أداة لقهرهم وتطويعهم لأهداف خاصة» كما يقول البرازيلي باولو فريري (1921-1997)، في كتابه «تعليم المقهورين».[50]

ويعرف المثقفون العرب بأن الإعلام العربي على وجه العموم، لم يقترب كثيرًا من المشهد الأدبي والثقافي، إن لم يكن بعيدًا. وذلك بسبب تسخير جميع الوسائل المحلية والخاصة، للتسبيح باسم الحاكم ولمن يواليه من الكتاب والمثقفين. مما يعقّد التواصل بين السلطة وغير الموالين لها ويجعلها قلقة وغامضة، ومتوترة ومتنافرة في معظم الأحيان. مع أنه من المفترض أن يشكل الإعلام والثقافة طرفًا واحدًا في مواجهة التحديات التي تعمل على اقتحام الثقافة، وتشويه الإعلام وعقول المتابعين له.

ويعيد المتخصصون بالشأن الإعلامي والثقافي هذه العلاقة السلبية إلى أسباب كثيرة ومتعددة، نذكر منها:

- غياب الحرية عن الأجواء الفكرية والثقافية والإعلامية.
- التطـور الهـائل في الثـورة التقنـية الذي يقدم الجديد يوميًا، ويتيح الفرص للشباب على وجه الخصوص بالاطلاع على ثقافات أخرى وتعلم لغات أخرى.
- قلة عدد البرامج الثقافية في الوسائل المرئية والمسموعة، بالقياس إلى البرامج الترفيهية والغنائية التي تبث على مدار السنة وتلتهم أوقات

الناس وعقولهم.

- الدور السلبي الذي تمارسه الأنظمة العربية الحاكمة في إبعادها المثقفين عن قراراتها وتغييب وجودهم، وإلقائها في السجن كل من ينتقد سياستها. مما وضع الأدباء والمفكرين والمثقفين الذين لا يمشون في ركاب السلطة على هامش الحياة السياسية والثقافية، وكأنهم مواطنون من درجة غير معترف بها. فباتت الأرض رخوة تحت أقدامهم، والأيدي لا تمتد إلى أيديهم إلّا لتضع فيها القيود.[51]

هذا إلى جانب الاستخدام المتزايد لوسائل الإعلام من قبل القوى السياسية بهدف إحكام قبضتها على سير الأمور، والمحافظة على استقرار موازين القوى في عالم شديد الاضطراب زاخر بالصراعات والتناقضات.

فالفكر الثقافي مستقطب سياسيًا، ولا نضيف جديدًا بقولنا: إن الفكر الثقافي معتقل سياسيًا، وفاعليته في الدولة والمجتمع رهن بتوافر الحرية السياسية. ففي الماضي كان فرض السيطرة وكما خلص إلى ذلك ميشيل فوكو، يكمن في استعراض قوة القوة الحاكمة على مرأى من الكثرة المحكومة، أما قوة الحكم في أيامنا هذه فقائمة على إبقاء هذه الكثرة على مرأى من القلة الحاكمة. ويتم ذلك: إما وقائيًا عن طرق نظم الإعلام الموجه وأضوائه التي تنفذ خلال شاشات التلفزيون، وإما تشخيصيًا عن طريق استطلاعات الرأي، أو علاجيًا إن اقتضى الأمر عن طريق أجهزة الأمن والمخابرات والرقابة الإلكترونية.[52]

وتجدر الإشارة إلى أن السلطات السياسية في الوطن العربي لم تنفرد باعتقال المفكرين والمثقفين أو بتجاهل أفكارهم ورفضها، وإنما سبقتها في ذلك أمم سابقة وواكبتها دول معاصرة. فقد ساد في جميع الأزمنة عرف يقضي بأن تحجز السلطات المختلف في رأيه عنها، بقصد تطبيعه أو تهجينه أو النيل منه نفسيًا وبدنيًا. وعندما برز دور المثقف في الحضارة الإغريقية والرومانية القديمة حوكم سقراط (470 – 399 ق.م) وأدين من قبل حكومة أثينا الديمقراطية

بتهمة عدم احترام آلهة أثينا وإفساد الشباب الأثيني، وقُتل بشرب السم. والمقدوني أرسطو (384 ق.م). الذي رأى أن استبعاد المواطنين عن الحكم يحرضهم على اللجوء إلى العنف، ودعا إلى إشراكهم حرصًا على استقرار وسلمية النظام السياسي، لم ينج من تهمة الإلحاد. فاضطر إلى الهرب من أثينا، خوفًا من أن يحل به ما حلّ بسقراط.

والروائي والشاعر كين سارو ويوا (1941-1995) وهو من الأقلية العرقية أوغوني التي تعيش في نيجيريا وموطنها الأصلي أوغوني لاند في دلتا النيجر، وكان ناشطًا بيئيًا في منطقة عانت من ضرر بيئي بالغ بسبب حفريات شركات النفط. وعندما بلغت حملته السلمية لإيقاف التلوث في الأرض والمياه ذروتها، اعتقل وحوكم ثم شُنق.

والشاعر الصيني زانغ كزيليانغ (1936-) الذي لاقى المرار في الحبس وفي معسكرات العمل أيام حكم ماو تسي تونغ، ألقي القبض عليه في العام 1957 وحبس بسبب قصيدته «أغنية الريح العظمى»، وبقي في الحبس حتى العام 1979.

والشاعر النيجيري وولي سوينكا (1934-) سُجن في حبس انفرادي مدة عامين على خلفية مواقفه وأشعاره وتزعمه مظاهرة شعبية احتجاجية ضد حكومة الرئيس أوباسنجو، لفشلها في مكافحة الفساد والجرائم. ومن أقواله: «يموت الإنسان داخل كل قلب، يقف صاحبه صامتًا في وجه الطغيان».

توالت العصور وتبدلت وجوه الحاكمين وصفاتهم وتسمياتهم، وبقيت العلاقة بين المثقف والسلطة في مجملها علاقة جدلية مبنية على التحدي والنقد والنضال والصمود فما زال استلاب حقوق المواطن واضطهاده، قائمًا. وما زالت العدالة الاجتماعية والمدنية، غائبة. وما زالت السلطة السياسية مستمرة في استمالة المثقفين واحتوائهم، وحرفهم عن مهامهم الأساسية. وما زال كل

من يحاول مواجهة الاستبداد عبر بث الوعي في الوسط الشعبي المغيّب في الفقر والجهل والحرمان، معرضًا للاضطهاد والملاحقة والاعتقال.

لقد تخلف فكر المنظومة السياسية عن تطور المجتمع الإنساني، وصار هناك حاجة ملحة إلى مراجعة شاملة لعلاقة الثقافة والفكر بمنظومة السياسة. وإلى فكر سياسي جديد يكشف عن وهم المواطنة الزائف ويحرر الناس الذين يظنون أنهم أحرار وهم ليسوا كذلك. فهم ما زالوا يُساقون إلى صناديق الانتخابات كالقطيع، وتؤخذ منهم الآراء والمواقف التي تم تلقينها لهم لتبث على وسائل الإعلام تدليلًا على الديمقراطية وحرية الرأي.

2

منهج البحث

يشكل الإنسان الأسير والمعتقل والسجين محور هذه الدراسة وآفاقها ومفرداتها، من خلال انفعالاته وهواجسه ورؤاه وطبيعة الحياة التي يعيش فيها والمناخات التي تحيط به. فأنظمة السلطة القمعية الموجودة هنا وهناك، لا تتورع عن مطاردة أصحاب الأقلام المبدعة والفكر الحي المتجدد، وعن إحراق كتبهم ومصادرة حقهم في التفكير. فحاصرتهم ولاحقتهم وجعلتهم بين حدين متقابلين، إما السكوت والرضوخ أو الاعتقال. فأدخلت بعضهم السجون، وبعثت بعضهم إلى الغربة والمنافي.

ولا عجب بأن تنتصر الأنظمة فترات طويلة وهي في أوج سلطتها، لكن الاستمرار في هذا النهج لا يستمر والأحوال لا بد من أن تتغير عندها ستكتشف أن انتصارها على الفكر الحر والعدالة الاجتماعية، لم يكن غير سراب. فالحروب التي أشعلوها من أجل بقائهم لن تفيدهم لأنهم سوف يزولون، كما زال من قبلهم طغاة كثيرون. أما هذه الأعمال الأدبية فستبقى حية لأنها منحازة إلى الإنسان، في كفاحه من أجل الحرية والكرامة والعدالة الاجتماعية. ولأنها تجسد قيم الجمال والإبداع، في الضمير الجمعي للأمم.[53]

تنبني هذه الدراسة على حكايات هؤلاء المدمرين والمسحوقين الذين سعوا إلى لحظة صفاء ذاتي، وتحرر داخلي مُنع عليهم بلوغه. فمن خلال إبداعاتهم استطعت أن ألتقط نبضهم في أثناء وجودهم في السجن، وبعد خروجهم منه. فإذا كان بعض المعتقلين قد تمكنوا من الابتعاد عن حياتهم في السجن، فإن بعضهم لم يستطيعوا أن يتخلصوا منها. فحريتهم قيّدت مستقبلهم، ومنحتهم راهنًا مثقلًا بالخيبة والألم. فالشعر الذي نظموه والنثر الذي كتبوه في فترة حبسهم هو الوثيقة الرئيسة لهذه الدراسة، إلى جانب ما صدر عنهم من قبل وأدى بهم إلى الاعتقال والسجن والنفي وحتى القتل. وسيجد القارئ أن القاسم المشترك بين الأدباء المثبت ذكرهم في الدراسة، هو البعد الإنساني المتوافر في حياتهم ومعاناتهم. وستضعه أشعارهم وسردياتهم، في قلب تجربة الأسر حتى ليشعر أنه يعيشها واقعًا حقيقيًا وليس مجرد كلام كُتب للقراءة. وذلك من خلال تعدد أسباب وجودها والجرأة في طرحها، وتحديد مكان الحدث ووضوح زمانه. ولا يخفى على الدارسين دور التفاصيل في الأدب وأهميتها في توكيد حدوث الحالة.

فالشاعر أو الروائي الذي يطل علينا من بين الأسطر، ونتابعه بعينين تتبدلان تبعًا لتبدل حالته النفسية، نشعر بأننا نعيش ظروفه ونتلمس أحاسيسه، فنرتاح معه إذا ارتاح، ونغضب لغضبه إذا غضب. مع أننا لم نتعرف حقًا إلى ما يجري داخل الأسوار عندما تطفأ الأنوار ويعم الظلام والصمت، ويتوقف الزمن عن الدوران. ويرى الأديب السوري إبراهيم صموئيل في لقاء صحفي معه وقد سجن مرتين وكتب عددًا من القصص عالج فيها مسألة السجن والأسر، بأن بعض الكتاب يبالغون في توصيف ما يجري في المعتقلات العربية، مما يمنح القـراء شعورًا بالخوف والهلع وقد يكون سببًا في إحجامهم عن مناهضة الأنظمة المستبدة. «لهذا لا بد من الحذر البالغ إزاء المتلقي، حتى لا يقع الكاتب في أحد مطبين: إما المبالغة الزائدة عن اللزوم، وإما التقصير

الزائد عن اللزوم. لذا لا بد من البحث عن الخيط الرفيع جدًا والسير عليه دون السقوط في إحداهما».[54]

وعن تجربته بعد السجن يقول: «السنوات الست التي عشتها بين الاعتقالين كانت بمثابة مسافة زمنين بيني وبين السجن لأنني كنت أحاذر من أن تكون الكتابة الأدبية إعلامية وإعلانية وصحفية سريعة بمعنى ما، أكثر منها أدبًا يبقى ويستمر. لذلك تريثت حتى تنضج التجربة وتدخل إلى الدم والتنفس والرؤيا، فكتبت مع اعتقالي الثاني بالمنفردة في العام 1988 أول قصة ونشرتها ضمن مجموعتي القصصية الأولى 'رائحة الخطو الثقيل'».[55]

انتقيت للدراسة شعراء من معظم العصور العربية القديمة والمعاصرة، وحاولت جهدي أن أبتعد عن التركيز على شعراء كبار تكرر ذكرهم ضمن دراسات عديدة في المجال ذاته. أما البحث عن المراجع والمصادر فكان لي تعبًا وجهدًا كبيرين، فإما الكتاب غير متوافر أو النت غير حاضر بالإضافة إلى مصاعب أخرى عديدة.

أما عن الروائيين فكان الابتعاد عن التكرار هو الأكثر صعوبة، فمن خلال البحث والقراءة تبين لي أن معظم الروايات خضعت للدراسة والتحليل. ومع ذلك يبقى لكل مجتهد نصيب، ولكل باحث منهج وأسلوب وطريقة في التفكير والتحليل.

وتجدر الإشارة إلى أن العمل في هذا الحقل، شاق وشائق. فالمحاذير كثيرة ولاسيما أن الشواهد ترتكز على حاضر حيّ، بقدر ارتكازها على الماضي.

لقد شغفني هذا النوع من الأدب منذ سنوات ليست قليلة، فوضعت للبحث فيه منهجًا وسجلت أسماء المراجع التي اخترتها للعودة إليها، لكنني لم أبدأ العمل به جديًا. فأصدرت كتبًا عن المرأة ومن أدب الرحلات ونصوصًا شعرية وقصصًا للكبار وللصغار وروايتين، وظلت الكتابة فيه هاجسًا لم

يفارقني. فالموضوع جرى في دمي قبل أن يحتل فكري، لأنه يشكل لي إضافة إلى مسيرتي الكتابية ومساهمة تعبر عن مشاعري مع أصحاب الآراء الحرة ومواقفهم النضالية.

في أثناء عودتي إلى الموسوعات والكتب الأدبية، راعني عدد الشعراء الذين قاسوا من الأسر الطويل والقصير في العصور الماضية. فكان لا بد من الوقوف على الأسباب التي آلت بهم إلى الاعتقال والسجن، والموت في بعض الأحيان. فمرة من أجل هجاء أو تشبيب، ومرة من أجل موقف سياسي أو ديني أو بكلمة نقد لحاكم أو لوالٍ، وأخرى بسبب وشاية من مبغضين، وأحيانًا بسبب عدم الوفاء بدَيْن مالي. مما قضى على بعضهم بالموت في السجن، أو بالملاحقة والنفي والهروب.

كما اعتمدت في دراستي على روايات تحدث فيها كتابها عن السجون والمعتقلات، ولم يجربوها. وقد لفتني في أثناء البحث والتوثيق، أن معظم الأدباء العرب المعاصرين المعتقلين والمسجونين هم من معتنقي الفكر اليساري الشيوعي.

لقد توهمت الأنظمة السياسية القديمة والحديثة التي أوقعت إجرامها على الأدباء والمثقفين، بأنها انتصرت. لكنه الانتصار السراب، انتصار سباحة ضد تيار الحق والمنطق وسيرورة الحياة. فالأدب والفكر والفن لا يُعتقل، وإن حُوصر وضُيِّق عليه. والمعاني لا تعتقل ولا تحاصر ولا تقتل، مهما اشتد عسف السلطات. فلا بد من يوم تزول فيه، ويبقى هذا التراث الإنساني عصيًا على الطمس والإلغاء.

لن تبلغ دراستي الكمال، وإن رامته. فما كتب في هذا المجال كثير، وما قيل من شعر ونثر في السجن وحوله أكبر من قدرتي الفردية على الإحاطة به، مهما رحبت النوايا واتسعت الآمال.

الهوامش

1 انظر ندوة كتابات الاعتقالات السياسية: الإشكالات المقارنة، الرئيس محمد خاتمي
2 المرجع نفسه، بتصرف
3 انظر المثقفون في الحضارة العربية: محنة ابن حنبل ونكبة ابن رشد، محمد عابد الجابري، ص 39 بتصرف
4 انظر خطاب العدالة في كتب الآداب السلطانية، إبراهيم القادري بوتشيش، ص 122
5 انظر كتاب «في تشريح أصول الاستبداد: قراءة في نظام الآداب السلطانية»، كمال عبد اللطيف، ص 127
6 نقلًا عن كمال عبد اللطيف، ص 73-74
7 انظر سراج الملوك للطرطوشي، مرجع سابق
8 انظر بوتشيش، مرجع سابق
9 انظر كتاب التاج في أخلاق الملوك للجاحظ، ص 37
10 انظر الأحكام السلطانية للماوردي، مرجع سابق
11 انظر الفخري في الآداب السلطانية لابن طباطبا، ص 6
12 انظر الجابري، مرجع سابق
13 انظر مقدمة ابن خلدون، مرجع سابق
14 المرجع نفسه
15 انظر الطرطوشي، مرجع سابق
16 المرجع نفسه
17 انظر كتاب لسان الدين بن الخطيب: حياته وتراثه الفكري، محمد عبد الله عنان
18 انظر العقل السياسي العربي، محمد عابد الجابري، ص 365-366
19 انظر الآداب السلطانية، د. عز الدين العلام، ص 20
20 الجابري مرجع سابق، ص 358
21 المرجع نفسه
22 انظر التراث بين السلطان والتاريخ، عزيز العظمة، ص 46 بتصرف
23 انظر عدنان حسين أحمد، ص 130 بتصرف
24 انظر ثقافتنا بين نعم ولا، غالي شكري، ص 69
25 انظر خاتمي، مرجع سابق
26 انظر ميشال فوكو، ص 58
27 انظر كتاب القمع في الخطاب الروائي العربي، عبد الرحمن أبو عوف

28 انظر عام جديد بلون الكرز، مختارات من أشعار ونصوص مالك حداد
29 انظر صور المثقف، إدوارد سعيد، ص 28
30 المرجع نفسه
31 انظر دفاتر السجن لأنطونيو غرامشي ، ص 17
32 انظر قصة الاستبداد: أنظمة الغلبة في تاريخ المنطقة العربية، فاضل الأنصاري، ص 27
33 انظر كتاب عالم السدود والقيود، محمود عباس العقاد
34 انظر الجابري، مرجع سابق
35 انظر ميشال فوكو، مرجع سابق ص 58
36 من حوار الصحفي شاكر نوري مع الطاهر بن جلون في كتاب رقم/ 48 / صادر عن مجلة دبي الثقافية، 2011
37 انظر طبائع الاستبداد ومصارع الاستعباد، عبد الرحمن الكواكبي، ص 14
38 انظر المقدمة لابن خلدون، مرجع سابق
39 انظر «رسالة الفتيا» للجاحظ، ج 1/ 213
40 انظر الكواكبي، مرجع سابق ص 52
41 انظر إدواردو غاليانو، مرجع سابق
42 انظر الموقع الإلكتروني بوابة الشرق الأوسط الجديدة، 23 مارس، 2021
43 انظر كتاب السيطرة على المعلومة: دراسة حول النظام والصحافة في عُمان، محمد الفزاري
44 انظر السلطة الثقافية والسلطة السياسية، علي أومليل.
45 انظر الجابري، مرجع سابق ص 33
46 انظر مع تصرف كثير حوارًا مع عمر شبلي في مجلة المنافذ الثقافية، 17 نيسان، 2015
47 المرجع نفسه
48 انظر موقع صحيفة «العربي اليوم»، elarabielyoum.com/show545803
49 انظر حوارًا مع إبراهيم صموئيل مع الصحافية وداد جرجس سلوم، صحيفة العرب، يونيو 2014، بتصرف
50 انظر المتلاعبون بالعقول، تأليف هربرت .أ. شيللر، ترجمة عبد السلام رضوان، ص 22
51 المرجع نفسه
52 انظر كتاب الثقافة العربية وعصر المعلومات، نبيل علي، ص 199
53 انظر (بتصرف) عن مفيد نجم، 2016/5/1
54 انظر أبراهيم صموئيل، مرجع سابق
55 المرجع نفسه

الباب الثاني:
السجن والأسر

1

السجن والأسر والاعتقال في اللغة

لا شك في أن هنالك تعالقًا دلاليًا لغويًا، بين هذه المفردات. فالحبس كما جاء في المعاجم العربية المتعددة، هو المنع والإمساك وهو ضد التخلية. والمحبس، هو الموضع الذي يحبس فيه الناس. يقول ابن القيم الجوزية (691-751 هـ):

«الحبس ليس هو الحبس في مكان ضيق، وإنما هو تعويق الشخص ومنعه من التصرف بنفسه حيث شاء سواء أكان في بيته أم في المسجد».

وفي هذه الحال يكون التوقيف الذي يمتد من ساعات إلى يومين أو ثلاثة، أقرب ما يكون إلى المعنى الذي قصده ابن الجوزية.

لقد جاءت كلمة السجن من مادة سَجَنَ التي لا تختلف في المعنى والمقصد عن الحبس، فسجنه سجنًا حبسه حبسًا. إلا أن بعض اللغويين أشاروا إلى بعض الاختلاف بين الكلمتين من حيث أن كلمة السجن تدل على الضرب والتنكيل والإهانة والشدة في المعاملة، بينما تحمل الحبس شيئًا من الانفراج. وقد وردت كلمة حبس في أشعار أبي محجن الثقفي (ت 36 هـ) وفي غير موضع:

فإنْ أُحْبَس فقد عرفوا بلائي وإن أُطْلَق أجرّعهم حتوفا

أمّا الأسر فهو من فعل أسر، ومنه الإسار وهو القيد الذي يشد به الأسير. وجاء في المنجد أسر أسرًا: قبض على شخص وأخذه أسيرًا. وأسير: من يؤخذ في حرب أو معركة، وجمعها أسرى وأسراء. ويقول ابن فارس:

الأسير: «كلُّ أَخيذ وإن لم يُشدّ بالقيد». وقد تحولت كلمة الأسر إلى مرادفة للحبس والسجن، ونستدل على ذلك من مقولة الزبيدي: «كل محبوس في قدّ أو سجن، أسير». وفي لسان العرب: «الأسير الأخيذ، كل محبوس في قدّ أو سجن، أسير».

وعن الاعتقال، جاء في لسان العرب: «أُعتقل: حُبس وعقل عن حاجته». وقد جاء في شعر عدي بن زيد العبادي، كلمتا مسجون وحبس:

أتـاك بأنني قـد طـال حبسي ولم تسأم بمسجـون حريب

أما الاعتقال، فهو مرادف للحبس عند ابن منظور. وعند بعضهم، هو نوع من الحبس الاحتياطي الذي لا يترافق مع ضرب وإذلال، لأن المعتقل ما يزال رهن الاستجواب ولم يثبت عليه أي عمل مسيء. هذا في الماضي، أما في الحاضر فالمعتقل مدان وقد يقتل من التعذيب قبل أن تثبت إدانته ويسجن.

وعن الاعتقال يقول الروائي والمسرحي الروسي ألكسندر سولجنستين (1918–2008) في روايته «أرخبيل الغولاغ»:

«ما هو إلا تحطيم لحيواتنا كاملة! أو هو صاعقة برق تقطع أوصالنا، أو هو زلزال نفسي كاسح يجتاح الجميع؟ وغالبًا ما يخرُّ مَن لم يستطع الصمود أمامه زاحفًا، فاقد العقل والجَنان. الاعتقال.. هو القذف اللحظي الصاعق، هو الرمي والانقلاب من حالة إلى أخرى».[1]

ففي الماضي كان التشهير بالأسير يتم بوضعه على دابة بطريقة مقلوبة،

1 رواية «أرخبيل الغولاغ»، ألكسندر سولجنستين، ترجمة نجم سلمان الحجار، دمشق: دار علاء الدين للنشر والتوزيع والترجمة، ط 2، 2013، ص 24

ويُطـاف به في البلـدة أو المدينة. وهـذا مـا أوقعه والي العراق عبيد الله بن زياد (32–67 هـ)، على الشاعر يزيد بن مفرغ الحميري (ت 69 هـ) وأجبره على شرب مادة مسهلة حتى يسلح، ثم طِيفَ به على ظهر دابة ليثير ضحك الناس وسخريتهم.[2]

وهذا ما أحس به الشاعر عبد الملك بن عبد العزيز، حين سجنه هارون الرشيد لسبب سياسي مع مجرمين:

ومحلة شمل المكـاره أهلها وتقلـدوا مشـنوءة الأسمـاء
دار يهـاب بها اللئـام وتتقى وتقـل فيهـا هيبة الكرمـاء
ويقول علج ما أراد، ولا ترى حرًا يقـول بـرقـة وحـيـاء
ويرق عن مس الملاحة وجهه فيصونه بالصمت والإغضاء.[3]

2 انظر سير أعلام النبلاء: 3/ 522

3 انظر اللطائف والظرائف للثعالبي: باب ذم السجن، ص 288

2

المنفى والاستبداد في اللغة

لا يبتعد المنفى عن مقاصد ودلالات ما تقدم من مفردات، فهو وكما جاء في **لسان العرب**: «من الجذر نفى، والنفي هو التنحي. ونفي الرجل من الأرض: طُرد منها وأُبعد عنها. وورد في مقاييس اللغة، أن «النون والفاء والحرف المعتل أصيل، يدل على تعرية شيء من شيء وإبعاده منه». وفي الصحاح في اللغة: نفاه: طرده.

وفي القاموس المحيط وفي المنجد: نفى نفيًا: نَحّى وأبعد، وحكم على المنفي بالإقامة الجبرية في بلد آخر. فالمنفي لا يستطيع العودة إلى وطنه حتى لو رغب بذلك، ما لم يأته العفو من الذين أصدروا بحقه هذا القرار.

إن نفي إنسان ما أو سجنه أو طرده من وطنه، ما هي إلا أفعال بشرية بحق بشر آخرين يخالفونهم الرأي وينتقدون مواقفهم ويتصدون لها.

وفي كتابه «تمثيلات المثقف» يصف إدوارد سعيد المنفى، بأنه «من أكثر المصائر إثارة للحزن»[1] مستخلصًا بأن النفي والطرد في التاريخ القديم كان عقابًا مروعًا للشخص المنفي، لأنه كان يعني سنوات من التشرد بعيدًا عن العائلة والأمكنة التي ألفها. مثلما يعني نوعًا من النبذ، وعدم الشعور بالاستقرار في المكان.

وقد قارن الكاتب بين المنفى في الأزمنة ما قبل الحديثة، والمنفى في العصر الحديث. «فوجد أن دلالة المنفى في الحاضر تحولت من تجربة شخصية إلى تجربة جماعية، أصابت شعوبًا وأعراقًا تعرضت للاقتلاع والتشريد والنفي القسري».[2]

أما الاستبداد في اللغة، «فيعني التفرد بالشيء، والمستبد هو الذي ينفرد برأيه. وقد وصفت كلمة الاستبداد أشكالًا متعددة من الحكم، على رأسها حكام لديهم سلطة لا قيود لها. «فالاستبداد يُطلق على شخص يحكم حكمًا مطلقًا عن طريق القوة العسكرية أو الخداع السياسي أو الاتكاء على الدين، ليكسب قلوب المؤمنين ويجعلهم يسيرون طائعين لأمره».[3]

ولابن خلدون نظرية في المستبد، من خمسة عناصر:

الأول: طور الظفر بالبغية.. والاستيلاء على الملك. ويكون صاحب الدولة في هذا الطور إسوة قومه في اكتساب المجد.. لا ينفرد دونهم بشيء. الثاني: طور الاستبداد على قومه والانفراد دونهم بالملك وكبحهم عن التطاول للمساهمة والمشاركة، ويكون صاحب الدولة في هذا الطور معنيًا باصطناع الرجال واتخاذ الموالي والصنائع. الثالث: طور الفراغ والدعة لتحصيل ثمرات الملك. الرابع: طور القنوع والمسالمة. الخامس: طور الإسراف والتبذير.. وفي هذا الطور تحصل في الدولة طبيعة الهرم ويستولي عليها المرض... إلى أن تنقرض».[4]

ويرى عبد الرحمن الكواكبي أن الاستبداد هو أصل الداء، ودواءه في الشورى الدستورية. فما من مستبد سياسي، إلّا ويتخذ لنفسه قدسية يشارك

---

2 المرجع نفسه.

3 أعلام العقلانية والتنوير ومجابهة الاستبداد، عبد الله حنا، حلب: نون للنشر والطباعة، ط 1، 2010، ص 13

4 مقدمة ابن خلدون.

بها الله. «فالاستبداد يدفع المستبد إلى أن يصبح طاغية، فكل سلطة مفسدة، والسلطة المطلقة مفسدة مطلقة».[5]

والطاغية، كما يقول الكواكبي: «هو الذي يتحكم في شؤون الناس بإرادته لا بإرادتهم، ويحاكم بهواه لا بشريعتهم. ويعلم من نفسه أنه الغاصب والمعتدي، فيضع كعب رجله في أفواه ملايين من الناس لسدها من النطق بالحق».[6]

ويقول الشاعر شوقي بغدادي: «لا يولد المستبد الطاغية من فراغ، أو من نفسه. أو يولد لسبب بيولوجي مثلًا، أو بفعل مصادفة مناسبة. وإنما يكون كالجنين في رحم التعصب أو الجهل أو الأزمة وغيرها، من عوامل تنزل بأمة من الأمم، فيتغذى الجنين بها. ويمهد لشروق شمسه وتمجيد قداستها، حين يبزغ إلى الوجود كرمز حي لخلاص أمته».[7]

ودليلنا على ذلك ما هو قائم في معظم بلدان المنطقة العربية التي يحكمها طغاة وصلوا إلى الحكم بطرق غير مشروعة، كاغتصاب الحكم بالمؤامرات والاغتيالات ووسائل أخرى. أي أنهم أشخاص لم يكن من حقهم أن يحكموا فيما لو سارت الأمور سيرًا طبيعيًا، لكنهم قفزوا إلى منصة الحكم بالقوة ومن غير حق. فألحقوا أوطانهم بأسمائهم، ونالوا ألقابًا وأوصافًا لا حدود لها: المخلّص، الزعيم الأوحد، الملهم، المنقذ، القائد الخالد، والرئيس المؤمن، والرئيس الذي يفتدى بالروح والدم.

5 الكواكبي، ص 14

6 نفسه، ص 52

7 انظر موقع بوابة الشرق الأوسط الجديدة، 30 مارس، 2021

الباب الثالث:
نشأة السجن

1

السجن في الدين

قديماً قيل عن السجون: «إنها منازل البلاء وتجربة الأصدقاء وشماتة الأعداء وقبور الأحياء». مما يؤكد على أن السجن أو الحبس ليس حالة مستحدثة في المجتمعات العربية، بل له جذور على اختلاف أشكاله وأنواعه في مجتمعات العالم كله بعد مقتل هابيل على يد أخيه قابيل. وقد تطورت هذه المؤسسة العقابية مع تطور الزمن والمجتمع وتغيرات الحياة، فنرى أن بعض الأمم السالفة اتخذت سجونًا لتهذيب من شذّ عن قوانينها المرسومة أو حاول المساس بأمنها وأمن مواطنيها.

فكان لكل أمة نظامها الخاص من حيث المكان وخباياه وإدارته الداخلية وأدوات التعذيب، ومن حيث نوع العقوبات المفروضة على كل مذنب بحسب جنايته.

ففي العهد القديم وردت إشارات إلى وجود الحبس:

«وعندما كان يوسف حاكمًا على أرض مصر، وجاء إليه أخوته ليشتروا قمحًا وضعهم في حبس ثلاثة أيام». تك 42: 17 و19 وأيضًا «أرسل فرعون ودعا يوسف، فأسرعوا به إلى السجن». تك 40:14. و«بعد أن أسر الفلسطينيون شمشون، وضعوه في بيت السجن بعد أن قلعوا عينيه وأوثقوه

بسلاسل». قض 16: 21 و25

وفي العهد الجديد جاءت كلمة السجن في مواقع مختلفة:

«وفي فليبي ألقي بولس وسيلا في السجن في حراسة حافظ السجن الذي وضع أرجلهما في المقطرة». أع 12:10

«قبض الملك هيرودس على يوحنا المعمدان وأوثقه وطرحه في سجن من أجل هيروديا امرأة فيليس أخيه». متى 14:3

«وعندما وضع الملك هيرودس الرسول بطرس في السجن ولعله كان في قلعة أنطونيا حيث وضع الرسول بولس فيما بعد». أع 21: 34

ووُجد السجن في مصر الفرعونية أيضًا، وأشار إليه القرآن الكريم من خلال سجن يوسف عليه السلام: «ربِّ السجن أحبُّ إليَّ مما يدعونني إليه». سورة يوسف/ 33

«ودخل معه السجن فتَيَان». سورة يوسف/ 36

وفي تهديد فرعون لموسى عليه السلام: «لئن اتخذتَ إلهًا غيري لأجعلنَّكَ من المسجونين». سورة الشعراء/ 29

وفي سجن سليمان عليه السلام للجن: «والشياطينَ كلَّ بَنَّاءٍ وغَوَّاص*وآخرينَ مُقَرَّنينَ في الأصفاد». سورة ص/ 37-38

وأشار القرآن إلى الحبس إشارة غير مباشرة، من خلال وجود يونس في بطن الحوت: «فلولا أنه كان من المُسبِّحين للبث في بطن الحوت إلى يوم يبعثون». سورة الصافات/ 144

كما كان للأسر حضور في آيات القرآن، منها:

«ما كان لنبي أن يكون له أسرى حتى يثخن في الأرض». سورة الأنفال/ 67 «ويطعمون الطعام على حُبِّه مسكينًا ويتيمًا وأسيرًا». سورة الإنسان/ 8

إن ما مرّ نستدل به إلى أن السجون وجدت بهدف فصل المتهمين عن محيطهم الخارجي، ريثما تقع عليهم العقوبة التي يستحقونها.

2

السجن في الحضارات القديمة

تذكر الكتب أن أقدم السجون أنشئت في بلاد الرافدين، وكانت عبارة عن زنازين تحت الأرض. وكان مصير السجناء، إما الإعدام أو الاستعباد. فالسجن الكلداني أُشتهر بارتفاع طاقته التعذيبية للسجناء، وفي بابل كان الآشوريون يحجزون الأسرى في الكهوف والأودية، ويشغلونهم في البناء والخدمة.

كما وجدت هذه المؤسسة عند الفراعنة التي سبق الاستدلال عليها بآيات من القرآن، إلّا أن التعذيب فيها لم يكن بالغ القسوة كما يظن بعض الدارسين. في حين تشير قصة الحضارة إلى أن المصريين كانوا يلجؤون إلى التعذيب في بعض الأحيان لحمل السجين على الاعتراف، بضربه بالعصا أو بجدع أنفه أو صلم أذنه أو قطع لسانه، أو بنفيه إلى الأقاليم. ومن أشد ضروب العقاب، كان تحنيط المذنب وهو حيّ. وفي السجون الإغريقية التي امتازت بهمجية عالية في أساليب التعذيب، كانوا يُدخلون السجين في جوف حيوان ميت كي تأكله الديدان.

وكان الرومان، يحبسون المعتقلين في سراديب مظلمة تحت الأرض. «كما

كانت المطامير من الأماكن العقابية عند اليونان والرومان، وهي عبارة عن قاعة بلا باب ولا نافذة، يُدخل إليها من ثقب دائري في السقف». [1]

كما كان عند الفرس سجون عديدة، منها:

«سجن ساباط الذي يُظن أن كسرى سجن فيه الملك النعمان بن المنذر، وبقي فيه حتى مات». [2]

وفي ذلك يقول الشاعر الأعشى:

فذاك وما أنجى من الموت ربه   بساباط حتى مات،وهو محزرق [3]

وقد عرف السجناء في تلك السجون صنوفًا من التعذيب لا تختلف عما عرفتها الأمم المعاصرة لهم، كالحرق بالنار وسمل العينين وبتر الأعضاء والإعدام بالقتل أو بشرب السم.

أما السجن عند الصينيين فكان الأقل ظلمًا كما يرى وِلْ ديورانت، ومع ذلك لم يترددوا في وضع الجمر في حفرة كبيرة يمدون فوقها قنطرة من نحاس، ويؤتى بالمذنب ليعبر فوقها حافيًا. فإما أن تحتمل قدماه الحرارة وينجح في اجتياز القنطرة، أو يعجز فيلقي بنفسه في حفرة النار ويموت. [4]

ويذكر ابن بطوطة في الجزء الثاني من رحلته، عن قلعة في الهند تسمى «الدويقير» فيها جباب لحبس أصحاب الجرائم العظيمة، وفيها فئران ضخمة لإيذاء المساجين.

وفي الإمارات التي كانت قائمة على أطراف الجزيرة العربية (المناذرة والغساسنة)، سُجن شعراء وصل بعضهم إلى الموت. ويذكر المسعودي

1 انظر شعر الأسر في العصر العباسي، محمد البلاجي
2 المرجع نفسه، 1/ 91
3 انظر معجم لسان العرب لابن منظور، مادة حزر
4 انظر قصة الحضارة، ول ديورانت، ج3

أن عرب اليمن كانوا أكثر تحضرًا من غيرهم في هذا المجال، إذ أنهم أفردوا للسجناء أبنية خاصة منها الفسيح ومنها الضيق وكانت ملحقة بقلاع الملوك.

مع تقدم الزمن تغيرت أساليب القتل فما كان معمولًا به عن طريق السباع في الإمبراطورية الرومانية، صار تمساحًا في مصر الفرعونية وفيلًا في الهند وسحلًا بالجياد في آسيا المغولية وبالقتل بالنحل والنمل في آسيا الصغرى.

وفي العصور الوسطى اشتد التضييق على الحريات في الغرب المسيحي، من قبل الإقطاع والكنيسة. وذلك عندما ارتدى ملوك تلك المرحلة عباءة الدين وادعوا أنهم يستمدون سلطانهم من الله باستنادهم إلى مقولات من العهد الجديد، لكي يبرروا سلطانهم المطلق الذي عززه قول القديس بولس:

«لتخضع كل نفس للسلاطين الفائقة، لأنه ليس سلطان إلّا من الله. والسلاطين الكائنة هي مرتبة من الله».[5]

وقد عبر عن السجن وعذاباته الفنانان الشهيران، الإسباني فرانسيسكو دي غويا (1746–1828) بلوحة «السجين» وهو مكبل بالأصفاد الحديدية، والهولندي فان غوخ (1853–1890) بلوحة «السجناء» وهم في فسحة تحيط بهم أسوار عالية.

5 انظر من رسالة بولس الرسول إلى أهل رومية: 13/ 1

3

السجن في عصر ما قبل الإسلام

لم تكن عقوبة السجن في عصر ما قبل الإسلام، تتم بناء على محاكمة وحكم يقضي بحبس المتهم وفقًا للجرم الذي ارتكبه. وإنما كانت تتم بوقف وحبس المتهم إلى أن يصدر بحقه حكم القبيلة، مثلما حصل مع الشاعر عبد يغوث بن الحارث (...) الذي أسره بنو تميم وشدوا لسانه بنسعة لئلا يهجوهم. فلما لم يجد من قتله بدًا طلب منهم أن يطلقوا لسانه ليذم أصحابه، وينوح على نفسه. فقال في أسره:

ألا لا تلوماني كفى اللوم ما بيا ... وما لكما في اللوم خير ولا ليا
ألم تعلما أن الملامة نفعها قليل ... وما لومي أخي من شِماليا
فيا راكبا إمّا عرضت فَبلِّغنْ ... نَداماي من نجران أنْ لا تلاقيا
أقولُ وقد شدُّوا لساني بِنِسْعةٍ ... أمعشرَ تَيمٍ أطلقوا عن لسانيا
فإنْ تقتلوني تقتلوا بي سيّدًا ... وإنْ تُطلقوني تَحربُوني بِمَاليا
وتضحكُ منّي شيخةٌ عبشميةٌ ... كأنْ لم تَرَ قبلي أسيرًا يَمانيا
وقد علمت عِرسي مليكةُ أنني ... أنا الليث مَعدُوًّا عليّ وعاديا
ولو شئتُ نَجّتني من الخيل نَهدةٌ ... ترى خلفَهَا الحُوَّ الجيادَ تَوالِيا

ولكنني أَحمي ذِمـارَ أبيـكـمُ وكانَ الرماحُ يَختطفنَ المُحاميا[1]

ولم يكن هناك مدة محددة لمعاقبة السجين وإنما تخضع لمزاج الملك، فإمّا العفو أو القضاء بالموت. ويُذكر أن المتهم كان يُربط بالسلاسل، ويتم حبسه في البيوت لعدم وجود سجون. أو يُلقى في بئر ويُنسى أمره في بعض الأحيان، ويموت فيه.

1 وردت القصيدة في مراجع عديدة، منها: «البيان والتبيين» للجاحظ، و«الأغاني» لأبي الفرج الأصفهاني، وفي «المفضليات» للمفضل الضبي.

4

السجن في صدر الإسلام والدول المتعاقبة

استمرت في صدر الإسلام عقوبة رمي المتهم في البئر، ونستدل على ذلك من قصة هجاء الحطيئة للزبرقان بن بدر الذي أتى الخليفة عمر بن الخطاب شاكيًا، وقال له: لقد هجاني الحطيئة. فسأله عمر: وما قال لك؟. قال: قال لي:

دع المكارم لا ترحل لبغيتها　　　واقعد فإنك أنت الطاعمُ الكاسي

فقال عمر: ما أسمع هجاء، ولكنها معاتبة. فقال الزبرقان: أو ما تبلغ مروءتي إلّا أن آكل وألبس!

فقال عمر: عليَّ بحسان. فجيء به. فسأله، فقال: لم يهجه، ولكن سلح عليه.

قيل وإنه سأل لبيدًا، فقال: ما يسرني أنه لحقني من هذا الشعر ما لحقه، وأنَّ لي حمر النعم. فأمر بالحطيئة عمر، فَجُعل في بئرٍ ثم ألقي عليه شيء.

فقال الحطيئة قصيدة، منها:

أعوذُ بجَدكَ إني امرؤٌ　　　سقتني الأعادي إليكَ السِّجالا

تَحنّنْ عليَّ هداك المليكُ　　　فإنّ لكل مقام مقالا

ولا تأخذَنّي بقول الوشاة   فإنّ لكل زمـانٍ رجـالا

فلم يلتفت إليه عمر، إلّا عندما قال له:

ماذا تقولُ لأفراخ بذي مَرَخٍ   زغبِ الحواصلِ لا ماءٌ ولا شجرُ
ألقيتَ كاسبَهم في قعر مظلمةٍ   فاغفرْ عليكَ سلامُ الله يا عمرُ
فامنن على صبية بالرمل مسكنُهم   بين الأباطح تغشاهم بها القِرَرُ
أهلي فِداؤكَ كم بيني وبينهُم   من عَرض داويّة تَعمى بها الخُبَرُ[1]

وظلّ حبس المذنب في البئر ساريًا إلى أن وَجَّه الخليفة علي بن أبي طالب ببناء سجن، عندما تولّى الحكم. فالبئر كما رأى لم تعد مكانًا مناسبًا، لمن تقع عليه عقوبة التوقيف. فأقام سجنًا من قصب، وسماه «نافعًا». وعندما نقبه بعض اللصوص، بنى سجنًا آخر منيعًا عالي الجدران سماه «مُخَيَّسًا». وقال:

أما تراني كيّسًا مكيّسا   بنيتُ بعد نافع مخيّسا
بابًـا حصـينًـا   وأمينًا كيّسًا[2]

ومع توالي الأيام وتعدد الخلافات أظهر أولو الشأن من الحكام عناية كبيرة بالسجون، فجعلوا منها نواة لتهذيب الطباع ولتعليم صنعة. ولعل أول من سبق من العرب إلى تشغيل السجناء وتصنيعهم هم العباسيون، وفي هذا يقول عبد الله بن المعتز:

تَعلمتُ في السجن نَسْجَ التِّكَكْ   وكنتُ امرءًا قبل حَبسِي مَلَكْ[3]

لكنَّ هذا لا يعني أن الحكام في تلك العصور كانوا متسامحين ومتساهلين، فقد أذاق بعضهم المعارضين السياسيين شتى أنواع العذاب، ولا سيما في العصر الأموي بدرجة وُصِفَ فيها بالعصر الذهبي للسجون.

كما ارتفعت في العصر العباسي سوية التنكيل والتعذيب في ظل حكم استبدادي، لا دور للرعية فيه. فقد أورد الدكتور شوقي ضيف (1910-2005) في كتابه «الأدب العربي في العصر العباسي» ما قاله المستشرق الإنكليزي رينولد نيكلسون (1868-1945)، من أن نظام الحكم أيام العباسيين كان استبداديًا كما كان عند الفرس منذ أيام داريوس، فنسجوا حول أنفسهم وعرشهم هالة من القدسية والرهبة بالحجاب والجلاد وغيرهم من الحوائل الأخرى بينهم وبين الرعية التي لم تعد تلقى الخليفة إلّا بشق النفس.

ويشير الطبري في الجزء الثامن من كتابه «تاريخ الرسل والملوك»، إلى أن العباسيين استخدموا «الجباب» سجونًا. فقد حبسوا بعض المعتقلين في بئر بسجن «المطبق».[4] واستخدموا المطامير سجنًا، كما جاء في بيت لابن الرومي:

أقسمتُ بالله أنْ لو كنتَ لي ولدًا   لما جعلتكَ إلّا في المطامير

وقد حفلت تلك المرحلة بأسماء مفكرين وفلاسفة وعلماء كبار دخلوا السجون بآرائهم ومواقفهم، وعانوا عسف الحكام وذلّ المنافي ووصل بعضهم حدَّ القتل والإعدام.

ومن هؤلاء الشاعر الحكيم صالح بن عبد القدوس (ت 160 هـ) الذي حبسه المهدي العباسي بتهمة الزندقة مدة طويلة، قبل أن يقتله. فقال في حبسه:[5]

إلى الله أشكو إنَّهُ موضعُ الشكوى   وفي يده كشفُ المَضَّرةِ والبلوى
خرجنا من الدنيا ونحن من أهلها   فلسنا من الأحياء فيها ولا الموتى
ونفرح بالرؤيا فَجُلُّ حديثِنا   إذا نحن أصبحنا، الحديثُ عن الرؤيا
فإنْ حَسُنَتْ لم تأتِ عَجلى وأبطأت   وإنْ قَبُحتْ لم تَحْتَبسْ، وأَتتْ عَجْلَى
طَوى دونَنَا الأخبارَ سجنٌ ممنعٌ   له حارسٌ تَهدا العيونُ ولا يهدا

قُبرنَـا ولم نُـدفـنْ فنحـن بمعـزِلٍ   من الناس لا نُخشى، فَنُغْشَى ولا نَغْشَى

وفي هؤلاء الشعراء شيخُ المُتصوِّفةِ الحَلاَّجُ الحسين بن منصور (244-309 هـ) الذي دفع حياته ثمنًا لموقفين: الصوفي (الزندقة)، والسياسي (تشكيل فرقة لإسقاط بني العباس). وبهما ألقاه الخليفة العباسي المقتدر، في السجن. ثم أمر بصلبه أيامًا متوالية، يُنزل به ثم يُحبس. وقد أقام الحلاج في الحبس سنين طويلة بعد محاكمته، قبل أن يُقتل وتُحرقْ جثته.[6]

قال في مجلس محاكمته: «ظهري حمى، ودمي حرام. وما يحل لكم أن تتأولوا عليّ، واعتقادي الإسلام، ومذهبي السنة. فالله الله في دمي!».

وفي مناجاته لله، قال:

نحنُ بشواهدكَ نلوذُ
وبِسَنَا عِزتِكَ نستضيءُ
لتُبدي لنا ما شئتَ من شأنكَ
وأنتَ الذي في السماء عرشُكَ
وأنتَ الذي في السماء إلهٌ
وفي الأرضِ إلهٌ
تَجلَّى كما تشاء
مثلَ تجليكَ في مشيئتكَ كأحسنِ صورةٍ
والصورةُ هي الروحُ الناطقةُ
الذي أَفردتَه بالعلمِ والبيانِ والقدرةِ
وهؤلاءِ عبادُكَ قد اجتمعوا لقتلي تعصبًا لدينكَ وتقربًا إليك
فاغفرْ لهم!

وفي مناجاة أخرى برر لسجّانيه موقفهم منه، فقال:

فَإنَّكَ لو كشفتَ لهم ما كشفتَ لِي

لَمَا فعلوا ما فعلوا
ولو سترتَ عليَّ ما سترتَ عنهم
لَمَا لقيتُ ما لقيتُ
منك التقدير فيما تفعلُ
ولك التقدير فيما تريدُ.

ومع اتساع رقعة الدولة الإسلامية وتعدد الجنسيات التي تعيش فيها، كثرت الخصومات وتزايدت الخلافات مع الحكام والخروج على أنظمتهم، فانتشرت السجون وتعددت أشكالها. فبعد أن كان السجن وسيلة إصلاح تحول مع التقدم الحضاري الذي رافق العصور المتعاقبة إلى أداة قمع وعنف للخصوم السياسيين الذين سعوا للوصول إلى الخلافة، أو للحصول على إمارة. فالأسماء التي سُجنت أو التي سَجنت، أكثر من العدّ والإحصاء.

ويذكر المسعودي (283-346 هـ) في كتابه «مروج الذهب» أن السجن لم يقتصر على الرجال، بل سُجن في عهود الحكم الإسلامي عدد كبير من النساء بمختلف الأسباب. وأن الحجاج أنشأ سجنًا وسيعًا، ليضم أكبر عدد من السجناء الرجال والنساء. مما يدل على أنه كان للنساء نشاط سياسي أغضب الحجاج، فزجّ بهنَّ في السجن. وشاع في تلك المراحل أن تشرف المرأة على سجن الرجال، فالخليفة المقتدر أوكل إلى قهرمانة عنده مهمة الإشراف على من كان يسجنهم.[7]

وعن السجون بمصر في عهد الفاطميين والأيوبيين، حدّث المقريزي (1364-1442) في خططه أنهم «كانوا يخصصون سجونًا لكل طبقة، فمنها للأمراء ومنها للعامة بحسب الجريمة المرتكبة. وأنه كان في مصر والقاهرة عدة سجون، ومنها: حبس المعونة، وكان موقعه في الفسطاط».[8]

وكان حبسًا ضيقًا شنيعًا، يُشمُّ من قربه رائحة كريهة. «ويقال إن المنصور

قلاوون كان يمر بجواره في طريقه من بيته، وكان يشم رائحة كريهة ويسمع صراخ المسجونين، فجعل على نفسه نذرًا إن جعل الله له من الأمر شيئًا أن يبني مكان هذا الحبس مكانًا طيبًا. فلما تولى السلطنة، هدم حبس المعونة، وبنى سوقًا لبائعي العنبر».[9]

وقد حبس الشاعر أبو الحسن التهامي في خزانة البنود، وفيها اغتيل في مطلع القرن الخامس. فقال وهو حبيس:[10]

مستوطنًا دار البنود وقلبه للرعب يخفق مثل خفق بنودها

كما حُبس المفكر والفيلسوف السهروردي (1155-1191) بتهمة الزندقة في العصر الأيوبي، وقيل إن صلاح الدين أرسل إلى ابنه حاكم حلب بتنظيم مناظرة بين السهروردي وفقهاء حلب الذين اتهموه بالزندقة. ومع أنه تفوق عليهم، إلّا أن ذلك لم ينجه من الحبس ولا من القتل.[11]

وفي دول المغرب العربي لم يختلف وضع السجون عن نظرائها في المشرق العربي، فالولاة والحكام هم هم من حيث القسوة والبطش والتنكيل الذي قد يصل حد القتل على كل من يعارضهم في سياستهم، أو ينتقد إهمالهم للرعية. هذا إلى جانب دوافع أخرى تفضي إلى الاعتقال والحبس مثل السرقة والزنى والقتل، وغيرها من الانحرافات التي كانت سائدة في المجتمع الأندلسي.[12]

فالتاريخ لا ينسى ملك غرناطة وشاعرها السلطان يوسف الثالث (773-820 هـ) آخر سجناء العرش في الأندلس الذي سجنه أخوه محمد السابع، واستولى على العرش. فبقي في السجن مدة تقارب أربعة عشر عامًا طيلة حكم أخيه، عانى فيها مشاعر الضياع والوحدة والغربة وجفاء المعاملة. فخاطب أخاه من سجنه قائلًا له في قصيدة طويلة، نقتطف منها:

وقد يحفظ المرء الكريم إخاءه ويلقى عليه الموت والموت أحمر

ويصبر للأزمات صبر محافظ وفاء ليغنى خدنه وهو معسر
فكيف بمن أصفاكم الود كله ويدفع عن أعراضكم حين تذكر
أبوكم أبوه دون ود مضاعف وعطف على مر الزمن يكرر
إذا ليلة بالسقم ضاقت جفونكم تبيت لها أكباده تتسعر
فهبكم تناسيتم ذمامي فما الذي دعاكم لذاك القول وهو مزور
أطارحه شجوني فيصبح لي شجا تعرض لي بين اللهاة أو النحر
وأوسعته حلما فظن بأنني رهبت وأن الحلم يصدر عن ذعر
يمن بما يسدي كأن لي حاجة إلى وده الممقوت أم خلقه الوعر
سيعلم منا من يسر ندامة إذا وضح الإصباح عن صادق الفجر
ومن ذا يرى المفؤود منا إذا غدا رهين الردى يقتاد بالناب والظفر
إذا لم يكن للمرء دين مع النهى فلست إلى ذاك الإخاء بمضطر

كذلك عانى الناس في الغرب المسيحي في مرحلة العصور الوسطى، من التضييق على الحريات من قبل الإقطاع والكنيسة. فقد ساعدت الكنيسة ملوك ذلك الزمن على ارتداء عباءة الدين والادعاء بأنهم يستمدون سلطاتهم من الله، ليبرروا سلطانهم المطلق. ومع قدوم الصليبيين إلى بلادنا، عُرف عنهم أنهم استخدموا الجبّ في حبس الأسرى من المسلمين. فكانوا يدلونهم إليه من فتحة في أعلاه، ثم يغلق عليهم ويدلى إليهم الطعام والماء من طاقة في سقفه.[13]

الهوامش

1 الأغاني: 54/ 2

2 مادة خيس، لسان العرب لابن منظور

3 انظر أدباء السجون/ عبد العزيز الحلفي، بيروت: دار الكاتب العربي، د. ت.

4 الطبري: ج8/ 159

5 ديوان صالح بن عبد القدوس

6 وفيات الأعيان لابن خلكان، ج2/ 140

7 مروج الذهب، ج1

8 خطط المقريزي: المواعظ والاعتبار والآثار، ج2

9 المرجع نفسه،ج3، ص186

10 وفيات الأعيان:3/ 62

11 انظر فلسفة الوجود عند السهروردي/ محمد حسين بزي، بيروت: دار الأمير، 2009

12 انظر الأسر والسجن في شعر العرب/ أحمد مختار البزرة، دمشق وبيروت: مؤسسة القرآن الكريم، ط1، 1985

13 رحلة ابن بطوطة: 2/ 212

5

السجن في الأندلس

كان الشعر في عصر سيادة قرطبة وافرًا غزيرًا يحتل من نفوس الناس مقامًا عاليًا على اختلاف طبقاتهم. وتعود وفرته وغزارته إلى أنه تغلغل في كل ناحية من نواحي الحياة على مستوى الأفراد والجماعات، فحاول أن يكون شاملًا في نقل تلك الحياة والتعبير عنها. ويعود إحرازه المقام العالي إلى رغبة طبيعية لدى أناس تتربى أذواقهم على محبته والتغني به، وإلى تقدير الحكام ورجال الدولة له. لا لأنه يتغنى بأمجاد الحكام وحسب، بل لأن أكثرهم شعراء يعرفون مواقع الجمال في صور التعبير ويستمتعون بها ويحاولون الاستزادة منها.

عاش الشعر في هذه الفترة مع الحياة السياسية وغدا ظلًا لها، لا يكاد ينفك عنها. ويمكن لنا أن نتصور هذه الحياة السياسة، في ألوان مختلفة:

فهي إما في صراع خارجي في صورة غزوات مستمرة ومرابطة وجهاد في الثغور، والشاعر فيها رفيق الأمير أو الخليفة.

أو في صراع داخلي يتمثل في الفتن والثورات التي يحاول أصحابها الانشقاق عن طاعة «قرطبة»، وكان هناك شعر كثير تخصص فيه الشعراء الملتصقون بالحكام.

عاش الشعر صورة النقائض المشرقية، من خلال الصراع الأدبي والصراع السياسي. وشارك في نقد الحكم القائم أو الإخفاق في الدور السياسي، أو القيام بالمؤامرات في سبيل غايات فردية.

كما مثّل الشعر الصراع بين الدولة من جهة، وبين الناقمين عليها من جهة أخرى. وصوّر حجم الصراع بين الطامحين من الأفراد، للاستئثار بالمناصب العليا. وفي كل ذلك، حضر الشعر المتصل بهذه الأحداث، يتكلم عن آلام السجن.

تعرض لعقوبة السجن عدد كبير من الشعراء لا لأنهم كانوا دائمًا في صفوف المعارضة، وإنما لأن الشاعر كان في الوقت نفسه شخصية سياسية يصيبه ما يصيب رجل السياسة عند تقلب الأوضاع واصطدام المطامع واضطراب حبال الأهواء. فقد نال الشعراء والكتاب سهام المؤامرات والدسائس مما عرَّضهم للسجن بتهم دينية وسياسية. فالمنصور بن أبي عامر (327-392 هـ) اتهم الشاعر محمد بن مسعود البجّاني (ت 400 هـ) بدينه، وسجنه في «المُطْبَق».(1)

وفعل ذلك مع عبد العزيز بن الخطيب، الذي كان مقدمًا في أصحابه إلى أن فسد ضميره عنده وبقي مدة يلتمس غرة منه، حتى قال فيه أبياتًا أفرط فيها:

ما شئتَ لا ما شاءتِ الأقدار　　فاحكمْ فأنتَ الواحدُ القهّارُ
فكأنّما أنتَ النبي محمدٌ　　وكأنّما أنصارُكَ الأنصارُ

فأمر بضربه خمسمائة سوط ونودي عليه باستخفافه، ثم حبسه ونفاه عن الأندلس.(2)

وتجدر الإشارة إلى أن التهم السياسية أدَّتْ بشعراء الأندلس إلى السجون وأحيانًا إلى الموت، مع أنهم كانوا من كبار رجالات الدولة ولهم أدوار كبيرة في أحداث سياسية عاصروها في أزمانهم المختلفة، منهم الوزير الصُّميل بن

حاتم الذي سجنه عبد الرحمن الداخل.

وقد ذاق عدد من الشعراء وَبَالَ السجن بسبب مؤامرات اصطنعها عليهم حسادهم، ومن هؤلاء: ابن شُهَيْد وابن حزم وابن زيدون، الذين عاشوا زمن الفتنة (399–422 هـ) التي شهدتها قرطبة وعملت فيها خرابًا وتدميرًا.

ومثل ذلك حصل مع لسان الدين بن الخطيب (713–776 هـ) الملقب بذي الوزارتين، الذي تم خنقه في السجن. فقد وقع ابن الخطيب تحت تأثير خصومة الغرناطيين وفتاوى بعض فقهاء فاس بتهمة الإلحاد والزندقة، التي لا تعني غير القضاء على تحركه السياسي. فالتهمة الموجهة له لا تحمل أي خروق في المسائل الدينية، إنما الأمر يتعلق بسياسته الأندلسية. وذلك عندما حاول أن ينفرد بالسلطة، وتسيير أمور الدولة الغرناطية. فثار المناوئون والمنافسون له وفي مقدمهم فقيه الجماعة أبو الحسن النُّباهي الذي أفتى بإقامة الحد عليه لأن بعض كتبه تتضمن الزندقة والإلحاد، وأفتى بإحراق كتبه. وأيضًا تلميذه ومساعده، محمد بن يوسف المعروف باسم ابن زمرك. ومن اللافت أن ابن الخطيب كان قد ساعد كلا الرجلين في الارتقاء إلى منصبيهما. وصدق من قال: اتق شر من أحسنت إليه.

يقول ابن الخطيب وهو في السجن، عندما توقع موته:

بَعُدْنَا وإنْ جاورتنا البيوتُ ... وجئنا لوعدٍ ونحن صموتُ
وكنّا عظامًا فصرنا عظامًا ... وكنّا نَقوتُ فها نحنُ قوتُ
وكنّا شموسُ سماءِ العُلا ... غَرِبْنَ فناحتْ عليها السَّموت
فَقُلْ للعِدا ذهبَ ابنُ الخطيبِ ... وفاتَ، فمنْ ذا الذي لا يَفوتُ
ومن كان يفرحُ منهم لـهُ ... فقل: يفرحُ اليومَ مَنْ لا يموتُ[3]

والأمير المنذر بن محمد (229–275 هـ) سادس أمراء الدولة الأموية في الأندلس حبس الوزير هاشم بن عبد العزيز (ت 373 هـ) لأشياء حقدها

عليه، بعد أن كان حاجبًا مقدمًا في زمان والده الأمير محمد.

وعندما أخرجه من حبسه، ضُرب وهُدّمت داره ثم قُتل. من شعر هاشم بن عبد العزيز قصيدة أرسلها من محبسه إلى جاريته عاج:

وأنّي عَداني أنْ أزورَكَ مُطْبَقٌ ... وبابٌ منيعٌ بالحديد مُضَبَّبُ
فإنْ تَعجبي يا عاجُ مما أصابَني ... ففي ريبِ هذا الدهرِ ما يُتعجبُ
وفي النفسِ أشياءٌ أبيتُ بِغَمِّها ... كأنّي على جمرِ الغَضَا أتقلبُ
تركتُ رشادَ الأمرِ إذ كنتُ قادرًا ... عليهِ فلاقيتُ الذي كنتُ أرهبُ
وكمْ قائلٍ قالَ انجُ ويحكَ سالمًا ... ففي الأرضِ عنهم مستَرادٌ ومذهبُ
فقلتُ له: إنّ الفرارَ مذلةٌ ... ونفسي على الأسواءِ أحلى وأطيبُ
سأرضى بحُكمِ الله فيما ينوبُني ... وما من قضاءِ الله للمرءِ مهربُ
فمن يكُ مسرورًا بحالي فإنّه ... سينهلُ في كأسي وشيكًا ويشربُ[4]

كذلك أَذلَّ المنصور بن أبي عامر، الحاجب جعفر بن عثمان المصحفي (372) لمنافسة بينهما. فرماه في سجن المطبق، فاستشفعه بأشعار كثيرة لم تُنله شفاعة. نقرأ منها:

عَفا اللهُ عنكَ ألا رحمةٌ ... تجودُ بعفوك إنْ أَبعَدا
لئنْ جَلَّ ذنبٌ ولمْ اعتمدْهُ ... فأنتَ أجلُّ وأَعلَى يَدا
أَلمْ ترَ عبداً عدا طَوْرَهُ ... وَمَولىً عَفَا ورشيدًا هدى
أَقِلْني أقالكَ مَنْ لمْ يَزلْ ... يَقيكَ ويَصرفُ عنكَ الردى[5]

وفي بعضها يعبر عن تقلبه بين اليأس والأمل:

صبرتُ على الأيامِ لَمّا تولّتِ ... وألزمتُ نفسي صبرَها فاستمرتِ
فيا عجبًا للقلبِ كيفَ اصطبارُهُ ... وللنفسِ بعدَ العزِّ كيفَ استُذلّتِ
وما النفسُ إلا حيثُ يجعلُها الفتى ... فإنْ طَمَعتْ تاقتْ وإلاّ تَسلّتِ

وكانتْ على الأيامِ نفسي عزيزةٌ   فلمَّا رأتْ صبري على الذُّل عزّتِ
وقلتُ لها يا نفسُ موتي كريمةً   فقد كانتْ الدنيا لنا ثُمَّ ولّت

وسَجنَ الحكمُ بن عبد الرحمن المستنصر (302-366 هـ) أحمدَ بن محمد بن فرج الجياني (ت 360 هـ) صاحبَ كتاب «الحدائق»، بكلمة عامية نطق بها ونُقلت عنه. فأقام في السجن بجيان أعوامًا سبعة أو أزيد منها. وكانت له أشعار ورسائل في محبسه إلى الحَكَم، إلاَّ أنها لم تكن تصل إليه ولم تصل إلينا أيضًا كما جاء في الصلة. ولما تُوفي الحَكَمُ، أُطلق من سجنه.[6]

والشاعر عبد الملك بن غصن الخشني الحجاري (ت 454 هـ)، من أهل وادي الحجارة. وقيل إنه ممن لا يجارى في ميدان ولا يطاول بعنان، إن نظم فبنيان مرصوص وإن نثر فلآلىء وفصوص.

نال حظوة عند ملوك الطوائف، غير أنه فضل صحبة أبي عبيدة المستبد بأمر مدينة وادي الحجارة. فغضب عليه المأمون بن ذو النون صاحب طليطلة طمعًا بالاستيلاء على الوادي لقرب المسافة بين البلدين. فاستطاع المأمون أن يعتقل الحجاري ويسجنه مع جماعة من النبهاء في وبذة من أعمال طليطلة. وقد وصلت إلى المأمون أن الحجاري هجاه فنقم عليه وزج به في السجن:[7]

تلقبتَ بالمأمون ظلمًا، وإنني   لآمن كلبًا حيث لست مؤمنه
حرام عليه أن يجود ببشره   وأما الندى فاندب هنالك مدفنه
سطور المخازي دون أبواب قصره   بحجابه للقاصدين معنونه

فكتب في السجن «رسالة السجن والمسجون والحزن والمحزون»، ضمنها ألف بيت من شعره، وأهداها إلى المأمون بن ذي النون أملًا بإطلاق سراحه. لم يستجب المأمون لاسترحامه، لكن المقتدر بن هود (438-474 هـ)[8] صاحب سرقسطة شفع له وخلصه من السجن.

وقال لأخيه في تلك القصيدة الطويلة، هذه الأبيات:

أأُروَى وبين ضلوعي حريق وَأَشْجَى وإنسان عيني غريق
وفي كل يوم وفي كل حين يحملني الدهر ما لا أطيق
تهيم الخطوب بوصلي، فما لهن إلى غير قلبي طريق
أيا واحدي وشقيقي ويا فريقًا يبكيه مني فريق
أخوك أخو نكبات لها يرقُّ العدو، فكيف الصديق
كسدت ونظمي در نفيس وضعت ونثري مسك فتيق
ورأيي شهاب أجلى العمى به، وحديثي روض أنيق
وما أظلم الجهل في معشر وفي أفقهم من علومي شريق

ولن ننسى الوزير والسفير الشاعر أبي بكر محمد بن عمار (422-477 هـ) الذي سجنه المعتمد بن عباد حاكم إشبيلية على خلفية خروجه عليه واستقلاله بحكم مرسيه. فاستعطفه بشعره وذكّره بأيامهما الأولى، ولم يزل على حاله من الحبس والعذاب، إلى أن قتله المعتمد. ومن شعره هذه الأبيات:

سجاياكَ إن عافيتَ أندى وأسمح وعذركَ إن عاقبتَ أجلى وأوضحُ
وإن كان بين الخطتين مزية فأنت إلى الأدنى من الله أصبحُ
حَنانيْكَ في أخذي برأيك لا تطع عُداتي، وإن أثنوا عليّ وأفصحوا
وماذا عسى الأعداء أن يتزيدوا سوى أن ذنبي واضح متصححُ
نعم ليَ ذنبٌ غير أن لحلمه صفاتٍ يزلّ الذنبُ عنها فيسفحُ
وإنّ رجائي أنّ عندك غير ما يخوض عدوي اليوم فيه ويمرحُ
وَلِمْ لا وقد أسلفتَ وداً وخدمة يكرّان في ليل الخطايا فيُصبحُ
وهبني وقد أعقبتُ أعمالَ مفسدٍ أَمَا تفسد الأعمال ثمة مصلحُ(9)

لقد أيقظ السجن والاعتقال عند شعراء الأندلس مشاعر تضج بالحزن والتشكي والبكاء على ضياع الحياة، وأخرى تعمق الإحساس بالحياة وقيمتها، مع شيء من الزهد والقلق والحيرة.

الهوامش

1 انظر التشبيهات من أشعار أهل الأندلس، محمد بن الكتاني الطبيب.

2 انظر نفج الطيب من غصن الأندلس الرطيب للمقري، ج7/ 22

3 انظر كتاب الحلة السراء في تراجم الشعراء من أعيان الأندلس والمغرب للقضاعي، ص40

4 انظر كتاب الحلة السراء في تراجم الشعراء من أعيان الأندلس والمغرب للقضاعي، ص40

5 المرجع نفسه، 123

6 انظر كتاب الصلة في تاريخ الأندلس لابن بشكوال، ص 11

7 انظر تاريخ الأدب العربي، ج4 / 526 وما بعدها

8 انظر نفح الطيب، مرجع سابق 3/ 354

9 انظر كتاب الإحاطة في أخبار غرناطة، لسان الدين ابن الخطيب.

6

الحبس في العصر الحديث

في العام 1975 كتب الفيلسوف والباحث الاجتماعي الفرنسي ميشال فوكو (1926–1984) كتابًا صوّر فيه ما كان عليه حال العقاب في القرن الثامن عشر في فرنسا وكيف كان يتم تعذيب السجناء. فروى الطريقة الوحشية التي تم فيها إعدام الشاب روبرت فرنسوا ديمي، بسبب محاولته اغتيال الملك لويس الخامس عشر. وقال:

«في العام 1757 قُيِّد الشاب في عربة عاريًا إلا من قميص يستره وهو حامل مشعلًا من الشمع الملتهب وزنه قرابة كيلوغرامًا، وفي العربة نفسها وفوق منصة الإعدام يجري قرصه بالقارصة في حلمتيه وذراعيه وركبتيه وشحمتي أذنيه، على أن يحمل في يده اليمنى السكين التي ارتكب بها الجريمة. ثم تحرق يده بنار الكبريت وفوق المواضع التي قرص فيها يوضع رصاص مذوب وزيت محمى وقار صمغي حارق، وشمع وكبريت ممزوجان معًا، وبعدها يمزق جسده ويقطع بواسطة أربعة أحصنة. ثم تتلف أوصاله وجسده بالنار حتى تتحول إلى رماد يُذرّ في الهواء».[1]

1 انظر المراقبة والمعاقبة: ولادة السجن، ميشال فوكو

هذا الأسلوب في العقاب الذي مورس في القرن الثامن عشر الميلادي بفرنسا، يعيدنا إلى العقاب الذي أنزله زياد بن عبيد الله على يزيد بن مفرغ الحميري (ت 69 هـ) في القرن الثامن الميلادي. فقد أمر زياد بأن يُسقى ابن مفرغ نبيذًا حلوًا مخلوطًا بالشُّبرم،[2] فأسهل بطنه. وقُرِنَ بهرة وخنزيرة وَطِيفَ به وهو في تلك الحال، في أسواق البصرة والصبيان يتبعونه ويصيحون به. وألح عليه ما يخرج منه، حتى أضعفه فسقط.[3]

فقال في محبسه:[4]

أصابَ عذابي اللونَ فاللونُ شاحبٌ ... كما الرأسُ من هَول المنيّة أشيبُ
قُرنتُ بخنزيرٍ وهرٍّ وكلبةٍ ... زمانًا وشَانَ الجلد ضَربٌ مُشَذَّبُ
وجُرِّعتُها صَهباءَ من غير لذة ... تُصعِّد في الجثمان ثم تُصوَّبُ
وأُطعمتُ ما إنْ لا يَحِلُّ لآكلٍ ... وصلَّيتُ شرقًا بيتُ مكةَ مَغرِبُ
من الطَّفِّ مجلوبًا إلى أرض كابُلٍ ... فملُّوا وما مَلَّ الأسيرُ المُعَذَّبُ
أعبَّادُ ما لِلُّؤمِ عنك مُحَوَّلٌ ... ولا لكَ أمٌّ في قريشٍ ولا أبُ
سينصرُني مَنْ ليس تنفعُ عنده ... رُقاكَ، وقَرْمٌ من أميةَ مُصعَبُ
وقلْ لعُبيدِ اللهِ: ما لَكَ والدٌ ... بحَقٍّ، ولا يدري امرؤٌ كيف تُنسبُ

أما في العصر الحديث فتعددت السجون وأسماؤها في البلد الواحد، واتسعت مساحاتها لتستوعب الأعداد الهائلة من المساجين.

ومن أشهرها: أبو غريب والكاظمية في العراق، أبو زعبل وليمان طرة في مصر، تدمر وصيدنايا في سورية، وتازمامارت في المغرب. وسواها كثير.

وتحضرني في هذا السياق مقوله الاستخباراتي الأميركي روبرت باير

---

2 الشبرم: نبات له حب كالعدس مسهل، واحدته شبرمة

3 انظر الأغاني، ج18

4 انظر ديوان يزيد بن مفرغ الحميري، جمعه وحققه الدكتور عبد القدوس أبو صالح.

Robert Baer (1952-): «إذا أردت للسجين استجوابًا رصينًا، فأرسله إلى الأردن. وإذا أردت تعذيبه، فأرسله إلى سورية. أما إذا أردته أن يختفي، فأرسله إلى سجن طرة».[5]

وأظنه نسي أن يضيف إليها سجن تازمامارت، أو ربما لم يكن على علم به عندما قال ما قاله.

أما عن الوسائل التي تستخدم في تعذيب السجناء في السجون العربية فهي قديمة ومستحدثة، وقد ورد ذكر بعضها في ملفات منظمة العفو الدولية:

- الغسالة: توضع ذراع المعتقل في فوهتها وتسحق ذراعه وأصابعه.
- الحرق: توضع قطعة قطن مغموسة بالكحول أو البنزين على أجزاء مختلفة من جسم المعتقل ثم تشعل فيها النار.
- العبد الأسود: يُعلق المعتقل إلى آلة كهربائية وعندما يصل إليها التيار، يُدخل الإسفين الساخن في مؤخرته.
- بساط الريح: يُربط المعتقل على قطعة من الخشب إما مربعة أو لها شكل الجسم البشري فيبدو وكأنه يحلق، فتنهال عليه أساليب التعذيب المختلفة. يمكن طي البساط، بحيث يلامس رأس المعتقل قدميه. واللافت أن بيتين من الشعر لجحدر بن مالك المشهور بجحدر اللص أحد شعراء الدولة الأموية وردا في معجم البلدان، يشيران إلى وجود هذا «البساط الريح» منذ عهود قديمة:

سجن يلاقي أهله من خوفه　　أزلًا، ويمنع منهم الزوار
يَغشونَ «مقطرة» كأن عمودها　　عنق يُعَـرِّقُ لحمَها الجـزارُ[6]

والمقطرة: الفلق، وهي خشبة فيها حزوق، كل حزق على قدر سعة الساق يدخل فيها أرجل المحبوس.

---

5 انظر رصيف 22 موقع إلكتروني، 21 أغسطس، 2016

6 انظر معجم البلدان، ياقوت الحموي، ج479/2

- الدولاب: تُربط أطراف المعتقل السفلية وتدخل في دولاب أو إطار خارجي لسيارة صغيرة، ثم يضغطون جذعه ليدخلوا رأسه في فتحة الدولاب. بعدها يقلبونه على ظهره بحيث يصبح رأسه وساقاه إلى أعلى، وتكون يداه مكبلتين خلف ظهره. ثم يبدأ الجلد بالكابل الرباعي على باطن القدمين.
- الكرسي الألماني: يُحكم وثاق المعتقل على الكرسي، من ناحية القدمين واليدين. يسمح ظهر الكرسي المتحرك للمعتقل بأن يصبح مستلقيًا، فيتم ثنيه بالعكس حتى تتكسر فقرات ظهره شيئًا فشيئًا.

ومع هذه التقنيات اشتدت وحشية الإنسان، وصار يقتل أخاه الإنسان بها وبغيرها وحتى بالتجويع وبحقنه بفيروسات مرضية.

ومن اللافت أن الإعلام العربي الرسمي يسكت عن الجرائم التي ترتكب في السجون السياسية العربية التي لا تخالف الأعراف والقوانين المحلية والدولية فحسب، بل تتخطى حدود الخيال في الإذلال وانتهاك إنسانية السجناء وكبريائهم.

فما تقدم ينطبق على معظم السجون في البلاد العربية، فأساليب القمع والحصار واحدة. كما أنَّ البطش عند معظم الأنظمة العربية الحاكمة، طقس يومي.

الباب الرابع:
أسباب السجن

1

السجن الأخلاقي الاجتماعي

مثل حبس النبي يوسف، بعد اتهام امرأة العزيز له بمراودتها عن نفسها. وحبس الخليفة عمر بن الخطاب، الشاعر الحطيئة بهجائه الزبرقان بن بدر.

وإقامة الحد مرارًا على أبي محجن الثقفي (...-28 هـ) لكثرة شربُه الخمر، وهو لا ينتهي. فنفاه إلى جزيرة في البحر يقال لها حَضَوْضَى وبعث معه حَرَسِيًا يقال له ابنُ جَهراء. فهرب منه أبو محجن إلى ساحل البحر، ولحق بسعد بن أبي وقاص فحبسه. وبعد أن أبلى حسنًا في موقعة القادسية، أطلق سعد سراحه. وعن هروبه من حارسه، يقول:[1]

الحمدُ لله نجّاني وخلّصني ... من ابن جهراءَ والبُوصِيّ قد حُبِسَا
من يَجْشَمِ البحرَ والبوصيّ مركبه ... إلى حَضَوضَى فَبئسَ المركبُ التمسا
أَبْلغْ لديكَ أبا حفصٍ مُغَلغَلَةً ... عبدَ الإلهِ إذا ما غارَ أو جلسَا
أني أَكُرُّ على الأُولى إذا فزعوا ... يومًا وأَحبِس تحت الراية الفَرَسَا
أغشَى الهياجَ وتَغْشاني مُضاعَفَةً ... من الحديد إذا ما بعضُهم خَنَسَا

والشاعر هدبة بن خشرم (ت 50 هـ) حبسه سعيد بن العاص والي المدينة،

1 انظر أبو محجن الثقفي: حياته وشعره، محمود فاخوري.

في خلافة معاوية. لدم عليه. بسبب قتله صاحبه زيادة بن زيد من بني عامر على خلفية قصيدة شبب فيها بأخت زيادة، ردًا على تشبيبه بأخته. بقي هدبة في السجن خمس سنوات، إلى أن بلغ ابن زيادة «المسوّر» وثأر لأبيه من هدبة.[2]

من قصيدة قالها في سجنه:

طربتُ وأنتَ أحيانًا طَروبُ ... وكيف وقد تَعلّاكَ المَشيب
يُجدُّ النأيُ ذِكركَ في فؤادي ... إذا ذَهِلتْ عن النأي القلوبُ
عسى الكربُ الذي أمسيتُ فيهِ ... يكونُ وراءَهُ فرجٌ قريبُ
فَيَأمنُ خائفٌ وَيُفَكُّ عانٍ ... ويأتي أهلَهُ النائي الغريبُ
ألا ليتَ الرياحَ مُسخراتٌ ... بحاجتنا تُباكرُ أو تَؤوبُ
فَتُخْبرُنا الشَمالُ إذا أَتتنا ... وتُخبر أهلَنَا عنّا الجَنوبُ
فإنّا قد حللنا دارَ بَلوى ... فَتُخْطئُنَا المنايا أو تصيبُ
فإنْ يَكُ صدرُ هذا اليومِ وَلّى ... فإنَّ غدًا لناظرِهِ قريبُ[3]

أما أبو دلامة (ت 161 هـ) فحُبس بشربه الخمرة في خلافة أبي جعفر المنصور، فكتب له مستعطفًا:

أمير المؤمنين فدتك نفسي ... عَلامَ حبستني وخرقتَ ساجي
أَمِنْ صهباء ريح المسك فيها ... ترقرق في الإناء لدى المزاج
عقار مثل عين الديك صرف ... كأنَّ شعاعها لهب السراج
تَهشُّ لها القلوب وتشتهيها ... إذا برزت ترقرقُ في الزجاج
أُقاد إلى السجون بغير جُرمٍ ... كأني بعضُ عمالِ الخَراج
ولو معهم حُبستُ لكان سهلًا ... ولكني حُبستُ مع الدجاج
دجاجات يطيف بهن ديك ... يناجي بالصباح إذا يناجي

2 انظر الأغاني: 21 / 169

3 انظر ديوان هدبة بن الخشرم العذري، تحقيق يحيى الجبوري.

وقد كانت تخبرني ذنوبي بأني من عقابك غير ناجي
على أني وإن لاقيت شرًا لخيرك بعد ذاك الشر راجي[4]

وحبس الخليفة المهدي إبراهيم الموصلي (125-193 هـ) بسبب معاقرته الخمرة، فأرسل إليه إبراهيم أبياتًا يشكو فيها حاله:[5]

لا طال ليلي أراعي النجوم أعالج في الساق كبلًا ثقيلا
بـدار الهـوان وشر الديـار أسام به الخسف دهرًا طويلا
كثير الأخـلاء عند الرخاء فلمـا حبست أراهـم قليلا
لطول بلائيَ مَلَّ الصديقُ فـلا يَـأمننْ خليـلٌ خليلا

وقـال أبو الفـرج الأصفهـاني، في حبـس أبي العتـاهية وإبـراهيـم المـوصلي: «فلمـا شخص هـارون الرشيـد إلى الرقـة حفر لهما حفيرة واسعة، وقطع بينهما بحائط».[6]

وقال: إبراهيم الموصلي «وكان في حبس هارون الرشيد».[7]

وحُبس الشاعر مزاحم العقيلي (ت 120 هـ)، على خلفية ملاحاة بينه وبين رجل من بني جعدة في ماء. فتشاتما وتضاربا بعصيّهما، فشجَّهُ مُزاحم شجةً أَماتتهُ. فاستعدت بنو جعدة على مزاحم، فحُبس حبسًا طويلًا. ثم هرب من الحبس، فمكث في قومه مدة إلى أن عُزِل ذلك الوالي وولي غيره.

فسأل الوالي الجديد ابن عم لمزاحم اسمه مُغْلس أن يكتب أمانًا له، فكتب. وجاء مغلس والأمان معه، فنفر مزاحم منه وظنها حيلة من السلطان.

4 انظر الأغاني:21/ 258
5 انظر الأغاني:3/ 157
6 انظر الأغاني: 5/ 50
7 انظر خزانة الأدب للبغدادي، مرجع سابق، مج 6 / 273

فهرب، وقال في ذلك:

أتاني بقرطاس الأمير مُغَلَّسٌ فأفزعَ قرطاسُ الأميرِ فُؤاديا
فقلت له: لا مرحبًا بك مرسلًا إليّ ولا لي من أميرك داعيا
أليستْ جبالُ القهر قُعْسًا مكانها وأكناف عَرْوَى والوَحَافَ كماهِيا
أخاف ذنوبي أن تُعَدَّ ببابه وما قد أزَلَّ الكاشحون أماميا
ولا أستريمُ عُقْبَة الأمر بعدما تورَّط في بهماء كَعْبي وساقيا[8]

كما حُبس الشاعر جعفر بن عُلْبَة الحارثي (ت 145 هـ) بثأر على قومه، وكان يعلم أنهم سوف يقتلونه. فحلم ذات ليلة بحبيبته وجاءه طيفها، فقال:

هواي مع الركب اليمانين مُصْعَدٌ جنيبٌ وجثماني بمكة مُوثَقُ
عجبت لمسراها وأنى تخلصت إليّ وباب السجن دوني مغلق
ألمتْ فحيتْ ثم قامت فودعت فلما تَولَّتْ كادت النفس تزهق
فلا تحسبي أني تخشعت بعدكم لشيء ولا أني من الموت أفرق
ولا أن نفسي يزدهيها وعيدكم ولا أنني بالمشي في القيد أخرق
ولكن عرتني من هواك ضمانة[9] كما كنت ألقى منك إذ أنا مطلق

8 انظر جعفر بن علبة الحارثي: سيرته وما تبقى من شعره، جمع وتحقيق د. عباس هاني الجراح.
9 ضمانة: مرض، وتعب نفسي.

التشبيب

هرب أبو دهبل الجُمَحي (...-63 هـ) من دمشق إلى مكة خوفًا من يزيد بن معاوية، لتشبيبه بأخته عاتكة بنت معاوية. ومما قاله فيها:

طـال ليلي وَبِتُّ كالمحـزون ... ومللت الثواء في جيرون[1]
وأطلت المقـام بالشـام حتى ... ظن أهلي مرجمات الظنون
فبكت خشيـة التفـرق جمـل ... كبكاء القرين إثر القرين
وهي زهراء مثل لؤلؤة الغواص ... ميزت من جوهر مكنون
وإذا مـا نسـبتها لم تجدها ... في سناء من المكارم دون
ليت شعري أم هوى طار نومي ... أم براني قصير الجفون[2]

والشاعر العرجي عبد الله بن عمر (ت 120 هـ)، أمضى في سجن والي مكة محمد بن هشام تسع سنوات. وكان يخرجه كل يوم جمعة ويجلده أمام الناس، إلى أن مات فيه. وذلك بسبب تشبيبه بأم محمد، وهجائه محمد وزوجته.[3]

فقال في سجنه شعرًا يتأسف فيه على ما حلّ به، وما تعرض له من أنواع التنكيل والضرب والتعذيب:

1 من أبواب دمشق.

2 انظر الأغاني: 7/ 138

3 انظر عبد الله بن عمر العرجي: حياته وشعره، علي بن عبد العزيز الخضيري.

أضاعوني وأيَّ فتىً أضاعوا ... ليوم كريهة وسِدادِ ثغرِ
وخلوني لمعترك المنايا ... وقد شَرعتْ أسنتها لنحري
كأنَّي لم أكن فيهم وسيطًا ... ولا لي نِسبةٌ في آلِ عَمْرِ
أُجَرَّرُ في الجوامع كل يوم ... ألا لله مَظلمتي وصبري
عسى اللهُ المجيبُ لمن دعاه ... يُنجيني فَيعلم كيف شكري
فأَجْزي بالكرامة أهلَ ودِّي ... وأورث بالضغائن أهلَ وِتْرِي[4]

4 انظر ديوان العرجي: رواية أبي الفتح ابن جني.

الهجاء

حبس الخليفة عثمان بن عفان الشاعر ضابىء بن الحارث البرجمي (ت 30 هـ) أكثر من مرة، بالهجاء والإفحاش مع الناس. وذات مرة دخل السجن في المدينة، بهجائه بني نهشل بن دارم على خلاف بينه وبينهم من أجل كلب صيد. فهجاهم ورمى أمهم بكلب. فقال:

فأردفتهم كلبًا، فراحوا كأنما حباهم بتاج المَرْزُبان أميرُ
فأمكم لا تتركوها وكلبكم فإن عقوق الأمهات كبيرُ

فاستعدوا عليه عثمان بن عفان، وحبسه. وتكرر دخوله الحبس، وفي مرة تطاول عليه حبسه، فلم يخرج منه إلا ميتًا. يقول في حبسه:

فمن يَكُ أمسى في المدينة رَحْلَهُ فإنِّي وقيّارًا[1] بها لَغريبُ
ولا خيرَ فيمنْ لا يُوطِّنُ نفسَهُ على نائبات الدهر حين تنوب
وفي الشك تفريطٌ وفي الجزم قوةٌ ويُخطئ في الحَدس الفتى ويصيب
وما عَاجلاتُ الطيرِ تُدني من الفتى رشادًا، ولا في رَيْثِهنّ يَخيب
وربَّ أمورٍ لا تَضيركَ ضَيْرةً وللقلب من مَخْشاتِهنَّ وَجيبُ
فلا تجزعن قيارُ من حبس ليلة قضية ما يُقضى لنا فنؤوب[2]

كما دفع بشار بن برد (96-168 هـ) حياته بقصيدة هجا فيها الخليفة المهدي

1 اسم فرسه.

2 انظر خزانة الأدب للبغدادي، مرجع سابق، ج3/ 371

لأنه لم يمنحه مالًا ولا كسوة، فذكره بأوصاف مهينة:[3]

خليفةٌ يَزني بعمّـاتِـهِ يلعبُ بِالدَّبوقِ والصولجان
أَبْـدلَنـا اللهُ بـهِ غيـرَهُ وَدسَّ موسى في حِرِّ الخيزران

فعلم بذلك وزير المهدي يعقوب بن داود وكان يضمر موجدة على بشار، فأعلم المهدي بذلك. فغضب غضبًا شديدًا وأمر بأخذه وتعذيبه، حتى فارق الحياة.

وحماد عجرد (ت 161 هـ) الذي مشى إلى حتفه بتشبيبه بزينب وهجاء أخيها محمد بن سليمان:[4]

قُلْ لوجهِ الخَصيِّ ذي العار إنِّي سوف أُهدي لزينبَ الأشعارا
قدلعمري فررت من شدة الخو ف وأنكرتُ صاحبيّ نهـارا
وظننتُ القبـور تمنـع جـارًا فاستجرتُ الترابَ والأحجارا
كنتُ عند استجـارتي بأبي أيـ ـوبَ أبغي ضلالـةً وخسـارا
لم يُجـرني ولم أجـد فـيه حظًـا أضـرمَ اللهُ ذلـك القبـرَ نـارا

فحين بلغ محمدًا هجاؤه، قال: والله لا يُفلتُني أبدًا. وإنما يزداد حتفًا بلسانه، والله لا أعفو عنه ولا أتغافل أبدًا. فهرب حمّاد منه، وأقام بالأهواز مستترًا. وبلغ محمدًا خبره، فأرسل مولى له إلى الأهواز. فلم يزل يطلبه، حتى ظفر به فقتله غِيلةً.

وابن الأبّار محمد بن عبد الله بن أبي بكر القضاعي (595-658 هـ) الشاعر والمؤرخ الذي غادر بلنسية إلى تونس مضطرًا بعد أن احتلها الفرنجة، ودخل في خدمة أبي زكريا الحفصي سلطان تونس. ولما مات أبو زكريا وخلفه ابنه

3 انظر الأغاني: 14/ 504

4 انظر الأغاني:14/ 334

المستنصر، دخل ابن الأبّار في خدمته فأكرمه ورفع مكانته. لكنه عندما علم المستنصر ما قال فيه ابن الأبّار:[5]

طغا بتونس خلف سموه ظلمًا خليفة

أمر بقتله قصعًا بالرماح، وبحرقه مع كتبه ودواوينه وتصنيفاته.

والشاعر إسماعيل بن عمار الأسدي (ت 165 هـ)، وكان له جار في الكوفة لا يطيقه اسمه عثمان بن درباس، فهجاه بقصيدة نذكر منها:[6]

مَنْ كان يحسُدُني جاري ويَغبِطُني مِنَ الأنـامِ بعثمـانَ بنِ دِربـاسِ
فقـرَّب الله مـنه مثلَـه أبـدًا جارًا وأبعدَ منه صالحَ الناسِ
جـارٌ له بـابُ ساجٍ مغلقٌ أبـدًا عليه من داخلٍ حُراسُ أحراسِ
عبـدٌ وعبـدٌ وبنتـاهُ وخادمُـهُ يَدعون مثلهُمُ ما ليس من ناس
صفرُ الوجوه كأنَّ السِّلَّ خَامرَهم وما بهم غيرُ جهد الجوع من باس

فلما سمع ابن درباس ما قال فيه إسماعيل، استعدى عليه والي العراق يوسف بن عمر وذكر له أنه يذهب مذهب الشراة وأنه من دعاة أبي حمزة المختار بن عوف فأُخذ إسماعيل وحُبس. ولم يخرج إسماعيل بن عمار من السجن، إلا عندما وَلِيَ الحَكَمُ بن الصلت. فأطلقه وأحسن إليه، ولم يزل يشكره ويمدحه حتى بعد أن عُزِلْ.

5 انظر نفح الطيب في غصن الأندلس الرطيب، أحمد بن محمد المقري، ج5/ 591

6 انظر عمر فروخ، مرجع سابق ص 88-89

الصعلكة

ومثالنا عليها مالك بن الريب (1..- نحو 60 هـ)، الذي كان فاتكًا لصًا يقطع الطريق على الناس ويسومهم شرًا. طلبه مروان بن الحكم وهو عامل على المدينة، فهرب.

فكتب إلى الحارث بن حاطب الجمحي، وهو عامله على بني عمرو بن حنظلة يطلبه، فهرب منه. فبعث إليه الحارث رجلًا من الأنصار فأخذه، وأخذ معه صاحبه أبا حردبة. فبعث بأبي حردبة، وتخلف الأنصاري مع القوم الذين كان مالك فيهم. وأمر غلامًا له، فجعل يسوق مالكًا. فتغفل مالك غلام الأنصاري وعليه السيف، فانتزعه منه وقتله به. وشدّ على الأنصاري، فضربه بالسيف حتى قتله. ثم لحق بأبي حردبة، فتخلصه. وركبا إبل الأنصاري، وخرجا فرارًا من ذلك الحدث هاربين. فأتيا البحرين، وقطعا منها إلى فارس. فقال مالك في مهربه:

ألا مَن مُبلغ مروان عني — فإني ليس دهري بالفرارِ
ولا جَزعٍ من الحدثان يومًا — ولكنّي أرودُ لكم وَبارِ[1]
بهزمار تُرادُ العِيس فيها — إذا أشفقن من قلق الصِّفار
وهنَّ يَحشْنَ بالأعناق حوْشًا — كأنَّ عظامهنَّ قِداحُ بارِ
كأنَّ الرحلَ أسأرَ من قَراها — هلال عشية بعد السِّرار[2]

---

1 وبار: أرض لم يطأ أحدٌ ثَراها.

2 انظر الأغاني: 22/ 291 وما بعدها.

ويعلى الأحول بن مسلم (...- 90 هـ) لص فاتك وكان خليعًا يجمع صعاليك الأزد وخلعائهم فيغير بهم على أحياء العرب، ويقطع الطريق على السابلة.[3]

شُكِيَ إلى نافع بن علقمة بن الحارث، وكان والي مكة في خلافة عبد الملك بن مروان. فأخذ به عشيرته الأزديين، فلم ينفعه ذلك. واجتمع إلى شيوخ الحي فعرفوه أنه خليع، وقد تبرؤوا منه ومن جرائره إلى العرب. فلم يقبل نافع ذلك منهم، وألزمهم إحضاره. فلما اشتد عليهم في أمره، طلبوه حتى وجدوه. فأتوا به إلى نافع، فقيده وأودعه الحبس. فقال في محبسه قصيدة، نذكر منها:

أَرِقتُ لبرقٍ دونه شَذوانِ ... يَمانٍ، وأهوى البرقُ كلَّ يَمانِ
فَبتُّ لدى البيتِ الحرامِ أَشِيمُهُ ... وَمِطْوايَ من شوقٍ له أَرقان
ألاليت حاجاتي اللواتي حَبسْنني ... لدى نافعٍ قُضِّينَ منذ زمانِ
وما بِيَ بُغضٌ للبلادِ ولا قِلَى ... ولكنّ شوقًا في سواه دعاني

3 انظر الأغاني: 5 / 493

عدم وفاء الدين

حدث أن أخًا لإبراهيم بن المدبر (195–279 هـ) اسمه أحمد وُلِيَ لعبيد الله بن يحيى بن خاقان عملًا لم يحمد أثره فيه، وعمل على أن ينكبه. فبلغ أحمد ذلك، فهرب. وكان عبيد الله منحرفًا عن إبراهيم شديد النفاسة عليه، برأي المتوكل فيه. فأغراه به وعرَّفه خبر أخيه وادعى عليه مالًا جليلًا وأوغر عليه صدره، حتى أذن له في حبسه. فقال:[1]

إنْ طـال ليلي في الأسـارِ فطالما أفنيتُ دهرًا ليله متقاصرُ
والحبسُ يحجبني وفي أكنـافه مني على الضـراء ليث خـادر
عجبًا له كيف التقتْ أبـوابه والجـودُ فيه والغمـام الباكرُ
هلّا تقطّعَ أو تصـدّعَ أو وَهَى فعـذرتُـهُ، لكـنَّه بي فـاخـرُ

والشاعر يزيد بن الطثرية (ت 126 هـ) حُبس بدين عليه لشخص يدعى البربري، فقال:[2]

قضى غُرمائي حبُّ أسماءَ بعدما تَخَـوَّنني ظلمٌ لهم وفُجـورُ
فَلوْ قَلَّ دَيْنُ البَربري قَضيْتُهُ ولكنّ ديـنَ البربـريُ كثيرُ
وكنتُ إذا حلَّتْ عليّ ديونُهم أضمُّ جَناحي منهم فأطيرُ
عليّ لهـم في كل شهر أديـة ثمانون وافٍ نَقدُها وجَزورُ
نَجيءُ إلى ثَوْرٍ ففيمَ رحيلُنا وثَوْرٌ علينا في الحياة صبورُ
أشُدُّ على ثورٍ، وثورٌ إذا رأى بنا خَلَّةً جَزْلُ العطاء غفورُ
فذلك دَأْبي ما بَقيتُ وما مَشى لِثَورٍ على ظهرِ البـلادِ بعيرُ

1 انظر عمر فروخ، مرجع سابق ص 334

2 انظر الأغاني: 8/ 177

عدم الأمانة

حبس المهدي الشاعر نُصَيْب الأصغر (ت 175 هـ) على خلفية عدم حفظ الأمانة. كان نصيب مولى للخليفة المهديّ، فوّجّهه إلى اليمن في شراء إبل مهرية، وكتب إلى عامله على اليمن بعشرين ألف دينار. فمدّ نُصيب يده في الدنانير، ينفقها في الأكل والشرب وشراء الجواري والتزويج. فوصل خبره إلى المهديّ، فكتب في حمله إليه موثقًا بالحديد. فلمّا دخل عليه أنشده قصيدة طويلة، يقول فيها:[1]

تأوّبني ثِقلٌ من الهمّ موجِعُ   فأرَّقَ عيني والخَلِيّون هُجَّعُ
همومٌ توالت لو أطاف يسيرُها   بسلمى لظلّتْ شُمُّها تتصدعُ
ولكنّها نيطتْ فَناءَ بِحملها   جَهيرُ المنايا حائنُ النفس مجزعُ
وعادت بلادُ الله ظلماءَ حِندِسًا   فخِلتُ دُجى ظلمائها لا تَقَشَّعُ
إليكَ أميرَ المؤمنين ولم أجد   سواك مجيرًا منك يُدنَى ويَمنعُ
تلمّستُ هل من شافع لي فلم أجدْ   سوى رحمةٍ أعطاكها اللهُ تشفعُ
لئن جلّت الأجرامُ مني وأفظعتْ   لعفوكَ عن جُرمي أَجلُّ وأوسعُ
وإني لمولاك الذي إن جفوته   أتى مستكينًا راهبًا يتضرعُ
وإني لمولاكَ الضعيفُ فأَعْفِني   فإني لعفوٍ منك أهلٌ وموضعُ

فقطع المهدي عليه الإنشاد، ثم قال له: ومن أعتقك يا بن السوداء! فأومأ بيده إلى موسى الهادي، وقال: الأمير موسى يا أمير المؤمنين. فأمضى المهدي ذلك، وأمر بفك حديده.

---

1 انظر عمر فروخ، مرجع سابق ص 117

رفض تنفيذ رغبة الحاكم

حبس الخليفة هارون الرشيد أبا العتاهية (130-213 هـ)[1] بزهده وامتناعه عن قول شعر الغزل. فكتب للرشيد من محبسه، وقال:

أنا اليومَ لي والحمدُ لله أَشهُرُ يروحُ عليّ الهمُ منكم ويَبكُرُ
تَذكَّر أمينَ الله حقي وحُرمتي وما كنتَ تُوليني لعلك تَذكُرُ
ليالِيَ تُدني منك بالقرب مجلسي ووجهك من ماء البشاشة يقطر
فمن لي بالعين التي كنت مرة إليّ بها -نفسي فداؤك- تنظر

فلما قرأ الرشيد الأبيات، قال: قولوا له، لا بأس عليك.

فكتب إليه:

أرقت وطار عن عيني النعاس ونام السامرون ولم يواسوا
أمين الله أمنك خير أمن عليه من التقى فيه لباس
تساس من السماء بكل بر وأنت به تسوس كما تساس
كأن الخلق ركب فيه روح له جسد وأنت عليه رأس
أمين الله إن الحبس بأس وقد أرسلت ليس عليك بأس

فأطلقه.

1 انظر الأغاني: 4/ 39

اختلاف في الفكر والموقف

يروى أن الشاعر عبد الرحمن بن حنبل الجمحي (ت 37 هـ) هجا الخليفة عثمان بن عفان، لأنه أعطى مروان بن الحكم أكثر مما يستحق من فيء إفريقية.

وأحلفُ بالله جَهد اليمينِ　　ما ترك اللهُ أمرًا سُدى
ولكنْ خُلقتَ لنا فتنة　　لكي نُبتلى بكَ أو تُبتلى
دعوت الطريد فأدنيته　　خلافًا لسنة من قد مضى
وأعطيت مروان خمس الغنيـ　　ـمة آثرته وحميت الحمى
ومالًا أتاك به الأشعري　　مِنْ الفيء أعطيته مَنْ دنا[1]

فحبسه عثمان في حصن القموص بخيبر، فقال يناشد عليًا بتحريره ويصف حاله في الحصن:

إلى الله أشكو لا إلى الناس -ماعدا　　أبا حسن- غُلًا شديدًا أكابره
بخيبرَ في قعر القَموصِ كأنها　　جوانبُ قبرٍ عَمَّقَ اللحد صاحبه
أإن قلتُ حقًا أو نشدتُ أمانة　　قُتلتُ، فمن للحق إن مات ناشده

فَكلَّم عليٌ عثمان، فأطلق سراحه.

وبعد وقعة الحرة نفى ابن الزبير (1-73 هـ) الشاعر الأموي النسب والهوى أبا قطيفة عمرو بن الوليد بن عقبة (ت حوالى 70 هـ) من المدينة المنورة إلى

1　انظر الأعلام للزركلي: 3/ 305

الشام. فأقام فيها زمنًا، أكثر في أشعاره الحنين إلى المدينة وكان مقيًما فيها:

ألا ليت شعري هل تغير بعدنا　　بقيع المصلى أم كعهدي القرائن
أحن إلى تلك البلاد صبابة　　كأني أسير في السلاسل راهن[2]

ولما طال به المقام بعيدًا عن المدينة واستبد به الشوق، أبدى رغبته في العودة إليها:

أَقْرِمني السلام إن جئتَ قومي　　وقليلٌ لهم لديّ السلامُ
أقطع الدهر كله باكتئاب　　وزفيرٍ، فما أكاد أنامُ
نحو قومي إذ فرقت بيننا الدا　　روحادت عن قصدها الأحلام
خشية أن تصيبهم عنت الدهـ　　ـر وحرب يشيب منها الغلام
فلقد حان أن يكون لهذا الدهـ　　ـر عنَّا تباعدٌ وانصرامُ

فَرَقَّ له ابن الزبير، وأذن برجوعه. لكن الموت أدركه وهو في طريق العودة إلى المدينة.

والشاعر أعشى همدان (ت 83 هـ) حبسه الحجاج بن يوسف الثقفي وأمر بقتله، بسبب خروجه عليه مع عبد الرحمن بن الأشعث وفشلهم في تحقيق ما قاموا من أجله. ومن شعره:

يا ابن الأشج قريع كندة　　لا أبالي فيك عتبا
أنت الرئيس ابن الرئيس　　وأنت أعلى الناس كعبا[3]

وقال:

نُبئتُ حجاج بن يوسف　　خَرَّ مِنْ زلقٍ فتبَّا
فانهض هديت لعله　　يجلو بك الرحمن كربا
وابعث عطية في الحروب　　يَكبهنَّ عليه كبَّا

2 انظر الأغاني: 1/ 5

3 انظر الأغاني: 6/ 64

والشاعر عبيد الله بن قيس الرقيات (ت 85 هـ)، حبسه عبد الملك بن مروان على خلفية خروجه مع مصعب بن الزبير ضده. فقال:

كيف نومي على الفراش وَلَمَّا ... تشمل الشام غارةٌ شعواءُ
تُذهل الشيخ عن بنيه وتبدي ... عن خِدام[4] العقيلة العذراءُ

ومن شعر دعبل الخزاعي (148-220 هـ) المعروف بتشيعه وبهجاء خلفاء بني العباس، نقرأ بعض ما قاله للمعتصم عندما تولى الخلافة وأصبح ثامن الخلفاء العباسيين:

ملوك بني العباس في الكتب سبعة ... ولم تأتنا في ثامن منهم الكتب[5]
كذلك أهل الكهف في الكهف سبعة ... خيار إذا عدّوا وثامنهم كلب
وإني لأعلي كلبهم عنك رفعة ... لأنك ذو ذنب وليس له ذنب

وعندما هرب من غضب المعتصم إلى طوس، جاء إليها مَنْ اغتاله بالسم.

كما حُبس أبو نواس الحسن بن هانىء (146-198 هـ) بتهمة الزندقة، زمن خلافة الأمين. مما أوقع عليه حالات نفسية صعبة، لأنه كان يظن أن مقامه في السجن لن يطول لكونه السمير الوحيد للخليفة. فقال:

مضت لي شهور مذ حُبست ثلاثة ... كأني قد أذنبتُ ما ليس يغفر[6]
فإن كنت لم أذنب ففيم حبستني ... وإن كنت ذا ذنب فعفوك أكبر

وقال له:

بك أستجيرُ من الردى ... وأعوذ من سطوات بأسك
وحياة رأسك لا أعود ... لمثلها وحياة رأسك
من ذا يكون أبا نواسك ... إن قتلت أبا نواسك

---

4 خدام: الخلخال، مع خَدَمَه.

5 انظر معجم الشعراء للمرزباني:1/ 283

6 انظر سير أعلام النبلاء للذهبي، ص 279 وما بعدها.

وأبو الفضل الأربلي المعروف بالحاجري (ت 632 هـ)، وقد رآه ابن خلكان معتقلًا في قلعة خفتيد في أربيل ولم يذكر سبب اعتقاله. إلا أن بعضهم أشار إلى أن الحاجري كان مقربًا من الملك مظفر الدين صاحب أربيل، ولأسباب غير واضحة غضب عليه وحبسه ثم قُتل غدرًا. فقال له مستعطفًا ومذكرًا بما كان بينهما من قرب ومودة:

كانت تضيق بي الدنيا بغيبتكم — فكيف سجن ومن عاداته الضيق[7]

قيد أكابده وسجن ضيق — يا ربِّ شاب من الهمومَ المفرق

يا برق إن جئت الديار بإربل — وعلا عليك من التداني رونق

بَلّغ تحية نازح حسراته — أبدًا بأذيال الصبا تتعلق

قل يا جُعلتُ لكَ الفداء أسيركم — من كل مشتاق إليكم أشوق

والله ما سرت الصبا نجديةً — إلا وكدت بدمع عيني أغرق

كيف السبيل إلى اللقاء ودونه — شماء شاهقة وباب مغلق

والشاعر السوري محمد الماغوط (1934-2006) حُبس بسبب انتمائه إلى الحزب القومي السوري، وهو القائل: «طالما فيه ظلم لازم يكون فيه سجون».

ويصف الماغوط مشاعره عندما كان في السجن، فيقول:[8]

«الخوف حفر مثل الجرافة داخل أعماقي، بقلبي بروحي بعيني بأذني. أنا لا أرجف من البرد ولا من الجوع، أرجف من الخوف. الخوف هو فقدان الحرية، انعدام الحرية... هذا هو الخوف. الخوف لا يُشرح مثل الله، لا يُفسر مثل البحر مثل السماء. الخوف سياط، كماشات، أسنان مقلوعة وعيون مفقوءة تغطي العالم، والعالم يرقص ويغني ولا يبالي. الخوف هو الظلم». ويقول: «بعد السجن أحسست بشيء تحطم في داخلي».

7 انظر معجم المؤلفين لعمر رضا كحالة: 8/ 25

8 من مقابلة في التلفزيون بتاريخ: 15/ 4/ 2006

كما خضع الأديب السعودي عبد الكريم الجهيمان (1910-2011) للتحقيق بسبب إدراج اسمه زورًا ضمن شبكة لا علاقة له بها، كانت توزع منشورات ضد الدولة. وكاد أن يفرج عنه لولا أن لجنة التحقيق وقعت على معلومة تفيد بأنه يقتني كتاب «رأس المال» لكارل ماركس، فجاء الحكم عليه بالسجن أربع سنوات.[9]

ومن الأدب العالمي نقرأ أن الشاعر البلغاري نيكولا فابتزاروف (1909-1942) ألقي في السجن مرات عديدة كان آخرها في عام إعدامه، جزاء أفكاره الاشتراكية ومناداته بالاستقلال والحرية من الاحتلال النازي. وقد مورس عليه مختلف أنواع التعذيب، حتى انهار جسده قبل أن يُعدم.

سقطتُ، وسيحتل آخرُ مكاني[10]
وهذا كل شيء..
فماذا تهم هنا الأسماء؟
سَأُرمى بالرصاص.. ثم، سيعمل الدود عمله
كل هذا بسيط، منطقي..
ولكن في العاصفة
سنكون دومًا معك
يا شعبي...
ذلك لأننا أحببناك.

9 الجهيمان، مرجع سابق

10 انظر ديوان أغاني المحرك.

2

السجن السياسي

يتعلق هـذا النـوع من السجـون بمناهضة الاستعمار، وبمناهضة الدكتاتورية السياسية في الوطن. ويمثل الأسر فيه مظهرًا من مظاهر غياب الديمقراطية في المجتمع، فحيثما يوجد استعمار أو حاكم مستبد يوجد قمع واعتقال وسجن وتعذيب.

وقد تم توثيق تجربة السجون السورية بكتابات الأدباء وقصائد الشعراء وبروايات شفاهية حين يعجز التفكير ويكل القلم. ففي العام 2006 أنجزت المخرجة السورية هالا محمد فيلمًا تسجيليًا في باص ذاهب إلى تدمر بعنوان «رحلة في الذاكرة»، يَقلُّ ثلاثة معارضين سياسيين يروون معاناتهم في محبسهم الطويل في سجن تدمر.

يقول الكـاتـب والمخرج غسـان جبـاعي الذي سُجن وعمره 31 عامًا وخرج من السجن وعمره 41 عامًـا: «عـام منها تحت الأرض في فرع التحقيق العسكري، وأربعة أعوام ونصف العام في سجن تدمر، والباقي في سجن صيدنايا».

والشاعر فرج بيرقدار دخل السجن وعمره 36 عامًا وخرج منه وعمره

خمسون عامًا. ويقول فرج: «أمضيت العام الأول في فرع فلسطين تحت التحقيق، نقلت بعد ذلك إلى سجن تدمر الصحراوي وبقيت فيه خمسة أعوام. ثم نقلت إلى سجن صيدنايا وبقيت فيه إلى أن تم الإفراج عني».

أما ياسين الحاج صالح فقد دخل السجن في العام 1980 وكان عمره 19 عامًا، ويقول: «قضيت 11 عامًا في سجن المسلمية في حلب، وأربعة أعوام في سجن عدرا القريب من دمشق. وفي العام 1993 حكمت علي محكمة أمن الدولة بـخمسة عشر عامًا. وبعد أن أنهيت محكوميتي، أضافوا لي عامًا جديدًا وأرسلوني إلى سجن تدمر. فخرجت في أواخر العام 1996، وعمري 35 سنة».

وتقول الكاتبة السجينة لطيفة الزيات (1923-1996) في كتابها «حملة تفتيش»:

«ما أقسى أن تعيش في مكان لا يشبهك، لا يداني وجدك ولا يوافي صفاء روحك. يستنفد حلمك ويمتص نبضك، ويوقع الخرس على فمك. حيطانه سجن، سكانه سجان وأعمالهم أصفاد. تحاصرك الأعذار، يغللك حزن الكلام فلم تعد تدري كيف تنجو من الغرق، تطفو فوق صفحتها وتجهض صبرك الأوهام. فتنوس بين وجود وعدم، فتتوقف عن الشوق، تتوقف عن إيقاد الجمر في الهشيم هشيم الروح. مكانك ليس هنا، فهنا الجنة وأنت مارق عن العصر وعن السجن والسجان».

ويروي الكاتب السوداني د. محمد سعيد القدّال (1935-2008) في كتابه «كوبر... ذكريات معتقل سياسي في سجون السودان»، وقد أمضى بضع سنوات كمعتقل سياسي في سجن كوبر بالتحديد، عن أجواء الرهبة والغموض في هذا السجن ذي الأسوار العالية التي ظلت عصية على التسلق. حتى بات من المستحيل على أي سجين التفكير في الهروب منه. ويشير إلى دس السلطات شخصيات غريبة بين المعتقلين السياسيين، لينقلوا إلى إدارة السجن

ما يسمعونه منهم. ولكن لم تكن لدى هؤلاء المعتقلين أسرار، فجلّ همهم تلخّص في المحافظة على تماسكهم وسلامة صحتهم.

أما الشاعر الشعبي السوداني محجوب شريف (1948-2014) فقد أمضى أكثر من عشرين عامًا متنقلًا في سجون الأنظمة المختلفة التي تعاقبت على حكم البلاد، في سبعينيات وتسعينيات القرن الماضي: كوبر، سواكن، بورتسودان، وشالا في شمال دارفور، وذلك على خلفية نضاله بالموقف والكلمة ومناداته بالحرية للوطن وتأمين الحياة الكريمة للشعب.

يقول في إحدى القصائد من ديوانه «الأطفال والعساكر»:

مساجينك مساجينك
نغرد في زنازينك
عصافيرًا مجرحة بي
سكاكينك
نغني ونحن في أسرك
وترجف وأنت في قصرك
سماواتك دخاخينك
برغمك نحن ما زلنا
بنعشق في سلاسلنا
بنسخر من زنازينا
وبنسخر من زنازينك
للسودان مواقفنا
وللسودان عواطفنا
ولما تهب عواصفنا
فما حيلة قوانينك؟

وأيضًا لم ينج من سجن كوبر الشاعر علي عبد القيوم (1943-1998)

الذي تعرض للاعتقال مرات عديدة على خلفية أفكاره اليسارية، وأشعاره الصدامية لحكم الرئيس جعفر النميري. فيقول في قصيدة من ديوانه «الخيل والحواجز»:

أي المشارق لم تغازل
شمسها
ونميط عن زيف الغموض
خمارها
أي المشانق لم نزلزل بالثبات
وقارها
أي الأناشيد السماويات لم تشدد
لأعراس الجديد
بشاشة أوتارها
نحن رفاق الشهداء.

يحظى مصطلح السجن والأسر بمترادفات عديدة تتضمن جميعها معاني القهر والتسلط والقمع. فالقمع حالة مركبة، تتجلى في المطاردة والاعتقال والتعذيب والقهر.

وله وجهان:

1. القمع المادي، ويتصل بالأضرار الجسدية والحقوقية التي تمارس على الفرد في الحياة العادية، أو داخل السجن.
2. القمع المعنوي، وهو غياب الشعور بالأمن والطمأنينة والكرامة والحرية.

ومن أساليبه:

1. حلق الرؤوس: وقد شاع في الماضي، وما زال شائعًا في الوقت الحاضر.
2. التشهير بالأسير: وفي الزمن الراهن صارت أساليبه، أكثر مهانة وذلًا.

الزنزانة

يوضع السجين في زنزانة منفردة بمبنى محاط بأسلاك شائكة وبحقول من الألغام، أبوابه مؤصدة وأضواؤه شاحبة والقضبان تقبض على النوافذ.

ويعد رمي السجين السياسي في هذه الوحدة القاتلة نوعًا من أنواع التعذيب والضغط عليه للحصول منه على معلومات لم تتمكن إدارة السجن من الحصول عليها عن طرق أخرى. وهي أطول المراحل زمنًا وأشدها ألمًا على السجين لكونه معزولًا عن السجناء الآخرين.[1]

والروائي إبراهيم صموئيل (1951-) الذي اعتقل مرتين، المرة الأولى في العام 1977 ثلاث سنوات، والثانية في العام 1986 لمدة ثلاثة وثلاثين يومًا. يقول:

«المنفردة في المرة الثانية كانت لي غرفة ولادة، نكأت جرح الاعتقال الأول بعد أن نضج وتخمر. طبعًا أنا أقول لا أريد للأفاعي أن تسجن ولكن ربّ ضارة نافعة. فالسجن يمنح خبرة في الحياة ويكسب فهمًا أعمق، ويجعل الشخص يقدر قيمة ما كان يمر به دون انتباه. فبعد السجن بات السير في الشارع حدثًا مهمًا يولد النقمة على الطغيان دون أن يزرع شيئًا من الخوف منه في نفس القارىء. بل في لحظة ما يشعر بأنه من المفيد أن يخوض هذه التجربة ويجب الاحتفاء بها، والجلوس في الشمس حدث عظيم وبهاء ومتعة. فالاعتقال يعيد المعاني الجليلة القديمة المهملة ويعيد إحياءها وبالتالي يتولد

لدى الشخص شعور آخر فيصبح إنسانًا مختلفًا».[2]

وعن التجربة ذاتها، يقول الشاعر المصري محمد عفيفي مطر:

بيني وبين الجدار
أبخرة الزنزانة
وفي فرع النهار
تفاحة عريانة
وفي طريق الفرار
رصاصة أو خيانة

أسمع صوت الماشية على الطرقات
أسمع ما يتهانف في الضحكات
وأنا أعراق مرخية
أنفاس واقفة مطوية
جمجمة فارغة ولسان مبتور
ودماء تقطر من خف الديجور
أتذكر ما قلناه معًا
أتذكر طعم الكذب الأبيض والأحلام السوداء
أتذكر إيقاع الموال المقهور
والعش الفارغ والرمح المكسور
أتذكر شبحي الهارب حين تكسر منه الرأس
على قرميد السور.[3]

كذلك يكتب الكاتب السعودي تركي الحمد (1952-) مشاعره عندما كان سجينًا، من خلال هشام بطل روايته، فيقول:

«عندما دخل هشام الزنزانة، ظل واقفًا في مكانه لا يعلم ماذا يفعل. إنه في حالة أشبه بلحظة الاختفاء في بعد آخر: لا مكان ولا زمان ولا إحساس بأي شيء وكأنه في كابوس رهيب لا يلبث أن ينجلي بعد لحظات. جلس على فراشه المطوي وهو يتحسس القيود في رجليه، وينظر إلى البوابة أمامه، متوقعًا أن يلج منكر ونكير في أي لحظة ومعهما تلك المرزبة الرهيبة».[4]

وعن هذه اللحظات يقول الكاتب فتحي عبد الفتاح في كتابه «ثنائية السجن والغربة»: «دخلت الحجرة وأغلق العسكري الباب بمفتاح غليظ. وقفت أتأمل الغرفة المظلمة، كان كل شيء معتمًا ساكنًا... وكوة صغيرة في أعلى الجدار المقابل للباب يتسرب منها ضوء النهار الوليد ويتبدد على الجدران العلوية. وأخذت أتحسس بيدي الجدار المجاور للباب ولما لم أجد أحدًا وضعت شنطتي على الأرض وجلست فوقها ومددت رجلي في حذر خوفًا من أن تصطدم بأحد ثم أسندت رأسي إلى الحائط وبدأت ألتقط أنفاسي. ورحت في عالم غريب... خليط من الحاضر والماضي، لا هو باليقظة الكاملة ولا هو بالنوم الكامل، كأنما نام نصفي وبقي نصف آخر يعي أنه في زنزانة مغلقة. سمعت صوتا أنثويًا يهمس قريبًا مني: دا نام كتير قوي... وقال صوت أنثوي آخر: تلاقيه كان سكران طينة.

- لا يا شيخة، دا معاه شنطة ولابس بدلة وباين عليه ابن ناس.

وفتحت عيني... كانت تفاصيل الزنزانة واضحة تمامًا... وعلى مقربة مني فتاتان تجلسان باسترخاء».[5]

ويرى الشاعر اللبناني عمر محمد شبلي (1944-) الذي قضى عشرين عامًا أسيرًا في السجون الإيرانية (1981-2000) على خلفية عمله مراسلًا حربيًا في الجبهة العراقية، «أن ثمة خيطًا إنسانيًا خفيًا يمكنه أن يجمع الأضداد. وأن باب السجن الذي هو من حديد يمكن أن يذوب، حين يُلقي السجان كلمات

فيها رحمة على السجين الغريب الضعيف. وهناك في الزنزانة رقم 14 انتهت علاقتي بالكون وبدأت الدخول في الحجر». لكن حظه مع سجانه أفضل من كثيرين غيره، فها هو يقول عنه: «كلامه كان لروحي غذاء، وفي صوته كل ما كنت أحتاجه من الصدقات».(6)

وعن زنزانة سجنه قال العراقي رفعة الجادرجي (1926-2020):

«لا تعدو سعة زنزانة رقم 26 أكثر من متر وسبعين سنتيمترًا عرضًا ومترين طولًا. وتشعر بثقل الهواء بسبب حشر المعتقلين في ذلك الحيز الضيق. لا مجال لحركة الهواء النقي فيها. فيدور الهواء كما لو أننا في داخل فنجان. لأن الزنزانة مغلقة بباب حديدي لا منفذ للهواء من أسفله ولا فتحة في أعلاه سوى شق صغير لمراقبتنا من قبل الحراس، وربما لسماح كمية من الأوكسجين بقدر ما تؤمن بقاء المعتقلين أحياء ليتمكنوا من استدعائهم متى شاؤوا. لذا تمتزج رطوبة أنفاسنا بهواء الزنزانة الفاسد».(7)

وفي أثناء اعتقالها ووجودها في زنزانة، كتبت الشهيدة الشاعرة المغربية سعيدة المنبهي (1952-1977)، وقالت:

في الزنزانة السوداء
في هذه الليلة الحالكة
في ليلهم الذي يطرده النهار
أتحول إلى لحظة
وأصبح انتصارًا
أبحث في العتمة
عن مَعْلَم في الزمن
زمن العامل .. الفلاح
كل الثوار
في يوم النور ذاك

سأرى صورتي في عينيك
وأنا عارية كفكرة
مكسورة كلبلاب
في يوم النور ذاك
سنكون قد رمينا من أيدينا
الأغلال البيضاء
في وجه الكلاب النابحة.

أما الأسير الفلسطيني المهندس عبد الله البرغوثي (1972-) المحكوم بالسجن 47 عامًا فيصف زنزانته، ويقول:

«زنزانة خاصة اسمها العزل الخاص، تملؤها كاميرات المراقبة ويمنع فيها زيارات المحامين، زنزانة أقرب ما تكون إلى القبر بل هي القبر بذاته».[8]

وفي رواية باب الشمس للكاتب اللبناني إلياس خوري: «وجد سميح نفسه في زنزانة انفرادية. كانت الزنزانة صغيرة جدًا، والظلام في كل زاوية. حاول أن يقف، فاصطدم رأسه بالسقف. جلس، وبدأ يشعر بالاختناق. فالهواء، لم يكن يكفي. كاد يجن، ضرب حيطان الزنزانة بقبضتيه واكتشف أنه لا يستطيع تحديد مكان الباب. فالحيطان مصفحة بما يشبه الحديد، والباب ضائع وسط الحديد المقفل. شعر بعطش رهيب، إنه العطش الحقيقي. العطش، هو نقصان الهواء. لم يعد يعرف من هو، ولا أين هو. ضاع الزمن، وضاع الرجل. العذاب الأقصى هو أن يحرم الإنسان من الوقت، والأبدية هي العذاب».[9]

أما الشاعر السوري فرج بيرقدار (1951-) فيرى في الزنزانة أمرًا مختلفًا عن القيد، من بعض الوجوه الدلالية والوظيفية كما كتب في كتابه «خيانات اللغة والصمت: تغريبتي في السجون السورية»، فيقول:

«تجربتي معها، جعلتني أضفي عليها في بعض الأحيان ظلالًا خاصة. فمرة تغدو صومعة ومرة تغدو ملجأً، يشتهي السجين أن يهرب إليه من هجير التحقيق وما في سياطه من قيامة لا شفاعة لها ولا كرامات».[10]

ويشير السجين المغربي عزيز بنبين إلى الانفرادية التي كان فيها وتفتقر إلى الأقل من شروط الحياة العادية، فيقول: «في الجناح ب كنا ثلاثة وعشرين نفرًا، وكل نفر منا في زنزانة تحوي ثقبين: واحد محفور في الأرضية لقضاء الحاجة، وآخر فوق باب الحديد لإدخال الهواء. ما عاد لنا أسماء... ما عاد لنا ماض أو مستقبل. فقد جردونا من كل شيء، ولم يبق لنا سوى الجلد والرأس. أدركنا أنه لم يعد لنا خيارًا آخر. فصرنا نقول في سرنا: الحياة أصبحت وراءنا، لقد انتُزعنا من الحياة».[11]

ويقول الأديب والسياسي السوري جورج صبرة عن اعتقاله مع بداية الثورة نيسان 2011 واقتياده إلى الفرع الداخلي لأمن الدولة، الذي خبره خلال فترة اعتقاله الطويلة بين 1987-1995:

«قادني أحدهم إلى إحدى المنفردات الخارجية. دققت حولي متفحصًا المكان، وإذ به هو... هو نفس المكان. الزنازين الصغيرة بأبوابها الخشبية وشراقاتها المفتوحة باستمرار، والصمت الرصاصي الثقيل لم يغادر المكان. أغلق الباب خلفي، وسمعت رتاجات الباب الثلاثة التي ألفها سمعي بثمانينات القرن الماضي وبالمكان نفسه. بقيت واقفًا أتفقد جدران الزنزانة باحثًا عن آثار سوريين سبق أن مروا من هنا لأسباب تتعدد بتعدد شؤون الحياة. وكنت أبحث بالتحديد عن ذلك البيت من الشعر الذي قرأته في هذا المكان على جدار آخر قبل زمن بعيد وأخرجني من اليأس إلى الأمل ومن القنوط إلى الرجاء:

ضاقت.. ولما استحكمت حلقاتها/ فرجت، وكنت أظنها لا تفرج».[12]

وفي السياق ذاته يقول السجين السياسي الليبي صلاح الدين الغزال (1963-)، وقد أمضى سبع سنوات في سجون القذافي:

«بعد الانتهاء من التحقيق أعادوني إلى الزنزانة مع تمديد حبسي لمدة خمسة وأربعين يومًا آخر. كان الخبر كالصاعقة، وكانت ليلة سوداء مملة كئيبة ومخيفة. حدقت إلى الجدول القديم، وتذكرت كيف كنت أشطب الأيام حتى انتهى. ثم قمت برسم جدول ثان بجانبه وبدأت أشطب كل يوم مربعًا على أمل الخلاص.

فقدت شهيتي إلى الطعام، ولم أعد أرغب بالاستمرار في الحياة. حان موعد الغداء، وصل السجان وبدأ يفتح الزنازين، ويعطي وجبة الطعام. كنت أرغب في الاعتذار لانعدام شهيتي، لكن جاري سبقني إلى رفض تناول الطعام. فاغتاظ السجان وقام بتوبيخه، فخاف السجين وأخذ طعامه وهو يرتجف ودخل زنزانته. بعدها فتحوا زنزانتي فخرجت مسرعًا، وأخذت طعامي دونما التجرؤ على الاعتذار. وضعته أمامي، ولم أقربه».[13]

وإذا كانت الزنزانة في رواية «باب الشمس» هي المكان المحدد للسجناء، كما يقول الروائي إلياس خوري (1948-)، إلّا أنها ليست الموقع الوحيد للصراع والمعاناة.

«إذ لا فرق من حيث الجوهر بين مواطن مسجون في زنزانة، وآخر مسكون بالرعب خارجها. فآلة القمع واحدة، وتطال الجميع سواء باستخدام السوط أو التهديد به. ولا يتبقى للطرفين، غير الصمود أو السقوط».[14]

وبرغم كل الصعوبات التي يواجهها السجين من حبسه في زنزانة، إلا أن فايز أبو شمالة الذي أمضى عشر سنوات في السجون الإسرائيلية يرى فيها نعيمًا وكأنها فندق خمس نجوم، فيقول: «مرحلة الزنازين يستهدف منها المحقق إعطاء المسجون فترة مراجعة الذات بين النوم والراحة وعدم المساءلة، وبين

الضغط الجسدي العنيف. وكأن الزنازين فندق خمس نجوم، بعد موجات من التحقيق تكتم الأنفاس. مرحلة الزنازين عودة ثانية للحياة، ووقفة للمسجون أمام المصير، بمواصلة الصمود وتحمل تبعات ذلك. بما فيها الاستشهاد أو الانهيار، وبالتالي استمرار ومواصلة حياة الاستعباد والأسر».[15]

إن ما أنجزه فايز أبو شمالة في سنوات حبسه يبرر مقولته عن السجن، حتى وإن وردت في سياق التندر. فقد درس اللغة العبرية قراءة وكتابة ومحادثة، ونشر ديوان شعر وكتابًا عن الانتفاضة في قواعد اللغة العربية، وبحثًا عن شعر الشاعر عبد الرحيم محمود.

الهوامش

1 انظر أدب السجون/ نزيه أبو نضال، بيروت: دار الحداثة للنشر والتوزيع، 1981، ص 27

2 من حوار مع الصحافية وداد جرجس سلوم، على صحيفة العرب الإلكترونية، يونيو 2014

3 انظر قصيدة المملكة الممنوعة، محمد عفيفي مطر.

4 انظر الكراديب أو أطياف الأزقة المهجورة، ص19

5 انظر ثنائية السجن والغربة، ص45

6 من حوار صحفي مع عمر شبلي، مرجع سابق.

7 انظر رواية «جدار بين ظلمتين»، مرجع سابق.

8 انظر «مهندس على الطريق: أمير الظل».

9 انظر رواية «باب الشمس» ص 17

10 انظر «خيانات اللغة والصمت: تغريبتي في السجون السورية»، مرجع سابق.

11 انظر «تلك العتمة الباهرة»، مرجع سابق، ص15

12 «دفتر السجن: يوميات وأوراق من الأيام الأولى للثورة»، جورج صبرة، عن موقع جريدة العرب الإلكترونية، الأحد، 4/ 10/ 2015

13 انظر «ليل الزنازين»، ج1، صلاح الدين الغزال

14 انظر رواية «باب الشمس»، مرجع سابق ص22

15 انظر كتاب «السجن في الشعر الفلسطيني»، ص 83

الباب الخامس:
معاملة المعتقلين

1

الاقتياد إلى السجن

تُعد لحظات الاعتقال الأشد ألمًا وقسوة على نفوس المعتقلين، لأنها تأتي فجأة وعلى غير توقع. وليُنْزِلْ الأمن الرهبة في قلوبهم، يطرق أبوابهم في منتصف الليل أو قبيل انبلاج الفجر. فالمعتقل يذهب معهم والقلق يرافقه على أهله الذين لا يعرفون في أي فرع أمني سيكون، فالداخل إلى فروع الأمن مفقود والخارج منها مولود. ولاسيما أن المحققين لئام، يتلذذون بتعذيب المعتقلين بإطالة أيام التحقيق معهم.

إن معظم من مروا في هذه التجربة وثقوا معاناتهم كتابة، فوصفوا المكان الذي هم فيه وعلاقتهم مع السجانين اللئام والرحماء.

وعن رحلة اقتياده من كركوك إلى بغداد، يقول السجين العراقي ضرغام عبد الله الدباغ: «الوقت كان ليلًا.. فقد استغرقت الرحلة من كركوك إلى بغداد ردحًا من الزمن. وتمت عملية استلامنا في ظروف لا يمكن وصفها بالاعتيادية، ولا تخلو من ضربات عشوائية لا معنى لها. مع شلال من السباب والشتائم التي تفتقر إلى الأدب والأخلاق العامة، ناهيك عن القانون الغائب ذكره وتطبيقه. والحقيقة، أنني لم أكن أفهم مغزى ذلك. فقد نكون مذنبين من وجهة نظر السلطات، وقد نستحق المحاكمة والعقاب. ولكني لا أفهم

معنى الشتائم والضرب الذي لا ينطوي إلا على معنى واحد هو أن هؤلاء الحراس قد اعتادوا الإهانة أخذًا وعطاء، وفقدوا حتمًا الكثير من صفات البشر المحترمين، ولكن من يهتم؟

فالأمر لا ينم عن احترام هنا، بل إنني كنت في كثير من الحالات أتطلع بعمق إلى وجوه القائمين بعمليات الضرب والتعذيب وحفلات الشتائم والإهانات وأسائل نفسي: ترى هل كنا نسير وإياهم في شوارع هذه المدينة؟ وهل يضمنا جميعًا هذا الوطن الحبيب؟ أم ترى، ويا للفزع، ربما قد دخلنا مطاعم ومقاهي مشتركة. إن الأمر بحاجة حقًا إلى علماء في الهندسة الوراثية».[1]

وعند اقتياده من البيت يصف الروائي السعودي تركي الحمد الطريق المؤدية به إلى السجن، فيقول: «استمرت السيارة في المسير حتى قَلّت البيوت لدرجة الندرة، واختفت أعمدة الإنارة من الشوارع وازداد عواء الكلاب الشاردة. ثم عرجت السيارة على طريق ترابي مظلم وضيق، سارت فيه متأرجحة لبعض الوقت حتى لاح في الأفق مبنى ضخم غارق في الظلام، إلا من بعض أنوار خافتة تطل على استحياء من بعض جهاته. ويحيط به سور عال جدًا مرصع بمصابيح كهرباء متفرقة أنوارها إلى الخارج، يخفي الجزء الأكبر من المبنى. وما لبثت السيارة أن توقفت أمام بوابة فولاذية ضخمة، فأطلق سائقها البوق بسرعة ثم كبس النور الأمامي كبسات سريعة. ولم يلبث أن جاء صوت صرير حاد ومزعج، معلنًا عن فتح البوابة».[2]

أما الصحافي المصري فتحي عبد الفتاح فقد فتح عينيه على يد أخته تهزه لتوقظه، فوجد في الغرفة أربعة رجال ينظرون إليه بتركيز غريب. «بقيت وسط السرير وأخذت أجول بنظري بيهم وكأني أشهد فيلمًا صامتًا، ونحيب

1 انظر «قمر أبو غريب.. كان حزينًا»، ص 15-16

2 ص 11

أختي يقوم بدور الموسيقا التصويرية. نفس الوجوه التي سمعت عنها كثيرًا جمود وبلادة وتحفز. عيون بعضهم كعيني الصقر تلتقي بها فلا تجفل. أما الضابط فكان يتحاشى نظراتي... ابتسمت فلطالما سمعت إنهم يطبون في الفجر كالقضا المستعجل، وليس هناك من بد سوى أن يكون الإنسان واثقًا من نفسه أمامهم. ارتديت ملابسي، ووضعت بعض أغراضي في شنطة صغيرة، وقلت للضابط أنا جاهز. فتحت باب الشقة وصرت أقفز درجات السلم، ومن خلفي الضابط والعساكر والمخبرون. وبدون استئذان فتحت باب العربة السوداء الفاخرة وجلست إلى جانب السائق، وفي الخلف جلس الضابط ومعه جندي».[3]

وعن هذه اللحظات نقرأ من قصيدة الأسير للشاعر سميح القاسم:

ذات يوم فاجأوني/ دفعوا أمي وأختي جانبًا/
واعتقلوني/ كالتماثيل الترابية كانوا/ بوجوه فقدت
ضوء العيون/ يوم جاءوا فجأة واعتقلوني/ وعلى
الأوصال والأسلاك جروني/ طوال الليل، ولكن
ظل مرفوعًا/ جبيني/ فركوا بالرمل والملح جراحي/
وإلى ركن كريه ركلوني/ قتلوني ذات يوم/ ولكن ظل
مرفوعًا إلى الغرب/ جبيني!

وعندما تم اقتياد الشاعر السوري فرج بيرقدار إلى فرع فلسطين بسيارة الدورية، استقبلوه عند الحاجز الأخير للدخول إلى مقر الفرع، بالزمامير والرقص والضحكات وإطلاق الرصاص:

- أهلًا وسهلًا بالمناضل الكبير
- منذ سنوات ونحن ننتظر أن تشرفنا بهذه الزيارة المباركة.
- تتهنى يا عم... الآن سنشبع نضالًا
- افتحوا باب السيارة للأستاذ، تفضل أستاذ لا داعي للخجل

3 ص 40 بتصرف.

- ولو .. أنت على العين والراس في ضيافة فرع فلسطين

لست أدري لماذا يحمّلون تعليقاتهم كل هذا القدر من السخرية والشماتة؟

فظيعة هذه الدقائق. في رأسي ما يشبه الفجوات... وما يشبه الموج وما يشبه عنفات شيطانية تدور على نحو مجنون وفي أكثر من اتجاه».[4]

وبعد أن حكم على فرج ورفاقه بالسجن، اقتادوهم إلى تدمر. فقال المساعد المرافق لهم في الحافلة: «والله تا تشوفو نجوم الضهر، ماني فهمان شو بدكن بهالشغلة الوسخة، كليتكين مثقفين وعايشين وعين الله. رفستوا النعمة لشو؟ شو يللي ما عاجبكن بسيادة الرئيس آاا؟ منين بدكن تجيبوا رئيس أحسن منو؟ احكوا هاتوا تاشوف، منين. صدقوني إذا بتبرموا الدنيا شرق وغرب، ما رح تلاقوا رئيس بيجي لضفر من ضافيروا. والله لو تفهموا وتقدروا بس تاكنتوا تركعولو وتصلولو يا عكاريت... قولوا بس شو يللي ما عاجبكن فيه ولك شخاختو دوا، ولك والله والله خريتو مزار».[5]

وفي السياق ذاته، يتحدث الشاعر اللبناني السجين عمر محمد شبلي عن رحلته إلى أحد السجون في إيران ويقول: «رحلة الطريق إلى معسكر آراك كانت هي العمر كله، وربما كانت أحاسيسي عن تصحر الكون مقدمة للدخول الحقيقي في الحجر».[6]

وفي رواية «القلعة الخامسة» للروائي العراقي فاضل العزاوي، يقول عزيز محمود سعيد عن اقتياده المفاجئ من المقهى إلى السجن:

«كانت الشاحنة تعبر الليل مخترقة شوارع بدت لي جميلة جدًا، كما لو أنني أراها لأول مرة في حياتي. فكرت لا بد من أن اعتقالي، هو الذي يجعلها جميلة

4 انظر «خيانات اللغة والصمت»، مرجع سابق، ص 42.

5 المرجع نفسه، ص 56

6 عمر شبلي، مرجع سابق.

جدًا. وعبر قضبان الشاحنة رحت أحدق إلى المارة الذين كان بعضهم يتوقف وينظر إليّ. لم أحاول أن أبعد عيني عن عيونهم، كنت أشعر بطريقة ما بالزهو أيضًا، فأنا رجل خطير حتى إذا لم أكن قد ارتكبت ما يبرر اعتقالي».[7]

«أوغلت الشاحنة داخل زقاق جانبي مظلم تمتد على جانبيه اشجار يوكالبتوس مرتفعة، ثم توقفت عند بوابة حديدية مغلقة إلا من فتحة صغيرة على شكل مربع في الوسط. دفع الشرطي الواقف في الداخل الدرفة اليمنى من البوابة بكتفه، فانفتحت حتى منتصفها مطلقة صريرًا حادًا. وقال المفوض الذي يحمل أوراقنا إلى السجن مخاطبًا إيّانا: هيا أسرعوا بالدخول».[8]

وجاء في رواية «أجنحة في زنزانة» للكاتب السوري مفيد نجم، عندما عرف مفيد نجم باعتقال صديقه جوزيف، لم يكن أمامه غير الالتحاق بوحدته العسكرية التي كان يؤدي فيها خدمة العلم، ليحصل على إجازة تبرر غيابه عنها. وفي طريقه إلى كراج السيارات وبمروره في ساحة العباسيين في دمشق وجد ضجيجًا ووجوهًا متعبة، نظرات كسولة أو حيادية تترقب. فقال: «بينما كنت أنا بعينين مذعورتين أتطلع أمامي وحولي، خوفًا من أن يباغتني أحد من عناصر الأمن الكامنين في زاوية ما من الشارع. اجتزت ساحة العباسيين دون أن ألحظ ما يثير الريبة. وعندما بلغت مكان السيارة التي تقف بانتظار اكتمال عدد الركاب، وقفت وأنا أتطلع في كل الجهات محاولًا أن ألتقط أي إشارة أو حركة. صعدت إلى الحافلة ثم نزلت منها، لمعاودة فحص المكان من جديد. قلق وتوتر كنت أغالب نفسي في أن أخفيهما عن عيون المحيطين بي، خوف افتضاح أمري. لم أجد ما يعزز مخاوفي، فحسمت أمري على إكمال رحلة السفر. بدأت الحافلة تستعد للانطلاق فأسرعت في الصعود إليها، وطوال الطريق كنت أسأل نفسي: هل ستكون هذه الرحلة رحلة الوداع الأخيرة لكل

---

7 «القلعة الخامسة»، مرجع سابق ص 6

8 المرجع نفسه، ص 10

شيء ألفته طوال أكثر من عامين؟

الأمكنة، الناس، الرحلة اليومية المرهقة ذهابًا وإيابًا، والركض وراء حافلات الصباح في مدينة الزحام والأزمات. بعد مسير ما يقارب الساعة، فوجئت برتل طويل من السيارات عند مقربة من مدينة النبك. لم أتوقع أن يكون هذا المشهد المثير كله من أجلي، فهل يحتاج اعتقال شخص مثلي لكل هذه الحواجز وتفتيش عشرات السيارات وحافلات النقل الصغيرة والكبيرة الذاهبة إلى المحافظات الشمالية والوسطى؟

لم يكن منظر الحاجز وفي هذا المكان بالذات غريبًا لي حتى أرتاب بوجوده، فقد اعتدت على رؤيته خلال شهور خدمتي الطويلة في هذه المنطقة. عندما اقتربنا من الحاجز الأمني، صعد أحد العناصر إلى الحافلة وطلب إبراز الهويات الشخصية. عندما قدمت له هويتي تمعن فيها قليلًا، ثم سألني هل لديك إجازة مبيت؟ فأجبته بلا، فقال: تعال معي. فلم أكد أضع قدمي على الأرض حتى أخذ يتحسس جسمي كله، في حين سارع عنصر آخر إلى تكبيل يديّ. دفعوني باتجاه سيارة البيك أب، وهناك حشروني بين مجموعة من العناصر المسلحة لينطلق الموكب نحو مقر المفرزة داخل مدينة النبك».[9]

9 انظر رواية «أجنحة في زنزانة».

2

التفتيش

يقول المفكر المصري محمود أمين العالم (1922-2009):

«الذين يعرفون السجون، يدركون جيدًا ماذا تعني حملة تفتيش. إنها لا تعني فحسب البحث عن ممنوعات ومخبوءات لدى السجين، سواء بين محتويات زنزانته أم في ملابسه وجسده بما قد يصل حد التعري أحيانًا، بل تعني كذلك الجانب الآخر من العملية. أقصد محاولة السجين التحايل والتمويه لإخفاء الممنوعات إخفاء جيدًا، بما قد يصل أحيانًا حد التحدي والمقاومة والعنف المتبادل بين المسجونين والسجانين. فما إن تنتهي عملية التفتيش بجانبيها، حتى يجلس المسجونون يعيدون تنظيم الفوضى السائدة في الأشياء المتناثرة في أرض الزنزانة أو في المشاعر والأفكار والذكريات داخل النفس التي تمخضت عنها حملة التفتيش. وفي هذه الحالة الأخيرة تبدأ حملة تفتيش أخرى، حملة تفتيش معنوية حد العري النفسي كذلك تجري بين الإنسان وذاته».[1]

وفي كتابها «حملة تفتيش: أوراق شخصية» تشير الأديبة المصرية لطيفة الزيات (1923-) إلى أن التفتيش كان يجري في عنبر من عنابر سجن القناطر الخيرية ضد أربع سجينات ممن اصطلح على تسميتهن بالسياسيات، وهن:

1 انظر «أربعون عامًا من النقد التطبيقي»، ص 244

لطيفة الزيات وأمينة رشيد وعواطف عبد الرحمن ونوال السعداوي. وضد خمس سجينات أخريات منقبات من الإسلاميات». وتشيد الكاتبة بالتعاون بين السجينات وتصديهن للمفتشين، فتقول: «ما أجمل تعاونهن جميعًا، بالتصدي والمقاومة المشتركة لحملة التفتيش».[2]

وفي غمرة هذه الحملة والمعركة بينهن وبين المفتشين، تعود الذكريات بلطيفة الزيات إلى لحظات مماثلة من التصدي والمقاومة عبر تاريخها النضالي الطويل، تدعوها إلى إخراج أوراقها من مخابئها السرية وتنظمها في كتاب «حملة تفتيش».[3]

2 انظر «حملة تفتيش: أوراق شخصية»، لطيفة الزيات

3 انظر محمود أمين العالم، ص 244

3

التحقيق

في بداية الاعتقال يحاول النظام المتسلط سواء أكان استعماريًا أم وطنيًا أن يحقق غاياته مع المعتقل، بلغة السياط والقهر والإذلال. فهو يرى أنه وحده يملك الحق في منح الآخرين حريتهم وحياتهم أيضًا، أو حجبها عنهم. فيتعامل مع المعارضين لسياسته على أنهم كائنات ضعيفة وجبانة، ويجب أن يطبق عليهم أسلوب القوة والقسر والإرغام. وإمعانًا في تعذيب المعتقل وإضعاف معنوياته، يتم التحقيق معه على مراحل عديدة لتطول مدة احتجازه.

فالسلطة الأمنية تركز وسائلها القمعية على المعتقل لتنتزع منها اعترافه بالانتماء إلى جماعة ما أو حزب ما لكي تحصل على أسرار هذه الجماعة أو هذا الحزب، بما يمكنها من القضاء عليها أو عليه أو على الأقل تفتيتهما من الداخل. ويتم انتزاع الاعتراف من المعتقل بوسائل مختلفة، عن طريق تعذيبه جسديًا وتعنيفه نفسيًا.

فإذا كان المعتقل ضعيفًا، سينجح المحقق في مهمته ويحصل على المعلومات التي يريدها. فالاعتراف وإن تم بفعل التعذيب، يدل على ضعف المعتقل وسقوطه في براثن السلطة. فهو في هذه الحال، يضع بين يدي جلاده أسرار الجماعة التي ينتمي إليها أو الحزب المنتسب إليه. وأيضًا أسماء رفاقه ومراتبهم

الحزبية، وأمكنة تواجدهم. وتعد مرحلة التحقيق أطول المراحل زمنًا وأشدها ألمًا على المعتقل لأنه في هذه الأثناء يكون معزولًا عن العالم الخارجي، وعن داخل السجن ومن فيه.

وقد جرت العادة بأن تتولى مهام القمع والتعذيب في المعتقلات أجهزة متخصصة من سجانين وقوات أمن وحراس، لكونها تقوم على صيانة النظام السياسي وحفظه. ولحرص النظام المستبد على ضمان ولاء من يعملون في هذه الأجهزة، يمنحهم امتيازات تتيح لهم التسلط على كل شيء.

ويشير القائد العسكري والسياسي الإنكليزي أوليفر كرومويل (1599-1658) إلى أهمية هؤلاء، فيقول: «إن تسعة مواطنين من أصل عشرة يكرهونني، وما أهمية ذلك إن كان العاشر وحده مسلحًا وهو في صفي».[1]

وفي رواية «شرق المتوسط»، يقول عبد الرحمن منيف (1933-2004):

«مددوني على طاولة، كنت عاريًا تمامًا، وجهي باتجاه الأرض ورأسي يترنح من الضربات. لا أعرف أي عدد من السجائر أطفأوا في ظهري، على رقبتي، داخل أذني وبين أليتي. كان يضحكون أول الأمر، وأنا أحاول الدفاع عن نفسي بساقيّ الطليقتين. رفست مرتين أو ثلاث مرت، ولما حاولت في المرة الرابعة حزموا رجليّ بقوة، وبدأوا يصرخون اعترف... اعترف يا ابن الزنا. أتذكر أني قلت لهم: لا أعرف شيئًا، ولن أقول لكم يا كلاب. انهالت عليّ الضربات بالكرابيج والأحذية، ضربوني بأحذيتهم على وجهي المتدلي. قفز واحد منهم فوق كتفي، وكانت يداي مربوطتين وراء ظهري. شعرت أن عظامي تتمزق ورقبتي تسقط مثل خرقة... وصرخت:

لا أعرف.. لا أعرف شيئًا. ارتفع صوت الغناء، وضعوا عصا غليظة بين أليتي. ضحكوا وأنا أتلوى، بصقوا علي.

1 انظر قصة «الاستبداد»، مرجع سابق، ص 30

أحسست بماء ساخن فوق ظهري. هل كانت دمائي تنفجر في مكان ما وتترنح بسخونتها؟ هل كانت قطرات من البول؟ هل كانت شيئًا آخر؟»

ليته اعترف... فلو أنه فعل لوفر عليه هذا الوجع وهذه الإهانات. هذا ما يردده في صمت كل من قرأ ما كتبه عبد الرحمن منيف. لكن المعتقل لا يشعر بالندم على موقفه، ولا من امتناعه عن الاعتراف، فيقول:

«أتتصورون أن الإنسان إذا قال شيئًا ينتهي الأمر؟ لا، الكلمة الأولى بداية السلسلة من الاعترافات. وأي تأخر في الاعتراف في الإجابة، يثيرهم أكثر من الصمت. لا أقول لكم هذا الكلام، إلا عن تجربة. جربت نفسي ورأيت الذين جربوا العكس، الخرزة الأولى وبعدها ينفرط كل شيء».[2]

أما ياسين الحاج صالح الناشط السياسي الذي أمضى ستة عشر عامًا سجينًا سياسيًا في عدة سجون بسورية، فيقول في كتابه «بالخلاص يا شباب»:

«تجربة التحقيق المكونة لكل معتقل، هي تجربة تعذيب تتحكم إلى حد بعيد بوضعه في السجن. وكثيرًا ما تكون المسافة بين من 'صمد' ومن 'انهار'، شعرة. وفي بلد يحكمه الاعتباط مثل بلدنا قد يحسم الحظ أو الصدفة أو 'الواسطة' سلوك المعتقل في هذه التجربة، وبالتالي مصيره سجينًا وإنسانًا. التحقيق ليس هو العامل الوحيد، لكنه العامل الفرد الأكثر تأثيرًا على سير المعتقل في السجن. إن فرصة بروز قدرات وخصال إيجابية لدى من يخرج من التحقيق دون خسائر أو القليل منها، أكبر بكثير مما لدى من يخرج من هذه التجربة بكثير من الخسائر أو محطمًا. وبرغم أن تجربة التحقيق قد لا تلعب دورًا حاسمًا في العلاقة بين السجناء أنفسهم، إلا أنها تلعب دورًا حاسمًا في علاقته مع نفسه».[3]

---

2 انظر رواية »شرق المتوسط».

3 انظر رواية «بالخلاص يا شباب»، ص 17

وبعد نقلهم من كركوك إلى بغداد، يقول ضرغام عبد الله الدباغ: «بدأ التحقيق في أسوأ المعتقلات وهو موقف مديرية الاستخبارات العسكرية. وفي أثناء التحقيق لا أنكر أني كنت أحاول أن أحافظ على فارق في المستوى من الناحية السياسية، بين مناضل ومحقق أو بين دبلوماسي وأستاذ جامعي وكاتب، وضابط غاوي ثقافة مهنته الرئيسية الحرب والضرب. والمفروض ضرب أعداء البلاد، وليس إخضاع الناس إلى تحقيقات سياسية مهينة. نعم كان يحاول إهانتي، ولكنه لم يبلغ ذلك قط. وكنت أبين له أنه أقل من أن يقدر على ذلك... أقل بكثير. وما يبديه هذا المحقق ليست سوى خربشات على جدار عال، وأنا حريص على إبقائه عاليًا».[4]

ويذكر «محمود» البطل في رواية «ما لا ترونه» للكاتب السوري سليم عبد القادر زنجير (1953-2013) «أنه تعرض في أثناء التحقيق معه لأشد أنواع التعذيب والتنكيل، ولم يتمكنوا من سحب أي اعتراف باطل منه. فألبسوه الظلم ظلمًا، وأجبروه على التوقيع على اعترافات لا يعلم بها سوى مبتدعيها. وكان هذا أسلوبهم، مع السجناء الأبرياء كافة».[5]

وفرج بيرقدار الذي استمر سجنه أربعة عشر عامًا، يأتي في كتابه «خيانات اللغة والصمت» على التحقيق معه، فيقول:

«في الغرفة الأولى فكوا الكلبشة، وأخذوا مني ما يسمى الأمانات، من نقود وساعة ونظارة وبطاقة هوية مزورة وما لا أدري، ليتابعوا بعدها إلى الداخل. فتحوا باب غرفة إلى اليسار وأدخلوني، وضعوا طميشة على عيوني ثم خرجوا وأغلقوا الباب. وما كدت أبتلع الورقة الملعونة، التي لو نجحوا بفك شيفرتها فعلى قيادة الحزب السلام، حتى فتحوا الباب. جولة عاصفة من الصفع

4 نفسه

5 انظر رواية «ما لا ترونه»

والركل والقبضات.

- أحضروا العدة... قال أحدهم، ثم أضاف: وأنت أيها المناضل اخلع كامل ملابسك. ليست هذه أول مرة أتعرض فيها للتحقيق، فقد سبق وتعرضت قبلها مرتين للاعتقال. ولا يخفى عليّ معنى أن يكون المرء عاريًا خلال التحقيق، أو مكشوفًا ومراقبًا في السجن الذي سينقلونه إليه انتهاء التحقيق. كانت الصراخات والتهديدات والأسئلة تتشظى وتتبعثر في أكثر من منحى وأنا صامت تمامًا.

- نحن نعرف اسمك الحقيقي والحركي أيضًا، ولكن نريدك أن تقوله أنت.
- لن أقول أي شيء قبل أن يحضر رئيس الفرع.
- أرسلوا له وراء رئيس الفرع

قال أحدهم، وراح يسأل عن المواعيد الدورية والاحتياطية وعن بيتي الحقيقي...

بدت لي أسئلتهم أكثر دقة وخبرة مما كانت عليه في السابق.

لا شك في أن تجربتهم مع حزب الإخوان المسلمين بالإضافة إلى انهيار أحد كوادرنا وخيانة أحد الأعضاء في الشهور الأخيرة، قد منحهم قدرًا وافرًا من الخبرة والمعلومات حول كثير من الأمور بما فيها طرائق وآليات عمل الحزب ودفاعاته.

لم أكن أريد من تمسكي بحضور رئيس الفرع سوى اللعب بمزيد من الوقت.

عندما حضر رئيس الفرع، أمر برفع الطميشة عن عيوني. لم يطل كثيرًا وقت الأسئلة والمناورة، ليكتشف أنني لا يرهبني سيف المعز ولا يغريني ذهبه. فنهض وملامحه تتقبض وتتعكر وتكفهر.

- شوفوا حسابكم معه. يبدو أنه ينوي أن يظل بغلًا».[6]

وتشير الأديبة السورية غادة اليوسف في مجموعة «في العالم السفلي» إلى قسم الاعتقال المؤقت الذي يجري فيه التحقيق لانتزاع المعلومات والاعترافات من المعتقلين، فتقول: «في الأيام الأولى لاعتقالها كان يأتي دورها للتحقيق معها في الغرف العلوية بعد أن يعصبوا عينيها بمطاط 'الطميشة' الأسود. تجرها من زندها كلابتا رجلين صامتين، يصعدان الدرجات خطوة خطوة، فتعد الدرجات درجة درجة... لطمة لطمة... لا رغبة في عدها، فالعدد هنا مطموس الوجود والمعنى والماهية. إنما تعدها لتحسب كمّ الوجع الذي ينتظرها حين تعجز عن وطء الدرجات بقدميها المتورمتين النازفتين. تعدها... لأن اللهيب المجنون الذي يهيج تحت أَدَمتِهَا المُفَلَّقة لدى ارتطامهما بحواف الدرجات، يدفعها لتحسب كم يتبقى من عدد سياط النار. تعدها... لتعرف كم لسعة بقي لها من لسعات السياط الكافرة. وبعد انتهاء مؤقت لإحدى جولات التحقيق، يجرونها كخرقة بالية مبلولة بنزيز الأعضاء الناشجة».[7]

أما البطل في رواية «القلعة الخامسة» لفاضل العزاوي، فقد دبروا له قبل أن يستدعوه إلى التحقيق تهمة جعلت رفاقه في المهجع ينقضون عليه ضربًا وركلًا، حتى قارب الموت:

« كان المحقق الجالس في الوسط يحدق إليّ، ثم رأيته يفتح فمه ويقول:

- حسنًا، قل لنا ما لديك؟
- ليس لدي ما أقوله

بدا الامتعاض على وجهه، فسأل مستغربًا:

- لقد ضربوك، أليس كذلك؟

---

6 انظر «خيانات اللغة والصمت»، مرجع سابق ص 22-24

7 انظر قصص «في العالم السفلي»، غادة اليوسف، ص 34-44 بتصرف

- ...
- قل لنا أسماءهم حتى نحقق معهم.
- لا أعرف أحدًا منهم.

بدا الرجل مستغربًا من موقفي:

- ولكنك تعرف السبب بالتأكيد
- لا يوجد أي سبب.

انفجر الرجل الذي كان يجلس إلى جانب المحقق، رافعًا رأسه عن الأوراق التي ظل منهمكًا في قراءتها:

- لا تكن أحمق وغبيًا. إنهم أنفسهم يتهمونك بالعمل معنا.

قلت غير مكترث بتحريضه إياي ضد المعتقلين:

- إنني لا أعمل مع أحد

واصل الرجل استفزازه لي:

- ولكن رفاقك يعتقدون أنك تقدم التقارير ضدهم.

قلت ساخرًا: أنت تعرف الحقيقة أفضل منهم.

تدخل الرجل الثالث الذي ظل صامتًا طوال الوقت: وماذا في ذلك؟ هل تعتقد أن العمل معنا لمصلحة الوطن عار لا تقبله لنفسك. إن موقفك يدل على أنك ضد النظام. فلو كنت مخلصًا حقًا لما تورعت عن تقديم أي معلومات تقضي على المخربين في البلد. نحن أنفسنا نعمل للنظام، هل تعتبر عملنا عارًا؟

قلت محاولًا الإفلات من الفخ الذي حاول الرجل أن يجرني إليه:

- لكل عمله الذي يختاره لنفسه.

رد الرجل الذي يجلس في الوسط:

- من الواضح أنك تكرهنا، ومع ذلك تدعي البراءة.

قلت بهدوء:

- هل ينبغي أن أحبكم حتى أكون بريئًا في نظركم؟

فجأة نهض الرجل الذي تحدث عن العار وصفعني على وجهي الذي كان مشدودًا بالضمـادات، فشعرت بالغرفة تتلاشى أمام عيني، هابطًا في الظلام ومع ذلك قاومت السقوط. أردت أن أقف على رجلي، مهما كان الثمن. انحدر خيط من الدم على أسفل جبهتي، بلغ طرف حاجبي الأيمن ثم انحدر حتى نهاية أنفي وبلغ شفتي. مددت لساني وتحسسته، كان مالحًا مرًا، ملطخًا باليود.

عاد الرجل الذي صفعني إلى مكانه، شاتما إياي بكلمات لم أفقه منها شيئًا. ثم سمعت الرجل الذي كان يتوسطهم، يقول: سنعيدك مرة أخرى إلى رفاقك ليفتكوا بك. ليس ثمة عقاب أفضل لك من ذلك. لا يوجد عقاب أفضل من ذلك. شعرت بالدم يملأ فمي والظلام يغشي عيني، ووجدت نفسي أبصق في وجهه، كما لو أنني أبصق في وجه كل التباساتي الشخصية».[8]

وفي رواية «أروقة الذاكرة» للروائية العراقية هيفاء زنكنة (1950-) نقرأ الكثير من الوجـع الذي نالهـا من اللحظة الأولى لاعتقـالها وبدء التحقيق معها وهي في العشرين من عمرها، حين وقفت عارية في وسط غرفة يحيط بها أربعة رجال وصناديق كتب ومنشورات ومكتب فخم وآلات تسجيل، وأريكة تمتد على طول أحد الجدران وصينية تحتوي بقايا بعض الطعام، والستائر مسدلة أبدًا.

«الجالس خلف المكتب الضخم، لم يقل الكثير. كان متوسط القامة داكن البشرة، يرتدي نظارات غامقة اللون ذهبية الإطار وبدلة غامقة اللون. يحمل في يده مسبحة، يوزع نظراته بين المسبحة وبينها بالتساوي كما لو كان متحيّرًا

8 انظر «القلعة الخامسة»، ص 115-116

إزاء مسألة خاصة جدًا».[9] عند رؤية هذا الرجل تدرك هيفاء مكانته، فتقول:

«كان هو السيد المطلق لذلك القصر، ’قصر النهاية‘، ملمًا بكل ما يجري في أقبيته وغرفه العديدة. يستقبل زواره لإلقاء نظراته المتفحصة، عليهم قبل توزيعهم على الغرف الأخرى. فقد تمتع هذا الرجل بحرية كاملة في الاعتقال والتعذيب والإعدام، فأخفى في دهاليز ذلك القصر آلاف الناس لمجرد رفع أصواتهم متذمرين.

دار حولي أحد الرجال ثم مد يده متلمسًا جسدي، فتعالت الضحكات في الغرفة. كنت خائفة إلى حد نسيت فيه معنى التقزز، لملمس الأيدي اللزجة. نظرت إلى الستائر والجدران وصناديق الكتب، وابتسمت ببلاهة. فلطمني الرجل على وجهي، وبدأت كلماتهم البذيئة بالالتفاف حول مسام جسدي. ضربني على رأسي فتراقصت أمام عيني الأضواء، واندفعت مرتطمة بالجدار.

كان السيد رزينًا متأملًا، تحرك للمرة الأولى وطلب من رجاله الابتعاد عني ثم اقترب مني مشيرًا إلى كومة ملابسي فارتديتها مسرعة، أجلسني بجواره على الأريكة وتساءل برقة: هل تشعرين بجوع؟

- أريد أن أذهب إلى المرحاض.

رافقني أحد الرجال إلى المرحاض. لم تكن المهمة سهلة، إذ اضطر أن يوقفني عدة مرات في أثناء انتقالنا إلى الطابق الأول آمرًا إياي بالاستدارة نحو الحائط، لحين مرور عدد من المعذَّبِين. فبعد ابتعادهم، تناثرت قطرات الدم على الأرضية.

تبعته إلى الطابق الأول وأدخلني إلى المرحاض.

كلا إنه الحمام، استدرت نحوه متسائلة. فقال ما الفرق؟.. افعلي ما تريدين هنا ووقف خلفي. تبولت وعدت معه إلى القاعة. في القاعة أجلسني السيد

---

9 انظر «أروقة الذاكرة»، ص 26

بجواره وطلب مني تناول العشاء معه.

- والآن.. أريد أن تخبريني كل شيء تعرفينه. وربت على كتفي بحنان كما لو كان صديقًا لم ألتق به منذ فترة طويلة، وكل ما كان يرغب فيه هو معرفة أخباري.
- عن ماذا؟
- لا يهم... حدثيني عن كل شيء.

يومان من الصمت كل ما أحتاجه، يومان من الصمت هو كل ما أحتاجه. هكذا نصت التعليمات. بعدئذ سيعرف الجميع خبر اعتقالي، فتلغى المواعيد وتتغير أماكن الاختفاء. يومان من الصمت... هكذا هدهدت نفسي وابتسمت برغم ارتعاش جسدي. نهض سيد المكان، قائلًا بحسرة: يبدو إنكم متشابهون. ظننت أنك شابة مثقفة لا علاقة لها بهؤلاء الجهلة. خرج سيد المكان، ولم أره بعد ذلك.[10]

لفترة قصيرة تركت لوحدي كان المكان هادئًا يسوده صمت مريب، دقات قلبي المتسارعة هدأت وبدأت التفكير بالآخرين الأمر الذي تجاهلته حتى اللحظة. فجأة فتح الباب ودخل رجل قصير القامة، يتبعه الحواريون الأربعة. أشار إلى أحد الرجال فترك الغرفة ليعود ساندًا مع رجل آخر أحد السجناء، رأسه متورم مغطى بالدم القديم وقميصه مبقع بالدم. تركه الرجلان يسقط على الأرض. تعجبت أن يذكر ذلك الرجل وشهقت ذعرًا، إنه صديقي وصديق عائلتي. الرجل الذي أحببناه جميعًا، وترقبنا حضوره بشوق. الحبيب الذي سهرنا الليالي، مصغين لحكاياته.

لم يقل الكثير لم ينظر باتجاهي، لم يكن أكثر من كومة لحم مهروسة مختلطة بالدماء الجافة. كل ما ذكره، هو تأكيد هويتي. تلك كانت آخر مرة رأيته فيها، بعد شهرين تم إعدامه مع اثنين آخرين.

10 نفسه

توالى عدد الداخلين إلى الغرفة، أصبحت الغرفة ضيقة والهواء ضيقًا وأنفاسي متلاحقة. فتذمر الرجل القميء ونظر إليّ للمرة الأخيرة، هل سأخبره كل شيء؟

يومان من الصمت هو كل ما أحتاج... ونظرت إليه ببلاهة. تلاحق الأحداث، لم يترك لي فرصة للتفكير. أشار إلى أحد الرجال بآلية رجل متعب فلطمني على وجهي ثم ركلني أسفل بطني، فابتلت ملابسي الداخلية دمًا وبولًا تلاها ضربة أخرى على رأسي. حين صحوت كنت في غرفة صغيرة خالية من الأثاث، باستثناء أريكة قديمة. انتبهت أن الوقت نهارًا، طرقت الباب عدة دقائق حين فتح أحد الرجال، طلبت منه الذهاب إلى المرحاض فأشار لي أن أتبول في إحدى زوايا الغرفة وأغلق الباب».[11]

والشاعر الليبي صلاح الدين الغزال الذي سجن سبع سنوات يروي تجربته مع التحقيق، فيقول: «بعد القبض علينا أودعونا في حبس خاص بالاستخبارات بمدينة الحدائق في بنغازي...

كانت الزنازين الانفرادية مظلمة ومخيفة. كنا شبابًا يافعين، وأعمارنا تتراوح بين الخامسة عشرة والتاسعة عشر عامًا. كان لا يحلو لهم التحقيق معنا، إلا في الساعة الثالثة ليلًا. يكبلون أيدينا ويغطون عيوننا بخرق قاتمة، ثم يضعوننا في الكرسي الخلفي للحافلة ويأمروننا بالتمدد عليه بحيث لا يشاهدنا أحد من المارة. أدخلوني إلى الكتيبة المسماة كتيبة الفضيل بو عمر، فكوا الأغلال عن يديّ وأزالوا الخرقة التي عصبوا بها عينيّ.

فوجدت نفسي داخل مكتب ضخم تتوسطه طاولة طويلة سوداء اللون، يجلس حولها قرابة الأربعين محققًا. فوجئت بالمنظر، ويبدو أنني شخص مهم ولا أدري... وتساءلت داخل نفسي، هل الدولة فاضية حتى تهتم بي كل هذا

11 نفسه، ص 30

الاهتمام؟ في هذه الأثناء دخل عبد الله السنوسي وكنت أول مرة ألتقي به.

هذا الرجل الذي أباد أجيالًا وراء أجيال، ولم تنته صلاحياته. بعد عدة أيام نقلونا إلى مكان آخر، وأخرجوا الناس في مظاهرات تطالب بإعدامنا.

بقينا في ذلك المكان عدة أيام، نقلونا بعدها إلى الإذاعة بمعية ثلاثة من سفاحي بنغازي، لنتحدث عبر الدائرة المغلقة مع القذافي ونخبره بما جرى. فغضب أشد الغضب، مما أدى إلى عرضنا على نيابة أمن الدولة».[12]

ويشير الكاتب السوري مفيد نجم إلى بعض ما مرّ به أو رآه أو سمع به عن التنكيل في غرف التحقيق، وفي باحات السجن. وعن الإعدامات التي كانت تنفذ بحق المعارضين المسالمين وغير المسالمين، ولاسيما الإخوان المسلمين والبعثيين العراقيين والفلسطينيين من حركة فتح والضباط السوريين المغضوب عليهم، إلى جانب اغتصاب السجينات من قبل أعضاء شرطة السجون.

يقول مفيد نجم وقد ذاق الأمرين في حفلات التحقيق، ورأى النجوم في عز النهار: «كنت بعد كل حفلة تعذيب كمن يتهاوى في عماء كلي من طبقة إلى طبقة أخرى بخفة عجيبة، دون أن يكون ثمة تخوم أو قرار. كنت أشبه بأعمى تتقاذفه أمواج الظلمة في عالم من الظلام، لا أحس بشيء ولا أعي شيئًا».[13]

ويصف الشاعر اللبناني عمر شبلي زمن التحقيق معه بتفوقه على المحقق الإيراني، فيقول:

«كنت أتفوق على المحقق باستمرار، وهذه شهادة له وليست عليه. فقد كانت أشعة حزني وقهري تخترقه، وكانت حرائقي الداخلية ترى من بعيد

12 انظر «ليل الزنازين»، مرجع سابق

13 انظر رواية «أجنحة في زنزانة»، مرجع سابق

وبوعي تام».[14]

وعن جولة من التحقيق معه، يقول الشاعر والناشط الحقوقي السعودي علي الدميني: «أخذوني عبر ممرات لم أتعرف عليها من قبل، حتى دخلنا بهوًا معبأ بالحياة. استديو تصوير، مستودع مليء بالمعلبات والكراتين، ومكاتب عديدة تنفتح على هذا الفناء المستدير والأنيق في الوقت نفسه. لم أتمكن من التمتع بهذا الفضاء حتى أدخلني الحارس إلى غرفة التصوير. وضعوا العقال على الرأس ونزعوه ثم أزاحوا الغترة، أداروني يمينًا وشمالًا مرة بالنظارة وأخرى بدونها. ورحت أتساءل عن نهاية هذه الحفلة من التصوير. وبعدما أعشت عيني فلاشات الكاميرا، أخرجني الحارس ومضى بي إلى قسم البصمات. فأبلغتهم أنهم قد أخذوا بصماتي خلال اعتقالي الأول، فقالوا إن تلك البصمات تخص قضية أخرى. أحسست بالضيق وبالمرارة، وقلت لهم بأني لست إرهابيًا. فقال أحدهم: هذه أوامر ولا بد من تنفيذها.

فقال لي الحارس وهو يعيدني إلى غرفتي: لا تغضب فهذه إجراءات علامات على الإفراج عنك. لكنها لم تكن كذلك، فقد أطل ضابط التحقيق وطلب أن أجمع أغراضي للذهاب إلى الرياض. ركبت في صندوق السيارة، وبقيت محدقًا إلى الباب الذي خرجت منه. إنه الباب الذي عبرت منه إلى السجن. إنه سجن الدمام المركزي الذي بني معزولًا على رأس تلة تطل على سهوب صحراوية».[15]

وفي رواية «الكراديب» للكاتب السعودي تركي الحمد، «وفيما كان هشام العابر بين اليقظة والمنام، يفتح الباب الخارجي وصوت حمدان رسول العقيد ينتشر في أرجاء المكان مناديًا: هشام العابر.. السجين هشام إبراهيم العابر.

---

14 عمر شبلي، مرجع سابق

15 انظر «زمن للسجن وأزمنة للحرية»، مرجع سابق

أحس هشام كأنه أخذ في التبول غير الإرادي من كل فتحات جسده، ونصلًا طويلًا حادًا اخترقه من أسفل الجسد حتى أعلاه. لم يستطع الحركة أو الرد، وكأنه أصيب بالشلل والخرس معًا.

وقبل إدخاله إلى غرفة العقيد، صاح صوت: يا عوض.. أنت يا زفت يا عوض.. هات الحمار اللي عندك. فاتجه عوض بعجلة إلى حيث يجلس هشام وجذبه من منكبه بقوة واتجه الاثنان إلى الغرفة الأخرى. وعندما رفض هشام بعد محاولات العقيد معه الاعتراف بانتمائه إلى حزب البعث أو اعترافه بأي نشاط سياسي، ابتسم العقيد ونظر إلى 'جلجل' الذي هوى بكفه الغليظة على صدغ هشام وصوته يعلو بسيل من الشتائم المقذعة. هوى هشام على الأرض وهو يشعر بطنين مؤلم يخرق أذنه، لكن ذلك لم يكن مؤلمًا بقدر ما كان يتمزق من الداخل وهو يسمع كل هذه الشتائم الموجهة لأمه». (16)

أما الشاعر السوري شاهر خضرة فتجربته في هذا المجال تختلف عن المألوف في بلادنا، وذلك في أثناء تسلله إلى إسبانيا بغرض اللجوء.

يقول شاهر: «أسرد هذه التجربة المختلفة، وأنا قد جربت مرات عديدة التحقيق معي في بلدي أولًا وفي بعض البلاد العربية. وعن الخوف الذي عشته بين يدي المحققين هناك، سواء مارسوا التعذيب أو بدونه. فالأسلوب وحده هو الرعب بعينه، فضلًا عن عدم الاحترام مشمولًا بالشتائم والإهانات.

دخلت التحقيق في مكتب الجهة المسؤولة عن قبول اللاجئين في إسبانيا وكلي اطمئنان وثقة بالنفس وبإيمان أنني بين أيد تفهم وتؤمن بحرية الفرد وكرامة الإنسان، أو على الأقل إن كان المحقق لا يؤمن بها فهو ملتزم تحت القانون ولا يقمع حريتي مهما كانت إجابتي. وبالنهاية، هو يطبق القانون الإسباني.

---

16 انظر رواية «الكراديب»، مرجع سابق ص 91

كان في الغرفة المحقق الإسباني، المحقق المغربي الأصل الإسباني الجنسية ومترجم أيضًا، المحامي، ثم الكاتب الإسباني. بدأ السؤال الأول بأن أحكي عن حياتي، منذ الوع وع حتى غرغرة اللجوء. قلت لهم من المفروض أن أحكي باختصار، قال الإسباني نعم باختصار. فاختصرت حديثي، ما أمكنني الاختصار لهم.

حياتي رويتها كلها بخمس ساعات فقط، تخللها فنجان قهوة وسيجارة. والجميع، يصغون إلى المترجم. خجلت منهم وقلت سيملون من حديثي، وكلما حاولت أقول وإلى آخره كانوا يصرون عليّ أن أتابع. وبانتهاء الدوام ما فكني منهم وفكهم مني، إلا ضيق الوقت. وختموا الجلسة بآخر الأسئلة:

- هل ستكتب عن تجربتك، وتجربة اللاجئين السوريين في إسبانيا؟
- طبعا سأكتب بعين منصفة واعية ما هو حسن، وما هو غير ذلك.
- ماذا تتوقع رد الفعل في حال كتبت ما لا يسر الحكومة الإسبانية؟
- أنا لا أفكر إلا بما أكتب وبما أنه قناعاتي، وأنا على يقين أنني في بلاد الحريات والديموقراطيات.
- لو رفضت إسبانيا طلب لجوئك، أين ستذهب؟
- إلى بلد يكون أفضل، وأكثر تحضرًا وإنسانية وحرية.

ساد وجوم لحظات... وقال المحقق بالإسبانية كلامًا ظننته يشتمني، لعلو صوته. فأدرت وجهي عنه، حتى ينهي كلامه. لكن المترجم فاجأني بقوله:

إن سيادته يقول: كنا اليوم مع رجل أسطوري من الشرق، في حياته التي رواها منذ طفولته حتى اليوم. أنا لن أحرج من شهادة قالها رجل يعرفني لخمس ساعات، من حديثي المختصر. خرجت من عندهم معززًا مكرمًا بسيارة الأستاذ المحامي، ليوصلني إلى حيث ألجأ». [17]

17 نصوص من مخطوطة «يوميات لاجىء لشاعر سوري منته تاريخه»/ شاهر خضرة.

4

الزيارات

يقول ياسين الحاج صالح، عن الزيارة في السجن:

«الزيارات الدورية نوافذ اتصال وتبادل للمعلومات والعواطف والمال، تضمن درجة من معاصرة السجين للعالم الخارجي حين تفتح هذه النوافذ كل أسبوع أو أسبوعين أو شهر، فإنها تسمح بخروج الزمن المتراكم في الداخل وإدخال زمن طازج تساعد على بدايات جديدة وتسرع انسياب الزمن حتى موعد الزيارة القادمة. في الزيارة يجلب الأهل أخبارًا تسمح لنا بالتحرر من عالم السجن الضيق».[1]

وعن الزيارة يقول صلاح الدين الغزال:

«بعد تمديد مدة اعتقالنا في سجن الكويفية، سمحوا لنا بالزيارة من وراء شباك من الحديد... تصافحت خلالها مع أبي وأمي بالأصابع. كانت الزيارة محددة لشخصين من العائلة، لكن السجانين كانوا رحماء، فكانوا يدخلون علينا أفراد العائلة على دفعات ثنائية ويطلبون منا عدم البوح بذلك خوفًا على مصيرهم. كانوا يملكون قلوبًا رحيمة وكان لديهم رقة وإنسانية غير عادية،

1 انظر «بالخلاص يا شباب»، مرجع سابق.

وكانوا يتأثرون بدموع الأمهات».[2]

وعن دور الكتب وأهميتها للسجين، يقول ياسين الحاج صالح: «الكتب تضاعف الحياة، تمنحنا حياة فوق حياتنا وصحبة مختلفة. وفي هذه الحياة المضافة نحن أحرار ومع هؤلاء الأصحاب نتخفف من الابتذال الذي يغمر حتما علاقتنا برفقاء السجن. لكن الشيء الأهم أن الكتب تغيرنا وتعيد تشكيلنا، وهو ما يساعد في الحفاظ على عافيتنا الجسدية بالذات. وبدلاً من أن تكون مجرد وسيلة إنساء، فإنها تصنع لنا سجل وجود وإدراكًا جديدًا وذاكرة إضافية».

وفي الموضوع ذاته، يقول الكبير عباس محمود العقاد: «لا تعلم كما علمت أنا في السجن، أن دخول الجمل في سَمّ الخياط أيسر من دخول قلم إلى غرفة سجين بإذن من مصلحة السجون».

ومن الذين عانوا من غياب القلم في السجن الشاعر الجزائري مفدّي زكريا في أثناء الاحتلال الفرنسي، مما اضطره إلى أن يُدوِّن بدمه النشيد الذي صار رمزًا للثورة التحريرية الجزائرية.

وفي كتابه «حكايتي مع السجن» يسجل الكاتب المصري حفني المحلاوي تجربته، فيقول: «كان خروج النصوص التي يبدعها السجناء الأدباء أشبه بالأعمال البطولية الأسطورية، فقد شكلوا عصابات التهريب- عصابات من نوع خاص- لتهريب الأقلام والحبر والورق والأفكار الوليدة الجدران. فقد لجأ السجناء للكتابة إلى ورق السكائر وعلب الكبريت وبقايا الجرائد، كما تحولت الجدران إلى سجلات يحفر عليها النزلاء آلامهم سواء بالملاعق أم بأسنان المشط أو بأعواد الثقاب».[3]

2 انظر «ليل الزنازين»، مرجع سابق.

3 انظر «حكايتي في السجن»، ص 34

الباب السادس:
أنواع السجون

1

سجن الاستعمار

يعدّ الشاعر السوري الحلبي جبرائيل الدلال (1836-1892) طليعة شهداء الفكر العربي في العصر الحديث، فقد سُجن ومات في السجون العثمانية بسبب قصيدة «العرش والهيكل» التي ضمّنها أفكاره الليبرالية ونقده اللاذع للملوك والحكام ولرجال الدين المستبدين. وتعود هذه القصيدة في أصولها، والمؤلفة من 152 بيتًا كما ذكر الشيخ المؤرخ محمد راتب الطباخ، إلى الشاعر الفرنسي فولتير أبو الثورة الفرنسية.

فعندما عاد جبرائيل إلى مدينته حلب بعد ثلاثين عامًا من الاغتراب في فرنسا، وشى به القسيسون إلى الحكومة العثمانية على أنه من أنصار الحرية مستشهدين بقصيدته العرش والهيكل. فأُخذ الرجل وسُجن وبقي في سجنه، حتى مات شهيدًا.[1]

عسرت لك الأيـام في تجريبـها	وسرت بك الأوهام إذ تجري بها
فـإلام تعرض ناسيًـا ذكر البلى	وعـلام تغريـك الحيـاة بطيبـها
واللمة الشمـطـاء تـنـذر بالفـنا	وتشيب صفو صفائـنا بمشيبـها
ولّى الشبـاب وأخلـقت أثـوابـه	واحسرتي لنضيرها وقشيبها[2]

1 انظر «أعلام النبلاء بتاريخ حلب الشهباء»، محمد راتب الطباخ.

2 انظر «السحر الحلال في شعر الدلال»، جبرائيل الدلال.

لم يخش السوريون من السجن في زمن الانتداب الفرنسي، لأنه كان مجرد احتجاز وحرمانًا من النور. فعندما تصدى الصحفي والشاعر السوري الشاب نجيب الريس (1898-1952) للمحتل الفرنسي، عوقب بنفيه إلى جزيرة أرواد والسجن في قلعتها. ومن هناك ترجم مشاعره في أبيات، لم يرد فيها ذكر لتعذيب أو إهانات.

يا ظلامَ السجنِ خيِّم إننا نَهوى الظَلاما
ليسَ بعدَ السجنِ إلَّا فجرُ مجدٍ يَتسامى
أيُّها الحراسُ رفقًا واسمعوا منَّا الكلاما
مَتِّعُونَا بهواءٍ منعُهُ كانَ حَراما

***

إيهِ يا دارَ الفَخارِ يا معزَّ المخلصينا
قد هبطناك شبابًا لا يَهابونَ المَنونا
وتعاهدنا جميعًا يوم أقسمنا اليمينا
لن نخونَ العهدَ يومًا واتخذنا الصدقَ دينا

والأديب الفلسطيني خليل بيدس (1875-1949) الذي حكمت عليه بالإعدام سلطة الانتداب البريطاني نتيجة نشاطه في الحركات القومية السياسية، وتحفيز الشعب لإلغاء وعد بلفور. فتدخل البطريرك دَميانوس الأول، وتم تخفيض الحكم عليه إلى خمسة عشر سنة. فأمضى من محكوميته أربعة أشهر في سجن عكا، وصدر بعده قرار من المندوب السامي هربرت صموئيل بالإفراج عنه.

كتب خليل عن تجربته القصيرة في السجن سلسلة من المقالات، ونشرها في مجلته «النفائس العصرية». ومع دخول اليهود إلى حيث يقيم في حي البقعة في

القدس وبداية تنكيلهم بالسكان العرب، ترك خليل مدينته ومشى على قدميه إلى حي سلوان ومن ثم إلى عمان ومنها إلى بيروت حيث يقيم أولاده.[3]

والشاعر العراقي أحمد الصافي النجفي (1977-1897) الذي اضطر للهرب إلى إيران، بعد مشاركته في ثورة 1919 التي تم قمعها بسرعة من المحتلين الإنكليز. فبقي في إيران ثماني سنوات عاد بعدها إلى العراق خلسة، ليهاجم المستعمر بشعره الوطني ويلهب الحماسة في نفوس العراقيين للتصدي له. وحين اكتشف الإنكليز أمره، اعتقلوه وأرسلوه مخفورًا إلى المعتقل في بيروت. وهناك أمضى أربعين يومًا، كان حصادها مجموعته الشعرية «حصاد السجن». فيقول:

لئن أسجن فما الأقفاص إلّا   لليث الغاب أو للعندليب
ألا يا بلبلًا سجنوك ظلمًا   فنحت لفرقة الغصن الرطيب

ويقول:

سجنوني في غرفة قد تعالت   وأطلت على فسيح الفضاء
هي سجن وإن تعالت، فسجني   قفص لي معلق في الهواء
قبري السجن صار، والقبر قبر   حفروه في الأرض أو في السماء

وأيضًا:

أهلًا بسجن لشهر أو لأعوام   فإنما يوم سجني تاج أيامي
قضيت حرًا، حقوق النفس كاملة   واليوم في السجن أقضي حق أقوامي
أن يسجنوني فجرمي يا له شرفًا   أني أحارب قومًا أهل إجرامي
محمد كسر الأصنام شامخة   من لي بتكسير لوردات كأصنام
يكفيهم حطةً أن ليس يتبعهم   من سوى كل منحط ونمام

3 انظر «الناصرة: أعلام وشخصيات 1800-1948»، الباحث أحمد مروات.

يا دولــة يتسـاوى في نـذالـته   جنديها الفدم في مندوبها السامي[4]

والشاعر الجزائري مفدي زكرياء (1905-1977) ولأنه كان ضمن صفوف جبهة التحرير الوطني الجزائري، سجنته فرنسا خمس مرات بفترات متقطعة في سجن بربروس ابتداء من العام 1937. وفي العام 1959 وقبل أن تنتهي مدة الثلاث سنوات من محكوميته، هرب من السجن إلى المغرب ومن ثم إلى تونس. وفي تونس عالجه الطبيب فرانز فانون، من آثار التعذيب.

واكب مُفدّي بشعره الواقع الجزائري، وحث الشعب على الثورة والجهاد ضد الاحتلال الفرنسي. كما أسهم بشكل فعال في النشاط الأدبي والسياسي في أوطان المغرب العربي، داعيًا إلى الوحدة بين أقطارها.[5]

وقد كتب أشعارًا كثيرة، من أشهرها قصيدة قسمًا بالنازلات الماحقات التي صارت النشيد الرسمي للجزائر. ومن أجمل أشعاره تلك التي كتبها عن الشهيد وشجاعة الجزائريين في مواجهة الاحتلال، منها هذه الأبيات المختارة من قصيدة طويلة:

قـام يختـال كالمسيـح وئيـدًا   يتهادى نشـوان يتلو النشيـدا
باسـم الثغـر كالملائـك أو   كالطفل يستقبل الصباح الجديدا
شـامخًـا أنفـه جـلالًا وتيـهًا   رافعًا رأسه يناجي الخلـودا
حـالمًا كالكليـم كلّمه المجدُ   فشدَّ الحبال يبغي الصعودا
وتسامى كالروح في ليلة القدر   سلامًا يشع في الكون عيدا
وتعـالى مثـل المـؤذن يتلـو   كلمات الهدى ويدعو الرقودا
اشنقوني فلست أخشى حبالًا   واصلبوني فلست أخشى حديدا

4 انظر «أحمد الصافي النجفي»، إبراهيم الكيلاني.

5 ويكيبيديا.

واقض يا موت فيّ ما أنت قاض أنا راض إن عاش شعبي سعيدا
أنـا إن مت فـالجـزائر تحيـا حـرة مستقـلة لن تبيـدا[6]

والشاعر الشعبي الفلسطيني الفدائي عوض النابلسي وكان من أبطال ثورة 36 المكلفين بقتل الضباط الإنكليز وكل متعاون مع اليهود. باع عوض مصاغ زوجته واشترى بثمنه سلاحًا وقنابل، وأعلن هو ورفاقه الثوار عدم منح الثقة لحكومة الانتداب البريطاني. زُج عوض النابلسي في سجن الاحتلال وحكم عليه بالإعدام على خلفية نضاله وتصديه لمواقف الانتداب البريطاني في تسهيل استقدام اليهود إلى فلسطين.

في ليلته الأخيرة من العام 1937 وقبل ساعات من انبلاج الفجر وتنفيذ حكم الإعدام فيه، كتب عوض بكعب حذائه على جدران زنزانته قصيدته الشهيرة:

يا ليل خلِّي الأسير ت يكمّل نواحو
رايح يفيق الفجر ويرفرف جناحو
يتمرجح المشنوق من هبة رياحو
وعيون في الزنازين بالسِّر ما بَاحو
يا ليل وقف أفضي كل حسراتي
يمكن نسيت مين أنا ونسيت آهاتي
يا حيف كيف انقضت بإيدك ساعاتي
شمل الحبايب ضاع واتكسروا قداحو
تظن دمعي خوف دمعي ع أوطاني
ع كمشة زغاليل بالبيت جوعاني

6 انظر «تحت ظلال الزيتون»، مفدي زكرياء.

مين رح يطعمها من بعدي
وإخواني اثنين قبلي ع المشنقة راحو
وأم أولادي تقضي نهارها
ويلها عليّ أو ويلها على صغارها
يا ريت خليت في إيدها سوارها
يوم دعاني الحرب ت اشتري سلاحو
ظنيت إلنا ملوك تمشي وراها رجال
يخسا الملوك إن كانوا هيك أنذال
والله تيجانهم ما بيصلحوا لنا نعال
إحنا اللي نحمي الوطن ونضمد جراحو

***

2

السجن السوري

عند الحديث عن السجن السوري، تحضر مقولة الاستخباراتي الأميركي روبرت باير Robert Baer (1952–): «إذا أردت تعذيب السجين، فأرسله إلى سورية».

فالسجن، كما يقول الشاعر فرج بيرقدار، «سؤال الحرية الأول وبالتالي حضورها الأقصى، وإن كان مطروحًا من موقع النفي». ففرج لا يعني السجن بوصفه مكانًا، «وإنما قبل هذا وبعده، بوصفه زمنًا حجريًا عاطلًا ودنسًا وغير أخلاقي... وفي المحصلة حليفًا للموت».

فمنذ نصف قرن وحتى اليوم، تضاهي السجون في سورية جهنم الحمرا قسوة بل وتزيد عنها. فالداخل إليها مفقود، والخارج منها مولود. فالسلطة الأمنية لم توفر أداة قديمة أو حديثة، إلّا استخدمتها في تعذيب المعتقلين والسجناء السياسيين. سواء بالوسائل التي جاء ذكرها في ملفات منظمة العفو الدولية، أم بسواها. مما يدل على أن الإنسان ازداد قسوة وتوحشًا بدرجة استطاع فيها أن يقتل أخاه الإنسان بكل ما توصل إليه من أساليب جرمية، وحتى بالتجويع وبحقنه بفيروسات مرضية بدون أن يرف له جفن. ويتمدد

الظلم والتعسف ليطال التوقيف العرفي الذي يحرم الكثيرين من المعتقلين السياسيين معرفة مدة حبسهم ونهايتها، وزيادة في الظلم أن ينهي السجين مدة حكمه ولا يفرج عنه.

ففي تدمر وضعت إدارة السجن بروتوكولًا، يقضي بأن تظل رؤوس السجناء منكسة وكلامهم همسًا والشعر والذقن والشاربان حليقة دائمًا.

وهنا أستذكر ما كتبه إدواردو غاليانو عن الدكتاتورية في الأورغواي، في كتابه «الأوردة المفتوحة لأميركا اللاتينية»، التي أرادت من كل سجين أن يقف وحيدًا، وألّا يكون أحدًا. فكان التواصل في السجون، جريمة.

فقد أمضى بعض السجناء أكثر من عشر سنوات مدفونين في زنزانات منفردة بحجم التوابيت، لا يسمعون شيئًا سوى صوت القضبان أو الخطوات في الممرات.

لكن «فرنانديث ويدوبرو، وموريثيو روزنكوف استطاعا البقاء على قيد الحياة في هذا السجن لأنهما تمكنا من محادثة بعضهما، من خلال النقر على الحائط. وبتلك الطريقة تكلما عن الأحلام والذكريات والدخول في الحب، والخروج منه. تناقشا، تعانقا، تقاتلا، تقاسما المعتقدات والحسناوات، والشكوك والذنوب، وتلك الأسئلة التي ليس لها أجوبة. فحين يكون الصوت الإنساني حقيقيًا ويولد من الحاجة إلى الكلام، لا يستطيع أحد أن يوقفه».[1]

وفي روايته «القوقعة» يصف الكاتب السوري مصطفى خليفة يومه الأول في تدمر الذي بدأ بمعاقبة حملة الشهادات الجامعية من أطباء ومهندسين، إضافة إلى كبار ضباط الجيش المعتقلين بسبب الفرار من الخدمة.

«مين فيكم ضابط؟ الضباط تعوا لهون. خرج اثنان من بين السجناء أحدهما في منتصف العمر والآخر شاب. مين فيكم طبيب ومهندس ومحامي

1 انظر «الأوردة المفتوحة لأميركا اللاتينية»، إدواردو غاليانو، ص 15

يطلع لبرا. وقفوا هون، متوجهًا للسجناء: كل واحد معه شهادة جامعية يطلع لبرات الصف. بعد عملية الفرز كان العقاب الأول لكل سجين أعلى من السجان في التحصيل الأكاديمي أو الرتبة العسكرية، أن يشرب من بالوعة المجاري أمام باقي السجناء».

وفي استعادة مصطفى خليفة سنوات وجوده في سجن تدمر، يشير إلى المعاملة الوحشية التي كان يمارسها الجنود والسجانون القادمون من الريف الساحلي على المساجين، ويقول: «لقد وصلت بهم القسوة والحقد، بأن يقوموا بضرب جثث المساجين بعد إعدامهم في ساحة السجن ليتأكدوا من موتهم. ومن أصعب الحالات التي مرَّ فيها السجناء تجلت في منع زيارات أهاليهم لهم، وحجب الكتب والأوراق والأقلام عنهم. لكن أحد المديرين المتعاقبين على السجن وكان رحيمًا، سمح بالزيارات لمن يقدم كيلو من الذهب لوالدته!»

وفي كتابه «من تدمر إلى هارفارد»، يقول الكاتب والسجين السوري السابق براء السراج:

«لا تستطيع اللغة وصفه، الخوف، ذلك الإحساس الداخلي عندما تشعر جسديًا بأن قلبك أصبح بين قدميك وليس في صدرك، ونظرات الهلع في وجوه الناس حين يقترب موعد جلسات التعذيب. كانوا يرشون باحة السجن بالماء خاصة الشرب، لكي يقضوا على احتياطات المهجع من الماء. لتأتي بعد ذلك الأوامر، بأن نشرب من الماء المطين المتجمع في حفر الباحة. كما كانت التعليمات بأن يمسك كل سجين بأذني مَنْ خلفه ونركض على رجل واحدة، مما يؤدي إلى جروح وتقيح في الآذان».[2]

ويذكر أنه عندما أتى دوره لينزل في الدولاب، لم يعرف كيف. فيقول له الشرطي: «إسّا ما نزلت يا هيك وهيك!!»

2 انظر من «تدمر إلى هارفارد»، ص 37 بتصرف.

يقول براء: «لا أعرف كيف وجدت نفسي مطويًا داخل الدولاب، قدماي مشدودتان إلى بورية حديد ومرصوصة إلى البورية بحبل مثبت إلى عروتي حديد على طرف البورية. شرطيان أو ثلاثة ينزلون بالكرابيج دون كلل ولا ملل، وأنا أصيح ولا من مجيب. يضعون شحاطة بلاستيك في فمي، عضّ عليها ولا... لا بأس بها لتحمل الألم. وعندما يقولون: إلى المهجع ولا... تكون أجمل جملة تطرق آذاننا في هذا المكان. أركض إلى المهجع، فأجد أصدقائي يهرولون في مكانهم قفزًا. يقولون لي: افعل ذلك حتى تستطيع المشي عليهما، لأنهما متورمتان. كان ذلك صحيحًا فالألم سيبقى أسبوعين على الأقل إن لم يتشقق اللحم، وإلا فشهرين على الأقل».[3]

أما المبدعون الذي مروا في سجن تدمر المدمِّر وخرجوا منه أحياء، فكأنهم عاشوا لكي يرووا خفايا وأهوال ما لاقوه في المهاجع والباحات وغرف التحقيق السرية. وأحدهم الشاعر فرج بيرقدار الذي اعتقلته السلطات الأمنية على خلفية آرائه اليسارية، واحتفظت به أربع عشرة سنة. فأشعاره التي وصلتنا حاشدة بالمعاناة من القسوة، وبالتوق إلى فضاء الحرية وعالم الأحرار.

فقد تم تجهيز سجن تدمر بكل ما يعبر عن ظلم النظام السوري واستبداده، سواء بوسائل التعذيب أم بالمحققين والسجانين. فالقسوة والوحشية وإذلال السجناء، شعار السجن والقائمون عليه. «لقد حشر فيه الآلاف وقُتل الكثيرون، ومن نجا فلطول عمره. فالتعذيب في سجن تدمر هو القاعدة، وليس الاستثناء. فعندما يخرج المساجين للتنفس في ساحة السجن هناك تعذيب وإذلال يتفنن فيه السجانون، كالبصق في فم سجين وإجباره على ابتلاعه أو على ابتلاع فأر دهسه أحد الجنود. أما حينما يخرج السجناء من المهاجع للاستحمام، فعليهم أن يركضوا بين صفين من الجنود الذين يبدؤون

3 المرجع نفسه.

في ضربهم بالعصي والسياط».[4]

فالسجان يريد أن ينسى السجين ليس اسمه فقط، بل حتى الحليب الذي رضعه.

فكانوا خلال التحقيق الأولي ينادون على المعتقل برقمه، بقصد إهانته وإذلاله. وعندما يوضع في زنزانة منفردة، ينادونه برقمها. أما إذا كان في مهجع، فيُنادى برقم آخر. كانت الأسماء كلها مصادرة، «ففي البداية أعطونا بدلًا من أسمائنا أرقامًا، وفي فترة لاحقة أعطونا ألقابًا مستمدة من أشكالنا أو ألوان ملابسنا. أبو البيجاما الكحلية، أبو القميص البيج، أبو الكنزة الرمادية، أشقر الخرا، أسود الكلب، راس الجحش الممعوط، أبو رقبة. في الشهور الأولى تعددت أسمائي أعني أرقامي، تبعًا للمنفردات التي باركتني بكثير من الحنان واللعنات. ولكن الاسم الذي رافقني زمنًا طويلًا وعرفت به، هو السجين رقم 13».[5]

ويرى ياسين الحاج صالح: «أن سنة واحدة في تدمر، تعادل 15 سنة في ما سواه». ويقول: «كنا نعيش في الخوف والجوع، نشعر بالبرد في الشتاء ونختنق من الحر في الصيف. كنا نزحف على الأكواع والركب، وعيوننا مغمضة. وإذا جرح أحد يُمنع عليه أن يقول دم، بل عليه القول مرق بندورة». وفي روايته «أجنحة في زنزانة» يستعيد مفيد نجم وقد صار اسمه الرقم 13، تفاصيل تجربته في السجن التي استمرت من عام 1983 إلى عام 1995، فيقول:

«لم تكن مجرد حكاية لتروى ولا ماضيًا قابلًا لأشغال فعل المضارع، كانت حياة مطعونة بأحلام وطن مصلوب على أبواب غده. حياة منهوبة ومصائر ممزقة تنهض من شظايا مراياها، لكي تدين وتسقط القناع عن وجه القاتل».

4 انظر فرج بيرقدار، ص 23

5 المرجع نفسه، ص 8

فقد تنقل في سجون المزة وكفرسوسة وصيدنايا التي تشترك جميعها في استلاب إنسانية السجين وكرامته، «حتى لتغدو القدرة على التحرك بعفوية أو استنشاق الهواء أو رؤية الشمس أو النظر من فوق سور السجن حدثًا استثنائيًا».[6]

وكتب الشاعر سليم عبد القادر زنجير في رواية «ما لا ترونه» عن تجربته في السجن بالثمانينات من القرن الفائت، بلسان المتكلم تحت اسم محمود الطالب بكلية الهندسة في حلب. فقد اعتقل الأمن محمود، بتهمة عمله في الجهاز التنظيمي لجماعة الإخوان المسلمين. مع أنه كان قبل اعتقاله «يدعو إلى الحوار مع النظام، ويرفض استخدام العنف معه. لكنه بعد اعتقاله على خلفية الشبهة من غير مذكرة قضائية، وتعرضه للتعذيب النفسي والجسدي تحوّل إلى طالب للعنف والتخلي عن النهج السلمي الذي كان يعتنقه».

بعد شهور من اعتقال محمود، تدبرت أمه زيارة له بوساطة قريب لها في جهاز الأمن. وكان الشرط الذي سبق تأمين هذه الزيارة ينص على أن تقنع الأم ابنها محمود بأن يضغط على أخيه المتواري بتسليم نفسه، مقابل الإفراج عنه.

«نظر محمود في الوجوه التي ترقب ردة فعله باهتمام، على كلام أمه. كان رئيس الفرع يجلس بعيدًا إلى مكتب في صدر الغرفة، يتشاغل ببعض الأوراق أمامه. سأل محمود أمه: وأخي، ما رأيه؟

قالت الأم: رفض الاستسلام. أخذ محمود نفسًا عميقًا، وقال: الحمد لله. ثم التفت إلى ذلك الرجل ليطلب منه طلبًا استفزازيًا مستحيلًا: أخرجوني من هنا لأسلمكم أخي.

ثم تابع الكلام، وهو ينظر إلى أمه: إنهم كذابون مراوغون واحذروا أن

---

6 انظر «أجنحة في زنزانة»، مرجع سابق.

يخدعوكم، فقد عانيت من جراحهم أربعة شهور بلا علاج. إنهم ألعن من الشياطين، بألف مرة. فقالت أمه: حتى المقدم علي! أجابها محمود بغيظ: إنه أكذب من مسيلمة الكذاب. قولي لأخي وللشباب كلهم، ألا يستسلموا مهما تكن الظروف. وعليهم أن يتصدوا لهم إن لم يكن بالرصاص، بالسكاكين، بالعصي، بالحجارة، بالأظافر، بأي شيء. والذي يعجز عن ذلك، فليرحل عن البلاد وينجو من هذا الجحيم الكافر. فأنا لو كنت أعلم بأني سألقى هنا معشار ما لقيت، لما تركتهم يستلموني إلا جثة هامدة. فقال الرجل: إذا كان الأمر كما تقول، فأنا أنسحب وأنتم أحرار».[7]

وفي مقابلة على قناة سردة مع الشاب عمر الشغري وهو سجين سابق من قرية البيضا وأحد الذين اعتلى جنود الأسد ظهورهم وأوسعوهم ضربًا، روى فيها عن تجربته المريرة في سجون النظام بين تعذيب وتجويع وإهانات وإعدامات. وتسمح تجربة عمر تبعا لنوع الخيارات المتاحة، بالحديث عن أربع فضائل للنظام:

أولًا، فضيلة التعذيب: وفق ما قاله لعمر طبيب نفسي سجين، يتحول التعذيب مادة للعلاج بل لدوام الحياة. إنه «أفضل ما نعيشه في السجن». فالسجناء الذين يجلسون القرفصاء في مربعات صغيرة مهددون بالموت أو بالشلل من جراء توقف دورتهم الدموية. التعذيب يبقيهم على قيد الحياة، إذ يحرك عضلاتهم: «حين يضربونك على كتفك تلتفت إلى الوراء... وعلى رأسك، فإنك تتحرك يمينًا ويسارًا». التعذيب إذا تمرين يمتد على عدد من الساعات يوميًا، والتعذيب في الحمامات «أحسن شي» إذ يرمى هناك السجين أرضًا فتتحرك أكثر أعضائه.

ثانيًا، فضيلة الواقعية: عبر مكافحة الهلوسة، أو منع أي شكل آخر من

7 انظر «ما لا ترونه»، مرجع سابق.

أشكال الانفصال عن الواقع. لقد تراءى لعمر مرة أنه في الجنة، وبدت له الجنة بالغة الإضاءة والجمال تملأها العصافير وهو مولع بالعصافير، لكن مشهد الدم في قدميه أرجعه إلى الواقع. إذ لا دماء في الجنة، فقد أنقذه الألم. وثالثًا، فضيلة الهمس ومنع الكلام: فعمر، وفق اعترافه، نجح فعلًا بالهمس والإنصات إلى همس الآخرين من زملائه المساجين، أن يتعلم أشياء كثيرة ساعدته في حياته اللاحقة بعد خروجه من سجنه. وأخيرًا، فضيلة السجن نفسه: فلو كان عمر حرًا طليقًا يعيش في قريته البيضا عام 2013 لقتل حتمًا، مثلما قتل أبوه وأخوته في المجزرة التي أنزلتها بالبلدة المخابرات السورية مدعومة بالإيرانيين وحزب الله.[8]

8 انظر قناة «سردة»، تلخيص الكاتب حازم صاغية.

3

السجن العراقي

يلخص الشاعر مظفر النواب (1934-2022) الوضع في العالم العربي، بقوله:

«فهذا الوطن الممتد من البحر إلى البحر

سجون متلاصقة

سجان يمسك يد سجان»

لم يكن حال أصحاب الرأي من الأدباء والمثقفين في العراق، يفضل أحوال غيرهم في أي بلد عربي. فالاعتقال والسجن والتوقيف حالة سائدة، والعراقي في الحيز نفسه. فالسجون في العراق لا تختلف عن نظرائها في البلدان العربية، من حيث الحضور الدائم لأدوات التعذيب التي تمارس عنفها على المعتقلين حتى قبل أن يدانوا.

فالعزل الانفرادي والتحقيق والتفتيش ومنع ذويهم من زيارتهم واحتقارهم وإذلالهم وإهمال حالتهم الصحية وتعذيبهم نفسيًا وجسديًا، كل هذا جاهز بانتظارهم.

فالسلطة السياسية لا تتوانى عن اعتقال المختلفين عنها سياسيًا وبعزلهم في زنازين انفرادية، وتعذيبهم بالضرب وبالإهانات اللفظية التي تدمرهم نفسيًا وبدنيًا.

وما تفعله تلك السلطات هو دفاع استباقي عن نفسها من آراء تخالف توجهاتها ومقاصدها، وخوفًا من حرية يطالبون بها. وتجدر الإشارة إلى أن غالبية السجون العراقية تقع في أماكن نائية جدًا، وفي قلب الصحراء.

للوهلة الأولى تبدو كتابات السجناء من الأدباء عن معاناتهم الكارثية في السجون العراقية أنها نسج مخيلة دانية الأطراف ولا دور للحقيقة فيها. ولكن بعد تأمل وتريث، يتبين لنا أنها حقيقة وأقل من الواقع بكثير.

فالشاعر عبد الوهاب البياتي (1926-1999) وقد زار السجن أكثر من مرة، وأمضى في إحدى الزيارات أربع سنوات، يقول في قصيدة «السجين المجهول»:

عبر السجن عبر الظلمات
كوخنا يلمع في السهل...
وموتي... والنجوم
وقبور القرية البيضاء... والسور القديم
......
عبر السجن غنوا يا رفاقي
يا رفاقي والنجوم
يا رفاقي في الطريق
ومسرات ليالينا العميقة
والطواحين العتيقة
وقيودي وهواها
وطواحين الهواء

وبطاقات البريد
يا رفاقي في الطريق
عبر باب السجن غنوا... يا رفاقي
لم يزل عالمنا يحفل بالخير.. وبالحب العميق[1]

وفي كتابه «قمر أبو غريب.. كان حزينًا»، يروي الدكتور ضرغام عبد الله الدباغ (1944-) حكاية اعتقاله وسجنه والحكم عليه بالإعدام. ويشير إلى أنه احتمل من القهر والتعذيب ما لا يقدر عليه إلا من وضع الله الإيمان في قلوبهم، ولكنه لم يفرط بإنسانيته ومبادئه وهو يقف بين شدقي الموت.

فعندما سُجن أقسم أنه لن يدع قضبان السجن، تهزمه. فكان يعمل من الصباح حتى الظهيرة، ومن العصر حتى ساعات متأخرة من الليل. يقرأ ويكتب ويُدرِّس النزلاء اللغة الألمانية، فمنحه هذا الجهد سعادة وافرة.

وبالرغم من تخفيف الحكم عليه بالإعدام إلى المؤبد، إلا أنه بقي تحت مطارق التعذيب وقسوة الزمن ستة عشر عامًا في سجن أبو غريب. فلم يهن، وخرج من السجن واقفًا على قدميه. وهو القائل:

«خرجت على قدمي صاحيًا بدماغ صاحٍ، أصافح نور الشمس وأستمتع بضوء القمر الذي غاب عني ستة عشر عامًا. أعانق الحرية وأشرب من كأسها ممزوجة بالفخر، فأنا لم أقتل ولم أسرق فلسًا واحدًا من مال الشعب والحزب».[2]

كذلك هو حال الشاعر والكاتب فاضل العزاوي (1940-) الذي سُجن أكثر من مرة، إلى أن بقي في إحداها ثلاث سنوات. وعن هذه التجربة المريرة،

1 انظر «أباريق مهشمة».

2 انظر «قمر أبو غريب.. كان حزينًا»، ص 97

يسجل في رواية «القلعة الخامسة» حكاية المعتقل بالخطأ عزيز سعيد، فيقول على لسانه:

«احتجت إلى شهور طوال حتى أدرك أني معتقل، فقد انتهت أحلامي فجأة واستيقظت بعد غفوة طويلة لأكتشف بكل قسوة ومرارة أن العدالة لا تكون دائمًا إلى جانب البراءة، بل أنها تتعمد أحيانًا أن تكون في الجانب الآخر حيث يكثر الضحايا والشهداء. إن هذا يعني شيئا واحدًا في المطاف الأخير هو أنني يمكن أن أتعفن داخل هذا المعتقل بدون أن ينتبه أحد إلى وجودي. وبدا لي أنهم قد لا يطلقون سراحي حتى إذا اكتشفوا خطأهم تجاهي».[3]

أما الباحث عدنان حسين أحمد (1957-) فقد لفتته الحالة الإبداعية للأدباء السجناء الذين طلعوا إلى العالم بكتب تهز الوجدان، برغم عتمة الزنازين والحرية المعتقلة. يقول في دراسته النقدية التطبيقية:

«ما أدهشني عبر هذا البحث الطويل الذي لا أزال منهمكًا فيه هو المخيلة التي تتفتق عن آخرها، حينما تضع الأديب المبدع في زنزانة وتصادر حريته الشخصية حيث يطوف هذا السجين العالم كله، وهو جالس بين أربعة جدران كابية وحيز معتم لا تتوافر فيه أبسط شروط العيش الإنسانية». فالرقيب السياسي «لا يجد ضيرًا في التوقيع على سجن أو إعدام أي كاتب عراقي ينتهك قانون الممنوعات، بل إن الكتابة في العراق قد باتت أشبه بالمشي في حقول الألغام».[4]

وهذا ما حصل للروائي عبد الستار ناصر (1947-2013) لأنه تجاوز الخطوط الحمراء لقانون المطبوعات العراقي بسبب قصة قصيرة بعنوان «سيدنا الخليفة». 5 فدفع ثمن نشر تلك القصة سجنًا بانفرادية تحت الأرض،

3 انظر «القلعة الخامسة»، ص 41

4 انظر عدنان حسين أحمد، ص 172

وتعذيبًا لمدة عام بكامله.

تضمنت القصة صرخة ضد الفقر والحالة الاقتصادية المتدنية، وإنذارًا يرمي إلى تنبيه المجتمع العراقي ليتدارك ما يحاك له من قبل حكامه، بالتوافق مع بعض الدول للسيطرة على ثرواته وموارده. فبدأها، بقوله:

«حرارة أجسادنا تفوح من المسامات وفوق أجسادنا، ونحن في الشتاء ويمكن أن تسلق شيئًا من البطاطس والبيض. وقرارات 'الخليفة' نصَّت على أن نعرق في الشتاء، ونلبس الثياب الصوفية في الصيف».

وفي لمزة في القصة تقصد الرئيس أحمد حسن البكر: «من بؤس المدينة أن القائد الذي جرنا إلى التظاهر في وجه الخليفة وضد ما يسميه بالحكم الفردي أو الحكم العشائري، انسحب بكل جبروته وأنفه العريض إلى مولانا الخليفة فنصّبه محافظًا على جنوب الوطن العزيز».[5]

أما حين يودع بلده، بلد الذين يموتون سرًا فيقول:

«الخليفة سيدنا جميعًا أمر أن أكون الفدية لكل أسرى الحرب الأهلية التي فشلنا بها. وقد وقّعتُ موافقًا وأنا بكل قواي الجسدية والعقلية، أقلها يا بلادي أموتُ وحدي علنًا لتفرح لي حبيبتي كلما احتفلت بعيد ميلادي».

وبعد خروجه من السجن بوساطة الأمين العام للأمم المتحدة، يقول عبد الستار:

«بعد سجني كان القرار القتل بعد التعذيب، لكن السيد كورت فالدهايم الأمين العام للأمم المتحدة أنذرهم رسميًا بالإفراج عني دون قيد ولا شرط. فجاء الخلاص من الموت بسبب ما فعله المبدعون العرب من حملات وكتابات،

5 انظر مجلة الموقف الأدبي: اتحاد الكتاب العرب، دمشق شباط 1974

تطالب بحرية التعبير وإدانة الديكتاتورية والظلم في العراق».[6]

وتشير الروائية هيفاء زنكنة في روايتها «أروقة الذاكرة» إلى ضمور أصوات المثقفين والكتاب وخفوتها، وذلك بسبب الخوف الذي يلازمهم من سلطة قاتلة:

«الخوف رفيق تربينا معه، وهو أقرب إلينا من أي شيء آخر. ترعرعنا معه بحميمية مماثلة بما نحس به إزاء صديق أو حبيب، حتى أصبحنا لا نعرف العيش بدونه بعد أن تعبنا من الرحيل من بلد إلى آخر يشترطون للبقاء فيه الاختيار بين الإذعان والإذعان».[7]

6 انظر عدنان حسين أحمد، مرجع سابق.

7 انظر «أروقة الذاكرة»، هيفاء زنكنة.

4

السجن المصري

يقول الاستخباراتي الأميركي روبرت باير: «إذا أردت للسجين أن يختفي، فأرسله إلى سجن طرة ولاسيما سجن العقرب الذي تفرع منه». وتقول المنظمات الحقوقية عن السجون في مصر: «أهلا بك في الجحيم».

عرفت السجون المصرية في مختلف المراحل السياسية عشرات الأدباء والصحافيين والفنانين من أهل الرأي وأصحاب حديث الروح، أو «القوة الناعمة» كما يسميهم الكاتب إبراهيم عبد المجيد. فسلاحهم كلمة، وليس دبابة ومدفعًا ورشاشًا وقنبلة.

منهم يوسف إدريس وقصته «مسحوق الهمس»، من مجموعة «الندّاهة» التي تشير إلى ما يُوَلّده القمع من إحساس بالوحدة التي قد تجنح بالسجين إلى أن يبتدع مسحوقًا للهمس بينه وبين سجينة خلف الحائط المجاور لزنزانته.

فالحائط لم يشكل له عائقًا دون استراق السمع وتبادل الحوار، وحتى تحقيق التواصل الجنسي. فكان يدق على الجدار بالآنية المعدنية التي يقدم فيها الطعام، فيأتيه الرد على شكل همهمة يتوهمها تجاوبًا من حبيبته المتخيلة فيمنحها اسمًا وينحت لها رسمًا. ولأن السعادة لا تكتمل ولا تستمر تقضي عليها حرية مقيدة، حين يعرف من السجان أنه لا نساء في الغرفة المجاورة بل رجال.

ومنهم أيضًا الأدباء لطفي الخولي وإحسان عبد القدوس ومحمود السعدني وصنع الله إبراهيم ومحمود أمين العالم والأبنودي وأحمد فؤاد نجم ولطيفة الزيات ونوال السعداوي ومحمد عفيفي مطر الذي كان يمثل صوت المثقف الحر في وجه السلطة وعلاقته مع السلطة المستبدة وما يحيط بها من نخب تتبنى وتردد أطروحاتها وتسبح باسمها.

اعتقلته السلطة الأمنية في مصر في عهد الرئيس أنور السادات على خلفية معارضته النظام، ومشاركته في تظاهرة تندد بموقف الحكومة المصرية من الحرب على العراق. ويَعدّ محمد عفيفي مطر اعتقاله وحبسه في سجن طرة، من أقسى التجارب في حياته. فقد عصبوا عينيه طيلة مدة حبسه، وتم تعذيبه بالكهرباء بصورة وحشية تركت ندوبها على أنفه وعلى نفسيته.

ولهذا تحضر في دواوينه كلها، فيوض من الألم والوجع والخوف والليل والظلام.[1]

ومن قصيدة «هذا الليل يبدأ» التي كتبها في سجن طرة في العام 1991 نقرأ:

دهر من الظلمات أم هي
ليلة جمعت سواد
الكحل والقطران من
رهج القوافي في
الدهور!
عيناك تحت عصابة عقدت
وساخت في
عظام الرأس عقدتها،
وأنت مجندل -يا آخر
الأسرى...

1 الأعمال الكاملة للشاعر محمد عفيفي مطر

ولست بمفتدى..
فبلادك انعصفت وسيق
هواؤها وترابها سبيًا-
وهذا الليل يبدأ،
تحت جفنيك البلاد
تكومت كرتين من ملح
الصديد
الليل يبدأ
والشموس شظية البرق
الذي يهوي إلى
عينيك من ملكوته
العالي،
فتصرخ، لا تغاث بغير أن
ينحل وجهك جيفة
تعلو روائحها فتعرف أن
هذا الليل يبدأ،
لست تحصي من دقائقه
سوى عشر استغاثات
لفجر ضائع تعلو بهن
الريح جلجلة
لدمع الله في الآفاق..
هذا الليل يبدأ
فابتدىء موتًا لحلمك
وابتدع حلمًا لموتك
أيها الجسد الصبور

«الخوف أقسى ما تخاف»...
ألم تقل؟
فابدأ مقام الكشف
للرهبوت
وانخل من رمادك،
وانكشف عنك،
اصطف الآفاق مما يبدع
الرخ الجسور...

والمفكر محمود أمين العالم الذي دخل السجن على خلفية أفكاره اليسارية ومناداته بالحرية والعدالة الاجتماعية، حكم عليه بالأشغال الشاقة في معتقلات 1959. وعن العلاقة بينه وبين سجانه، يقول: «كان السجان يصرخ في وجهي، ويقول: يا مسجون.. كسّر الصخرة بالفأس. للصخرة سبعة أبواب، حدد مكان الباب واضرب. هكذا يصرخ وهو يلوح بالسوط في وجهي. تعلمت منه أسرار الصخور، ومفاتيح أبوابها. كنت أصغي إليه وهو يتفحص الصخرة الكبيرة، ثم يشير بإصبعه على مكامن ضعفها السبعة التي هي أبوابها. ثم يأمرني أن أهبط بمعولي فوق تلك الأبواب، فتتحطم الصخرة.

هذا في النهار، أما في الليل فكنت أدعو السجان الأمي إلى زنزانتي لكي أعلمه أبجديات القراءة والكتابة. لم أكره السّجان، بل كنت أحبه وأشفق عليه. وأشعر بالمسؤولية تجاهه، فهو ضحية التغييب والجهل».

إنّ افتقار السجون المصرية إلى بيئة إنسانية، يجعل الحياة فيها أشبه ما تكون بالموت البطيء. فهم يطعمون السجين لكي يعيش فقط، ويضربونه بأسلوب لا يريدون له أن يموت. يعيش السجناء الجحيم، فهم يتكدسون عشرات في زنزانة لا تزيد مساحتها على عشرة أمتار مربعة. فلا يتوافر للسجين مترًا ليمدد

عليه جسده المتعب من كثرة الوقوف بين رفاق السجن النائمين متجاورين. هذا إلى أن تعاقب الفصول لا يخفف معاناة السجناء من قيظ الصيف، وزمهرير الشتاء.

وتشير المعلومات الواردة عن السجون إلى أن العنابر المخصصة للنشطاء السياسيين والمتهمين في قضايا حرية الرأي لا تتوافر فيها أغطية أو مفروشات، فيفترش النزلاء الأرض مما يؤثر على حالتهم الصحية. كما أن دورة المياه عبارة عن حائط مكشوف السطح، ولغياب الاعتناء بالنظافة تنتشر الروائح الكريهة والأمراض.

يقول السجين محمد: «أنا لا أستطيع أن أنسى أي وقت من حياتي مضى هناك، لن أنسى أنني كنت يومًا آكل وأشرب وأقضي حاجتي كالحيوان بل أقل، حتى الحيوان كان بإمكانه قضاء حاجته وقتما يريد».

هذا إلى جانب الطعام السيء في نوعيته وتحضيره ويصل إلى السجناء في أكياس من البلاستيك، ويجب على كل سجين استلام حصته وإن كان يفكر برميها في سلة القمامة. لأن رفض الاستلام يعني الإضراب عن الطعام، وهذا موقف ينزل بالسجين عقوبات صارمة. واللافت أن يتوافر البط والحمام والجمبري وبعض المواد الغذائية الأخرى للبيع في مقاصف السجون، ويعود ريع أسعارها الفلكية إلى إدارة السجن.

في السجون المصرية مصطلحات كثيرة عن التعذيب المتعدد الأساليب يعرفها كل من دخل السجون المصرية وعاش تفاصيلها مرات ومرات، أذكر منها:

التشريفة: يتعرض فيها السجين الجديد للضرب على يد أفراد الأمن من لحظة اعتقاله، لإخضاعه للأوامر والتعليمات. وعند وصوله إلى الزنزانة، ستكون حفلة الضرب بانتظاره.

القرفصة: يؤمر السجناء الجدد بخلع ملابسهم وبالتبرز أمام السجانين، للتأكد من أنهم لا يخفون مواد مخدرة أو آلات حادة في فتحة الشرج.

التبدير: وهي عملية رش السجناء الجدد، ببودرة قاتلة للحشرات والميكروبات.

ويرى بعض الناشطين الحقوقيين أن الفترة الحالية في مصر، تماثل في قسوتها على سجناء الرأي وذويهم فترة التسعينات. ويرون في عقاب المساجين وأسرهم وسيلة للضغط على الحاضنة المجتمعية واستنزافها ماديًا ونفسيًا، ودفعها إلى الاستسلام للنظام. في حين تشير مواقع التواصل الاجتماعي إلى إن كثرة الاعتقالات السياسية وما يتعرض له السجناء من عسف وقسوة، تنذر بكارثة من تزايد العمل على تجنيد بعض السجناء ولا سيما الأطفال منهم في تنظيم الدولة الإسلامية والجماعات المتطرفة الأخرى. وبحسب تقرير منظمة هيومن رايتس ووتش الصادر في العام 2016، فإن عدد السجناء حاليًا يقدر بأكثر من ستين ألفًا معظمهم من المعارضين السياسيين. ويقول حسين البيومي الباحث في منظمة العفو الدولية:

«إن مصر تعيش أسوأ فتراتها من حيث حالات البطش والاعتقالات التعسفية. فالناس في مصر قد يعتقلون بسبب كلمة هجاء أو تغريدة، أو بموقف يندد بالتحرش الجنسي أو بفيلم يتعرض للنظام الحاكم».[2]

2 تعتمد المعلومات الواردة عن السجن المصري على موقع ويكيبيديا وغيره.

5

السجن المغربي

بعد محاولة الانقلاب الفاشل التي قادها عسكريون لاحتلال قصر الصخيرات والإطاحة بالملك المغربي الحسن الثاني، تم تشييد سجن تازمامارت الرهيب الذي استقبل في عام افتتاحه 1973 أفواجًا من العسكريين والسياسيين واحتجز معظمهم سنوات تقارب العشرين. يعد هذا السجن أحد مراكز الاعتقال السرية ومكانًا للموت البطيء، قُطعت فيه عن المعتقلين كل أسباب الحياة والتواصل مع الخارج. وتركوا بلا طعام كافٍ، لكي يموتوا موتًا بطيئًا.

وفي بداية الثمانينات بدأت المعلومات تتسرب عن السجن وأهواله إلى الصحافة الفرنسية، برغم الستار المضروب على أسراره. فتدخل الفرنسيون، لإنقاذ بعض السجناء الذين يشارفون الموت. وتنامى الضغط الإعلامي والحقوقي من خارج المغرب باتجاه الكشف عن مصير المختطفين والمعتقلين، ومحاولة تحريرهم.

شكلت تلك السنوات الموسومة بسنوات الرصاص، سنوات خصبة لكتابات أدبية إبداعية تهدف إلى فضح الممارسات المشينة ضد المعارضين

من مفكرين ومثقفين وانتهاك إنسانيتهم وإذلال كرامتهم وسجنهم سنوات طوالًا من غير محاكمة.

فحمل الأدباء السجناء أحلامهم فوق أقلامهم وسجلوا شهاداتهم ومعاناتهم، رغبة بتحقيق مجتمع تتوافر فيه حرية وعدالة وثقافة لا تتبع لشخص أو نظام. وسخَّروا مواهبهم خدمة لأفكارهم ورؤاهم، مختزلين بصبرهم وصمودهم حدود الوطن وإيمان شعبهم.

فالمهندس الأديب أبراهام السرفاتي (1926-2010) الذي لم يقلل التزامه بديانته اليهودية من عروبته ووقوفه إلى جانب القضية الفلسطينية، ولا من حبه لبلده المغرب وحرصه على استقراره، اعتقل في العام 1975 خلال سنوات الرصاص بموقفه المعارض المتشدد تجاه نظام الحسن الثاني. وحكم عليه بالإعدام بتهمة الخيانة العظمى، بسبب دعوته إلى إعطاء الشعب الصحراوي الحق في تقرير مصير الصحراء الغربية. فعُذب وسُجن تحت الأرض سبع عشرة سنة من محكوميته، وصار رمزًا للمساجين السياسيين المغاربة.

وبفعل طرح المنظمات الدولية لحقوق الإنسان قضايا المساجين بإلحاح ولسنوات طويلة، تم الإفراج عنه وإبعاده إلى فرنسا. وفي العام 1999 عاد إلى المغرب، بمبادرة من الملك محمد السادس.

أصدر إبراهيم السرفاتي كتابًا بالتشارك مع زوجته المحامية الفرنسية كريستين دور عن تلك المرحلة القاسية، بعنوان «ذاكرة الآخر» روى فيه تاريخه النضالي رفقة زوجته ضد النظام الملكي للحسن الثاني، وما تعرض له في السجن من تنكيل وتعذيب. والدور الذي قامت به زوجته كريستين في الدفاع عنه، ورعايتها له لاستعادة ثقته بنفسه.[1]

والصحافي والروائي عبد الفتاح الفاكهاني (1949-2006) الذي اعتقل أكثر من مرة، وبفترات متفاوتة. وفي العام 1975 أُعتقل وقضى مدة عامين

تحت التعذيب في المعتقل السري «درب مولاي علي الشريف»، إلى أن صدر عليه الحكم بالسجن المؤبد بتهمة انتمائه إلى المنظمة السرية «إلى الأمام» ومحاولة قلب النظام. فأمضى من هذا الحكم ما يناهز خمس عشرة سنة، إلى أن أفرج عنه بعفو ملكي في العام 1989.

في رواية «الممر: حقائق عن سنوات الرصاص»، يبث الفاكهاني جزءًا من آلامه عن سنواته في سجنه الطويل الذي التهم أزهى سنوات شبابه، وترك الكثير من الوجع في نفسيته والخوف من مواجهة المستقبل.[2]

يفتتح الفاكهاني روايته بتساؤلات ابنه الوحيد أنس عن سبب الخشونة وآثار الجروح في أصابع قدميه: «لماذا أصابع رجليك هكذا، وما هذه الآثار على كف قدميك؟»، فيجيبه: «كل شيء دقيق. رجلاي ويداي المكبلة بقضيب حديدي، والجسد العاري والعصابة على العينين. نزعوا عني ثيابي، ولم يبدأ التعذيب الحقيقي بعد».

وعن لحظات انهياره تحت التعذيب في «درب مولاي الشريف» واعترافه بأسماء رفاقه وعناوينهم، كتب معبرًا عن أسفه وندمه من هذا الموقف، وقال: لم أعش في حياتي إهانة، كهاته. والأنكى أنني شخصيًا مَنْ ألّفَ منشورًا صغيرًا حول الصمود في أثناء التعذيب. وحينما سأله ابنه: «هل ترى اليوم أن الأمور صارت أفضل؟ يرد عليه بلا تردد: الحرية أفضل شيء في الحياة يا ولدي».[3]

لم يحاول الفاكهاني في كتابته عن سنواته في السجن أن يضفي الإثارة أو يقدم أنموذجًا عن بطل لا يقهر، بل كتبها بأسلوب سردي أقرب ما يكون إلى التجرد وكأنه يحكي قصة سجين سواه.

والضابط أحمد المرزوقي (1947-) الذي قضى في سجن تازمامارت ثمانية عشر عامًا. يقدم في روايته «الزنزانة رقم 10» شهادة مؤلمة وقاسية عن سنواته الطويلة في السجن الرهيب تازمامارت، الذي يقع على ارتفاع 1500 متر

فوق سطح البحر. إذ كان يكفي أن يحصل تغير بسيط في مجرى هبوب الريح، لكي يتجمد المكان والزمان معًا. والطامة الكبرى كانت في أنهم قدموا إلى تازمامارت من السجن المدني بثياب الصيف الخفيفة، وفجأة وجدوا أنفسهم في مواجهة غول ينخر فيه العظام نخرًا.[4]

«فكلما اقترب الليل، قدمت جحافله بكل أنواع المناشير والمقامع لتشج وتحز وتمزق فينا العقل والأعصاب. بعضنا كانوا يقضون الساعات الطوال في القفز المتواصل وكأن بهم مسًّا من الجنون، وبعض آخر يذرعون الزنزانة في الظلام جيئة وذهابًا على نحو ما تفعله الحيوانات الأسيرة في أقفاصها الضيقة. في حين فئة أخرى كانت تستمر في حك أطراف جسدها، بحثًا عن سراب دفء.

حتى إذا ما انتصف الليل وجن الزمهرير أخذ زنك السقف يتفرقع كالقنابل الصغيرة فتصطك الأسنان وترتعش الفرائص ويدوي صفير مرعب في الآذان، تنفلت بعده شهقات متوجعة تفشل في كبحها الكبرياء المنهارة فتعلن عن استسلامها بدموع ذليلة صامتة».[5]

ويأتي المرزوقي في الرواية السجنية على ذكر تفاصيل الحياة اليومية في المعتقل، والأساليب التي أوجدها المعتقلون لمواجهة الصعوبات التي يعيشونها. ويشير إلى أنه كان ضمن هذا العناء بعض اللحظات المضيئة، منها: تسلل كلبة إلى الزنازين في أثناء دخول الحراس، بددت وحشة الصمت والعزلة. ودخول طائر من أحد القضبان سموه «فرج»، كان لهم بمثابة إشارة أمل بفرج قريب.

ويشير إلى العذابات التي قاساها هو ورفاقه من قلة الطعام وسوء نوعيته:

«كان النظام الغذائي الذي خضعنا له في تزمامارت، قاسيًا ومقززًا. وبرغم الجوع المفرط الذي نزل بنا إلى أحط المستويات الحيوانية، كنا نصل في بعض الأحيان حد الغثيان والتقيؤ ونحن نحشو الطعام في أفواهنا حشوًا. ماسكين

أنوفنا بأصابعنا، كمن يُرغَم على أكل جيفة ينهشها الدود. لم يكن الطعام فقط بلا مذاق، وإنما كان يتخلله قشور بيض ومسامير مختلفة الأحجام وخيوط قنب وأسنان مشط وسيور أحذية وأبازيم أحذية مع كمية دائمة من الحصى الذي قضى في النهاية على جُلّ أسناننا».[6]

«فانتشرت بيننا الأمراض بسبب غياب النظافة، وانعدام العناية الصحية. وبتأثير البرد القارس، وليس لدى كل واحد فينا غير لحافين باليين قذرين تفوح منهما رائحة الخيل والحمير معًا. وهكذا سُدَّتْ الأبواب وقطِّعت الأسباب، وأطبقت على أعناقنا في تلك الدياجير الرهيبة قبضة فولاذية لا ترحم ولا تلين».[7]

ويقول: «عندما تأتي ذكرى تاريخ دخولي السجن أفكر بأصدقائي الذين تركتهم مدفونين في معتقل العار، ولم ينالوا للآن فرصة الحصول على شاهد يدل على مكان رفاتهم. هذا التاريخ بغيض لأنه يجسد ذكرى ظلم فاحش، ظلم انتهكت فيه كرامة الإنسانية بشكل غير مسبوق. فما عانيناه على امتداد قرابة عقدين من الزمن لا يستطيع أن يصفه إنسان مهما أوتي من بلاغة. فحين لا يردع قسوة الإنسان رادع، تفوق في شدتها ضراوة الحيوانات المتوحشة».[8]

أمّا الشاعر والمترجم عبد اللطيف اللعبي (1942 –) فقد أمضى سنوات في سجن السلطة المغربية من العام 1972 وحتى 1980، بتهمة مشاركته بالعصيان والتحريض والانتماء إلى حركة «إلى الأمام» المحظورة. فلولا الحملة الدولية الواسعة التي قامت من أجل إطلاق سراحه، لطال أمد بقائه سجينًا.

ويرى عبد اللطيف بأن السجن مكان معركة هدفها تدمير الإنسان، ولكنه في الوقت نفسه مكان معركة تُعلم كيف يواجه السجين الواقع الذي هو جزء منه.

وحين نقرأ شيئًا من رسائله نلحظ أنه أدرك المعنى العميق لمكان السجن

وزمانه، ورأى أنه يحوّل الإنسان الذي يدخل إليه ويغيره ليمحوه. فغاية السجن هي إلغاء كيان السجين الذي كان بإمكانه أن يستمر متطورًا في عالم الخارج، عالم الحياة والواقع. وهكذا يحقق السجن وظيفته، «يَعدم دون أن يَقتل أو يَقتل ما لا يريده ويبقى فقط كائنًا حيًا، مجرد كائن يمارس الحياة في حدودها الدنيا».[9]

ولأن عبد اللطيف كان قويًا وقادرًا ويرفض الموت، لم يتراجع عن موقفه وهو العاشق للحرية وللحياة العادلة لكل الناس. فأزهرت الكتابة في يده، واكتسح حواجز العزل.

وفي إحدى رسائله، يقول:

«من المستغرب أنه وفي كل الظروف التي عشتها هنا إلى الآن وحتى خلال فترة العزلة لم أعرف شيئًا اسمه السأم. فقد كان رأسي دائمًا مملوءًا حد التخمة، وكذلك كان قلبي. حتى أنني في بعض الأحيان أجد صعوبة كبيرة في العودة من عالم رؤاي وأحلامي».

وفي قصيدة «أزهرت شجرة الحديد» كتب إلى زوجته جوسلين:[10]

امرأتي الحبيبة
يدعونا الفجر للحضور
يتواصل الصراع
ويتفتح الحب
وردة في حلبة العصيان
يدي ترتعش
كأني أرغب في بتر عضو من أعضائي
لأرفعه لك قربانًا
هذه اليد المنتصبة بالذات لتمحو وصمة العار

نعم لأجلك أرفعها
في غبطة العصيان.

وفي قصيدة له بترجمة الأديب اللبناني عبده وازن، نقرأ:

اسمعوا يا آكلي لحوم البشر
اسمعوا جيدًا
صوتي عشرون مليونًا من العبيد
عشرون عامًا ونيف تحت نير التزوير
ونحن نتصبب موتًا كالعرق
منهوكين بالأحلام الجنونية والانتظار.
لغة أمي
لم أر أمي منذ عشرين سنة
تركت نفسها تموت جوعًا
يروى أنها كانت تخلع منديلها
كل صباح
وتضرب به الأرض سبع مرات
داعية على السماء والطاغية.
كنت في الكهف
هناك حيث المحكوم بالأشغال الشاقة
يقرأ في الظلال
ويرسم على الجدران كتاب الحيوان[11]

ومحمد الرايس (ت 2010)، أحد الناجين من المعتقل الرهيب تزمامارت بعد أن أمضى فيه ما يناهز عشرين عامًا، أصدر في العام 2001 كتابًا عنوانه «من الصخيرات إلى تازمامارت: تذكرة ذهاب وإياب إلى الجحيم». فقد

قرر وبعد تفكير طويل أن يكتب هذه الشهادات الحقيقية، ويتخلص من كابوس يسكنه:

«إنني أريد من مذكراتي أن أتخلص من هذا الكابوس الذي يسكنني، والصراخات الحادة لرفاقي الذين جَنُّوا بفعل العتمة والعزلة والظلمة».[12]

وأيضًا ليحرر عقله الباطن والواعي من صرخات كل الذين طالبوا بالإنصاف، والعدالة قبل وفاتهم. ويسلط الضوء على أماكن تلفها العتمة والسرية، فالزنازين فيها عبارة عن مجموعة قبور. «في معتقل الموت لم يتم خرق القوانين فقط، بل إن الإنسانية جمعاء أهينت ومرغت في التراب».[13]

«في يوم التحقيق جاء دركيان إلى زنزانتي واقتاداني إلى جناح خال لتعذيبي حتى أعترف بما أعرف. كان هناك دركيون مستعدين لكل شيء معي، وكانوا يعملون كفريق. بدأوا بضربي وبتسديد اللكمات، وهم يسألونني دون أن أجد الوقت الكافي للرد. فجاء دوري مع السرجان شاف الذي طرح عليّ أسئلة محددة واكتفى بالصفعات وضرب رأسي بالطاولة. فقال لي: جئت خصيصًا من تازة من أجلك وبعض رفاقك، وصدقني سأدفعك للكلام عنوة، اللهم إلّا إذا كنت تحبذ الموت محتفظًا بسرك.

قيَّد معصمي بحزام جلدي وربط رجلي بحزام ثان، ثم ضغط على ظهري إلى أن أجبرني على الانحناء إلى أن مس رأسي قدمي ودخل صدري بين فخذي. ثم أدخل قضيبًا حديديًا تحت ركبتي اليمنى ومرره تحت ذراعي وصدري، فصرت أشبه بخروف مهيأ للشواء. رفعني دركيان لأجد نفسي معلقًا في الهواء، صدري إلى الأسفل ورأسي إلى الخلف. فجاء سجاني بدلو مليء بالماء وبال فيه، ثم ملأ قرافة من هذا الماء وصب الحمولة في منخاري. فأحسست باختناق في صدري وقَلَّ تنفسي، وكلما زاد في الصب زادت آلامي. ولما سمعت السجان يقول إنه سيجلسني على قنينة جيدور إن لم أعترف،

فزعت وأنا أتصور مؤخرتي ممزقة وقررت أن أقول لهم أشياء لا تصدق».[14]

وبعد عشرين سنة في السجن سمحوا لزوجته خديجة الشاوي بزيارته. في البداية لم يتعرف واحدهما على الآخر، لولا أن نائب مدير السجن قال: «الرايس تقدم، وسلم على زوجتك».[15]

«من شدة الألم الذي انطوى عليه هذا اللقاء، عجزت أنا عن نقل تفاصيله».

حكت له زوجته عن المحنة التي مرت فيها خلال غيابه: «حكت عن مساعيها لدى السلطات بحثًا عن أخباري، وعن انتهاك حرمة البيت من طرف الشرطة وعن اعتقالاتها في المخافر وعن التهديدات المتكررة من بعض رجال الشرطة السرية. وحكت على الخصوص عن عروض طلب الطلاق من أجل الحصول على بعض الامتيازات. تكلمت بمرارة عن سنوات البؤس والحرمان والظلم الاجتماعي والاحتقار، وعن نبذ العائلة لها، وتنكر الصديقات الحميمات خوفًا من تهمة التعاطف معها».[16]

لقد شكلت مذكرات الرايس عن تجربة الاعتقال والتعذيب الخرافي، بداية جيدة لولادة نوع آخر مغاير من الحكي الذاتي والواقعي.

والشاعر عبد الله زريقة (1953-) الذي يوصف بشاعر الهوامش الموجعة اعتقل بسبب قصيدة، وحوكم وحكم عليه بقضاء سنتين في سجن مكناس.

ولأن الحرية في رأيه لا تستريح إلّا فوق سطح سجن، انهمك في العمل على موضوعة الشجن التي تعرفنا من خلالها إلى عمق تجربة عبد الله زريقة الشعرية السجنية. فهو يبدو في قصائده وحيدًا، تطبق عليه الوحشة والأفق مسدود.

يقول في قصيدة «رسالة عبر القلب والبارلوار»:

استأذنت عقلي أني أحكي عن سفري المفاجئ
إلى وطني. فأنا اليوم مدعو لمأدبة تفترسني فيها

لغة تعذيب العين وأحرف رسائل الأشواق
فدعوني أحكي أشواقي
دعوني، فسفري يحتاج لحقائب حبي المحجوز
(فهم منعوني من كتابة الأشواق إليكم)
دعوني أكتب سلام الرفاق إليكم
دعوني أراكم في يدي
إني لا أراكم سوى عبر الحديد
لا تمنعوني من مغازلة القطط في أسطحكم، إني ملوع
لا تمنعوني إني مثقل في سفري بحقائب القصائد المحجوزة
إنهم منعوني من بعث الأشواق إليكم
يا أحباب قلبي
هل يمنعون جسدًا عطشًا من اغتراف الماء.

أما عزيز بنبين الذي كتب تجربته المريرة في السجن الكاتب الطاهر بن جلون، فقال عن معاناته من الألم في سجن تازمامارت:

«لم أفلح دومًا في نسيان الألم، خصوصًا خلال المرحلة التي أفقد فيها أسناني. لم تكن آلام الأسنان تذيقني عذاب المر فحسب، بل كانت أيضًا تهوي بي وتحرفني عن نهج رحلتي نحو المثال الروحاني. لقد تمكنت من السيطرة على جسدي في أوقات البرد القارس، وفي القيظ الخانق، وخلال نوبات الروماتيزم، غير أن وجع الأسنان كان يهزمني».[17]

نجح عزيز في التخلص من حياة حية تضج في أعماقه والتأقلم مع حياته الجديدة في السجن، بتحطيم آلة الحياة في أعماقه:

«لقد حطمتُ آلة الحياة التي تسكن أعماقي من الداخل، فلم يعد بوسعي

أن أكون شيئًا آخر غير ما أنا عليه، ولم أعد أطيق أن أكون غير نفسي. كل ما ينسج حولي من عوالم يدفعني نحو العنف، ويجذبني إلى الظلام الكامن وراء القضبان. لم أكن أصغي إلّا لآلة الحياة، المحطمة في أعماقي».[18]

لكنه لم يفلح في وقف جماح ذاكرته، عن استعادة بعض ذكرياته. فها هو ذا يتذكر أمه، وعزيمتها التي أورثتها له. ويتذكر والده الأناني حتى الأذية، الذي صار في أواخر الخمسينات مهرج الملك وصديقه. حتى أنه خاف على نفسه من غضب الملك عندما رأى ابنه عزيز في عداد مهاجمي القصر، فارتمى عند قدمي الملك وأنكر بنوته لابنه.

والسؤال الذي كان يلح على عزيز طوال وجوده في السجن، ولا يجرؤ على البوح به: «من ذا الذي كنت أريد قتله يوم دخلت مع التلاميذ الضباط قصر الملك الصيفي: الملك، أم أبي؟»[19]

ومع كل هذا الألم، تمكن عزيز من الحفاظ على سلامة رأسه وعقله، فقد تعلم أن يتخلى لهم عن جسده، فهم يرونه ويستطيعون لمسه وَبِضَعَه بنصل مُحمّى بالنار.

وبرغم تخليه لهم عن أعضائه، كما يقول، كان يرجو ألاّ يتمكنوا من ذهنه ومن حريته، من نفحة الهواء الطلق، ومن البصيص الخافت في ليله.

كان يعرف أنه بإمكانهم تعذيبه وتجويعه، وتعريضه للعقارب ولبردٍ يُجمّد. لكن هذا لا يعني أنه لم يكن غير مبال أو عديم الإحساس، وإنما كان يتمرس على تخطي تنكيلهم. ويشعر بأنه محظوظ ببقاء مخيلته التي يستقوي بها على اليأس والألم، سليمة ولم يمسسها سوء.

«إذ كيف يمكن للواحد فينا، ألّا يكون مباليًا؟ يثقب لحمك بحديد صدىء، يسيل الدم وتسيل دموعك معه. تفكر في شيء آخر، تصرُّ بكل ما أوتيت من قوة للنجاة بنفسك، على التفكير في ألم أشد منه».[20]

واللافت في هذا السجن المغربي أنه ومع كل ما كتب عن أهواله، ظلّ مكانًا مجهولًا للجميع. فلم يتمكن أحد من رؤيته بعد إغلاقه، فقد اقتلعته البلدوزرات وسوَّت مبانيه بالأرض.

وإذا كانت أسرة الجنرال أوفقير قد نجت من سجن تازمامارت، إلا أنها لم تنج من التعرف إلى سجون أشد بلاء وأكثر مرارًا وقسوة. فقد وثقت مليكة ابنة الجنرال أوفقير في كتاب «السجينة» السنوات العشرين التي أمضتها مع أمها وأخواتها وأخويها في أكثر من مكان، على خلفية فشل محاولة الانقلاب التي قام بها والدها على الملك الحسن الثاني في قصر الصخيرات.

تقـول مليـكة عن اعتقـالهم الـذي بدأ في شهر كانون الأول 1972 في واحة آسّا:

«إلى أين نحن ذاهبون؟ لا أعرف. تسير بنا السيارة في عتمة الليل، إنها سيارة أميركية بلا ستائر، تبدو الطريق من نوافذها غير معبدة. رجال المواكبة الذين أوكلت إليهم مهمة مرافقتنا، يحاولون جهدهم تلطيف الأجواء والتخفيف عنّا. أرهف السمع، لعلي ألتقط بعض الأخبار التي يبثها راديو البوليس. ما زلت أجهل إلى أين يقودوننا، لكني ألحظ أن الطريق مزروعة برجال قوى الأمن وأننا موضوعون تحت مراقبة شديدة».(21)

وبعد أن قضوا، مليكة وأسرتها، يومًا كاملًا في دار مسؤول قرية كلميم، استأنفوا الرحلة الشاقة ليصلوا إلى الثكنة العسكرية في آسّا المعزولة في عمق الصحراء. «ساقونا إلى منزل تحت الأرض يقع داخل الثكنة، فكان أول ما واجهنا رجل طاعن في السن يرتدي جلبابًا عسكريًا، إنه بو عزة آمر المعسكر.

يقول: 'من الآن فصاعدًا يجب عليكم أن تطيعوني طاعة عمياء، إنني أستطيع أن أكسر رقابكم وأسحقكم لو شئت...' أطأطئ رأسي حزنًا وخيبة، إذ أنَّ بو عزة مجرد بوق يردد ما يقوله سيده الذي كنتُ يومًا ابنته، تقصد الملك

الحسن الثاني، وكان بمثابة أبي».[22]

وفي العام الذي تلا، نقلوهم بشكل مفاجئ إلى قرية آكدز الصحراوية. فسارت بهم شاحنة طليت نوافذها بالقطران مسافة ثماني عشرة ساعة من دون توقف، إذ «لم يكن لنا الحق بالنزول، ولا بقضاء حاجتنا. كنا نفعل ذلك بالدور داخل علبة حليب فارغة فتحنا غطاءها. مع حلول المساء وصلنا القرية الفقيرة، احتجزونا في منزل رئيس البلدية حيث قضينا فيه شهرًا كاملًا لم نغادره وفي ظلام دامس. بعد ذلك، أعادونا إلى آكدز مرة ثانية».[23]

ومرة أخرى أبعدوهم عن آكدز إلى حصن تامتّاغت الذي كان أبعد مما سبقه وأكثر وحشة وعزلة. «دخلنا الحصن عبر بوابة كبيرة مطلية باللون الأزرق، جهزنا غرفتين في الطابق الأول لكي نستقر فيهما نحن التسعة. في الأسفل كهف ترابي، استخدمناه مطبخًا. كان المكان يعج بالعقارب، كلما نمسك واحدًا منها نضعه في مرطبان ممتلىء بالكحول. ومرة وجدت دادا حليمة ثعبانًا ضخمًا كان ملتفًا على نفسه، فأرعبنا أقل مما أرعب الحراس».[24]

الهوامش

1 انظر «ذاكرة الآخر»، بالتشارك إبراهيم السرفاتي وكريستين دور.
2 انظر «الممر»، عبد الفتاح الفاكهاني.
3 انظر عبد الفتاح الفاكهاني، موقع أمازون.
4 انظر «تزمامارت 10»، أحمد المرزوقي.
5 المرزوقي، ص 134.
6 نفسه.
7 نفسه، ص 92
8 نفسه، ص 95
9 انظر «يوميات قلعة المنفى»، عبد اللطيف اللعبي.
10 انظر «أزهرت شجرة الحديد»، ص 12
11 نفسه، ص 70
12 انظر «جذور ثقافية»، عبده وازن.
13 انظر «من الصخيرات إلى تازمامارت»، محمد الرايس.
14 الرايس ص 4
15 نفسه 76-77
16 نفسه ص332
17 نفسه ص 333
18 انظر «تلك العتمة الباهرة»، مرجع سابق ص 30
19 نفسه، ص 46
20 نفسه، ص 37
21 نفسه، ص 125
22 انظر «السجينة»، مليكة أوفقير و ميشيل فيتوسي.
23 نفسه، ص 99
24 مليكة، ص 139

6

السجن الليبي

برغم توافر الإنترنت، إلّا أن التوصل إلى معرفة الأدباء السجناء الليبيين لم يكن سهلًا. وهذا الوضع يؤكد على تقصير الأدباء العرب في المشرق وفي المغرب بحق زملاء لهم، للتعريف بهم والتعرف إلى نتاجاتهم الإبداعية.

كما يشير ذلك إلى أن المشهد الثقافي في ليبيا معقد إلى حد ما، لأسباب تتعلق بطبيعة النظام السياسي من جهة وإلى المقاطعة التي فُرضت على ليبيا سنوات مديدة. إلى جانب تقصير الإعلام في الإضاءة على الأدباء من شعراء وساردين، والتذكير بإصداراتهم ودورها في تأثيث المشهد الثقافي الليبي.

أما عن أوضاع السجون في ليبيا فلا آتي بجديد إن قلت: إنها لا تختلف عن نظرائها في غير بقعة عربية، من حيث اعتقال الكلمة وتكميم الأفواه التي تنادي بإصلاح اجتماعي وسياسي شامل.

فها هو شاعر الحرية وأحد جنود الفكر العربي الحر إبراهيم الأسطى عمر (1908–1950) الذي عاش زمن الاحتلال الإيطالي لبلاده وتوفي قبل أن تتحرر ليبيا وتنال استقلالها.

آمن الأسطى بالوطن، وأنه فوق العصبيات وأكبر من الأحزاب والعقائد.

فغنى للسجين في سجنه قصيدة طويلة، منها:

أيها المسجون في ضيق القفص　　صادحًا من لوعة طـول النهار
ردد الألحـان من مُرّ الغصص　　وبكى في لحنـه بُعْـدَ الديـار
ذكـر الغصـن تـثـنى　　وألـيـفًـا يـتـغـنى
وهو في السجن مُعنّى　　فشكى الشوقَ وأنّ
والأمـاني ما أحيـلاها خيـال　　يتـلاشى أو كحـلـم في منـام
لو صحا في روضة والغصن مال　　من نسيم الفجر وانجاب الظلام
ومضى يصدح في دنيا الجمال　　طـائرًا حـرًا طليقًـا في الأكـام:
راويًا للطير من تلك القصص　　ما به هدي وذكرى واعتبار
كيف حـازته أحـابيـل القفص　　وهو يبغي الحب في عرض القفار
غيـر أني أيهـا الطير الكئيب　　عـاجـز مثـلك مغلـول اليدين
في بلادي بين أهلي كالغريب　　وأنـا الحر ولـو تـدري سجـين
فلتكن دعواك للرب المجيب　　نعم من يدعى وعون المستعين[1]

ولا يخفى مـا لقيه الكتـاب والمثقفـون الليبيـون من الاعتقـال والسـجن والتعـذيب في زمن المحتـل الأجنبي، وفي زمن الحكـم الوطني. فمـا وصل من معلومات عن السجناء السياسيين وما قاسوه في سجون ليبيا العديدة، مؤسفة ومحـزنة. حتى أن الكثيرين منهم خرجـوا من السجن، بتشوهـات جسدية ونفسية.

وما يعجب له أن يحصل ذلك في أرض أنجبت كبار المفكرين والأدباء العرب، مثل الأديب المترجم محمد خليفة التليسي (1930-2010) والمفكر الصادق النيهوم (1937-1994) والقـاص الروائي إبراهيم الكـوني (1948-) وسواهم كثير.

1 انظر «بوابة الشعراء» 2013.

أما المحامي والناشط الحقوقي فتحي تربل (1972-) فقد أسهم اعتقاله في 15 فبراير 2011 بإشعال شرارة الثورة بتاريخ 17 فبراير. وقد جاء هذا الاعتقال على خلفية تمثيله مجموعة من عائلات بنغازي التي خسرت بعض أفرادها، في مذبحة سجن أبو سليم في العام 1996.

وعن أوضاع المساجين في السجون الليبية التي مرّ فيها وعرفها، يقول تربل:

«كانوا يطلقون على سجن أبو سليم اسم الثلاجة، فهناك يترك المساجين وحدهم بمواجهة البرد والجوع والمرض، وبرغم ذلك لم يعذبونا كما فعلوا في سجن 'عين زهرة' حيث كان الصراخ فيه بلا توقف».[2]

ويقول عن اعتقاله الأخير: «كانوا يقيدون يدي خلف ظهري ويعلقونني على حافة الباب مثل المعطف، فكنت أتحرك مع حركة الباب ولم يكن الدم يصل إلى ذراعيّ فأعجز بعد ذلك عن تحريكهما. وكان هناك سجان معروف باسم وحشي، يقيدني على سرير يتحرك بشكل نصف دائري، يجلدني ويجردني من ملابسي، ويهددني بتجليسي على زجاجة مركونة أمامي مبقعة بالدم كما فعل مع من سبقني. ويرعبني بتوعده إحضار أخواتي، ليفعل بهن الحراس ما يشاؤون».[3]

وتقول المعتقلة ماجدة الساحلي: «في بنغازي استجوبوني على مدى أربعة أيام متواصلة، ثم تم تعصيب عينيّ ونقلي إلى طرابلس. حين نزعوا العصبة عن عينيّ وجدت نفسي في غرفة ملطخة بالدماء، وسمعت أصوات نباح كلاب وصراخًا مؤلمًا». وعندما أعادوا استجواب ماجدة بوشاية من إحدى صديقاتها على أنها مشاركة في مؤامرة ضد الحكم، أحضروا كلابًا إلى غرفة التحقيق لتخويفها.

---

2 انظر موقع الاقتصادي الإلكتروني، فتحي تربل.

3 انظر الإمارات اليوم، 6 ديسمبر 2011.

وتقول: «ضربوني بالعصي، ووضعوني في الحبس الانفرادي لمدة ثلاثة وثلاثين يومًا قبل اقتيادي إلى سجن أبو سليم، ثم إلى سجن الجديدة للجنايات الذي عشت فيه أربعة أشهر في زنزانة واحدة مع تسع سيدات».(4)

وظهر في ليبيا في ستينات القرن الفائت شعراء كبار رحلوا ولم ينالوا حظهم من الشهرة، ولم يسمع بهم سوى قلة من الأدباء العرب. مثل:

علي الفزاني (1937–2000) ومحمد الشلطامي (1944–2010)، مع أن مواقفهم التي دفعوا ثمنها نفيًا وملاحقة واعتقالًا، كانت على قدر عالٍ من الوعي الفكري المؤمن بالحرية والعدالة الإنسانية.

في أوائل الثمانينات جاء جيل جديد، نال أيضًا حظه من النظام في السجن إهانة وتعذيبًا. أستذكر منهم الشاعر صلاح الدين الغزال (1963–)، الذي اعتقل وأودع في حبس خاص بالاستخبارات في مدينة بنغازي. وبعد عدة جولات من التحقيق نقلوه ورفاقه إلى مكان آخر وأخرجوا الناس في مظاهرات، تطالب بإعدامهم. مع أنهم كانوا شبابًا في سن اليفاع، وبعضهم لا يزالون أطفالًا.

بعد عرض الغزال على النيابة العامة، نقلوه بمفرده إلى سجن الكويفية وسلموه مع سجناء بقضايا جنائية، إلى سجان طاعن في السن. فتوجه بهم إلى داخل ممرات وعبر مجموعة من العنابر، وهو يوزع السجناء.

يقول الغزال: «في تلك الأثناء همس لي أحدهم، بأن مكاني سيكون في الشيلات الانفرادية. فرحت بهذا الخبر، فأنا غريب في هذا المكان ولا أدري إلى أين ستقودني خطاي. استلمني السجان في عنبر الشيلات بازدراء شديد، وقام بتفتيشي تفتيشًا شخصيًا خشية أن يكون معي أي أداة حادة. دخلت الشيلة، كان المكان ضيقًا، وليس فيه أي شيء للجلوس عليه. وما إن خرج

---

4 انظر مقابلة (فيديو) مع ماجدة الساحلي على موقع تاريخي TARIKHI

حتى ناداني أحد الرفاق: عارف روحك كم قاعد هنا؟ فأجبته بلا. فقال لي خمسة وأربعين يومًا. قمت بإعداد جدول على جدار الزنزانة، وقسمته إلى خمسة وأربعين يوما وكنت أشطب كل يوم على مربع لمعرفة الأيام. كانت الأيام تسير ببطء شديد.. والآلام تسير بسرعة قصوى.

ليل الزنازين مرعب وبخاصة عندما يجنح الظلام وتسود الأمكنة، وتسود قلوب السجانين الذين لا يستطيعون النوم إلا على آهات وصرخات المساجين. عاملنا السجانون بلطف واحترام ونشأت بيننا صداقات وعلاقات طيبة، وبرغم أن التعليمات تقضي بحبسنا انفراديًا إلا أنهم خالفوا الأوامر تاركين أبواب الزنازين مفتوحة وسمحوا لنا بحرية التحرك. ومن المضحك أن الأمن الداخلي حبس معنا بعض أفراده، الذين لفقوا لأنفسهم تهمًا مستغلين سذاجتنا».

لم ينته سجن صلاح الدين بانتهاء المدة الممددة عدة مرات، فقد أجهز وكيل النيابة على المسجونين بتوقيفهم إلى أجل غير مسمى. لكن وبرغم ظلمة الزنازين إلّا أن صلاح الدين وجد في الحوارات التي كانت تجري بين المساجين حالة إيجابية، «حتى وأنت نائم تتسلل الثقافة عبر أذنيك وتلج إلى عقلك وتنام داخله. ولأنه لا بدّ من المنغصات في هذا المكان، فقد داهمونا ذات يوم ووجدوا لدينا مجموعة كبيرة من الكتب فانتزعوها ووبخوا أمين المكتبة. يريدوننا أن نتحطم، ولم يعلموا أننا برغم بؤسنا لدينا قوة خامدة لا تستطيع أن تزلزلها وسائل قمعهم». ومن الأمور المؤرقة التي لفتت نظر صلاح الدين هي أن السجن شكّل بؤرة مناسبة لنمو التطرف الديني بين السجناء، بدرجة رفضوا فيها وجود لعبة الشطرنج فكسروها ورموها في النفايات. «وقتها أحسست بأننا محاصرون داخل سجنين، سجن القذافي وسجن التطرف». ورأى أن سجن التطرف أشد فتكًا، ومن الصعب التعايش معه. وعندما صدر أمر بنقله مع آخرين إلى سجن طرابلس، اهتزت أركان سجن الكويفية

فالذهاب إلى هناك يعني الموت.

حشدوهم في حافلة متهالكة، بعد أن كبلوا أيدي كل اثنين معًا. لم يسمحوا لهم بالتوقف لقضاء الحاجة، إلا بعد أن ابتعدت الحافلة عن بنغازي مسافة ثمانمائة كيلومترًا. «لم يفكوا الكلبشات عن أيدينا، قضينا حاجتنا مكبلين، والريح تنقل ما جدنا به فيبلل واحدنا الآخر».[5]

في قصيدة بعنوان «حِياضُ الموت»، يقول صلاح الدين الغزال:

كُلَّما حَدَّقتُ للماضي أَراني
حاملًا جُرحي على كفي
وَأَعْدُو في الدياجيرِ الكئيبهْ
سيدي السجانُ لا تتبعُني
إنني أَلقيتُ سيفي
وترجَّلتُ إلى الأرض
وحُلْمي لم يَعدْ يَقوى
على حَمْلي دقيقهْ
أَبْعدُوا الحُراسَ
عن زِنْزانتي
فَالْكُوى أَتعبها الرَّصدُ
وَزادُ السجن
أعيا أَوَدَي
ثورةُ الإعصار
في قلبي يُغذيها العَناءْ
وَوِثاقُ اللؤمِ
قد أزرى بِرسغي

5 انظر «ليل الزنازين» لصلاح الدين الغزال.

فدعوني أملأُ الدنيا صُراخًا
إنَّ في أعماق قلبي سيدًا
قد شَاقَهُ الرّقُ
وكانت قبلكم آفاقُهُ
رَغمَ الصعوباتِ العديدهْ
تَسَعُ الدُنيا
ولكنَّ النِّزَالَ
عندما يخسرُهُ
في ساحة الحربِ
على أيدي الرجالْ
سيدٌ مثلي
فَحَتْمًا سوف تَطويه
المسافاتُ السَّحيقهْ
قد خسرتُ العرشَ
لكنني سأبقى
صامدًا رغمَ السِّياط
علمتني لُعبةُ الكراسي قبل الوَثْبةِ
إنني من قَصريَ الشامخِ
لن أنأى وإنْ ضجَّ العِبادْ
يا رفاقَ العمرِ
إلّا نَحوَ قبرٍ كنتُ قد شيدتُهُ
بيدي قبل مماتي
فوقَ جُثمانِ البلادْ.[6]

6 انظر موقع ديوان العرب.

7

السجن الإسرائيلي

ظهرت المعتقلات والسجون الإسرائيلية في الأرض المحتلة، كنتيجة حتمية لطبيعة الصراع بين الفلسطينيين والإسرائيليين على الأرض والوجود. وجاءت صورة معبرة عن أخلاق الإسرائيليين، وما تنطوي عليه أنفسهم من ضغائن وحقد ومحبة للبطش وللدماء. فقد عرف الفلسطيني المقاتل والمواطن العـادي والأديب أنواعًا مختلفة من السجون داخل الأرض المحتلة وخارجها، مما أفقده الإحساس بالخصوصية والأمان. فزمنه مستباح، وعمره مستباح، وعنوانه مستباح، بدرجة تلخصت فيها أيامه بثلاثة أماكن: البيت والعمل والسجن.

ونتيجة لهذا الحصار الممارس على الكلمة المناضلة، فرض أدب السجون والمعتقلات نفسه كظاهرة أدبية. وصار في الأرض المحتلة جزءًا أساسًا من أدب يتطلع إلى الحرية، وسلاحًا نضاليًا يزعج العدو ويقلقه. وتأتي أهمية هذه الكتابات من كونها تؤرخ للذاكرة الفردية والجمعية، وتصون ذاكرة الفلسطيني في زمن الاحتلال الصهيوني من الضياع.

تتبدى ظواهر العنف في السجون الإسرائيلية، بالتفتيش الدائم والمتكرر

والمفاجىء للسجناء ولكل من يأتي لزيارتهم. وبنقل السجناء من قسم إلى قسم آخر، وفي ممارسة الضغط والقوة عليهم لخلع ملابسهم عند ذهابهم إلى المحكمة وعودتهم منها.

إلّا أنّ الأسرى لا يتقبلون دائمًا هذه الإجراءات بل يرفضونها، إما احتجاجًا بالكلام أو بالإضراب عن الطعام. مما يكلفهم عقوبات قاسية تصل حد العزل الانفرادي، وحرمانًا من لقاء زوارهم.

وهذه الممارسات الحاقدة البعيدة عن الإنسانية دعت الأدباء المساجين إلى نعت إسرائيل بالدولة الإرهابية، في كتاباتهم الإبداعية الشعرية والسردية.

وتجدر الإشارة إلى أن ما يتم تنفيذه على المعتقلين من تعذيب وعسف وتعنيف في السجون الإسرائيلية، لا يختلف في تفاصيله عما يتم على المعتقلين في السجون الوطنية إلا بكونه يتم من قبل عدو محتل مغتصب.[1]

في قصيدة «مع الأرض» يقول شاعر المقاومة الفلسطينية الأول راشد حسين (1936-1977) وقد مات مختنقًا من حريق في شقته في نيويورك.

في قصيدة «مع الأرض»، يقول:

وتقترب الأرضُ مني
وتشرب مني
وتترك عندي بساتينها
لتضحي سلاحًا جميلًا
يدافع عني
وحتى إذا نمتُ في الحلم
تقترب الأرض مني
وبين المنافي أهرِّب زعترها

1 انظر «أدب السجون»، نزيه أبو نضال.

وأنشد أحجارها
وأنضح حتى دمي من عروقي
لأشرب أخبارها
فتقترب الأرض مني
وتترك عندي حجارة حبّ
تدافع عنها وعني
وحين أرد الجميل سأحضنها ألف مرة
وأعبدها ألف مرة
وأُحيي لها العرس فوق جبيني
وفوق حطام المنافي
وفوق ركام السجون
فأشرب منها
وتشرب مني
ليبقى الجليلُ جمالًا نضالًا وحبًا
يدافع عنها وعني
أرى الأرض صبحًا سيأتي
وتقترب الأرض مني.[2]

حاول المحتل حشد كل إمكاناته المادية والمعنوية لتشويش أفكار السجناء وإفقادهم وعيهم، وتفكيك قدراتهم الثورية والكفاحية. لكنهم تصدوا له بشجاعة، واستطاعوا أن يكتبوا قصصًا وروايات وأشعارًا وملاحم. أكدوا فيها تمسكهم بالأرض وبالحرية، والتزامهم بمقاومة الاحتلال.في رواية «ستائر العتمة»[3] يستعرض كاتبها وليد الهودلي (1960-) بعض ما يمارس

2 انظر الأعمال الشعرية لراشد حسين.

3 انظر «ستائر العتمة»، ص 16 بتصرف.

في السجون الإسرائيلية من أساليب التعذيب على الأسرى الفلسطينيين، ولاسيما في مرحلة التحقيق للحصول على اعترافات تفيد المحتل في القبض على المناهضين له. بدءًا من غرف العصافير التي يتم فيها خداع الأسير، وصولا إلى عملية الشبح المتواصلة على كرسي لساعات طويلة يكون فيها المعتقل مربوط اليدين والقدمين إلى الخلف. بالإضافة إلى اعتقال الأهل وتعذيبهم كوسيلة ضغط، للاعتراف بما يريده المحقق الإسرائيلي.

وتحكي الأسيرة السابقة عائشة عودة (1944-) في روايتها «أحلام بالحرية» عن وجودها في سجن الاحتلال أكثر من مرة. فقد اعتقلت وتعرضت لأقسى أشكال المعاناة الجسدية والنفسية والمعنوية والوجدانية والعاطفية، على إثر مشاركتها في وضع قنابل في السوبر سول في القدس الغربية. فنسفوا منزل أسرتها، وحكموا عليها بإعدام خُفف إلى عشر سنوات لاقت فيها تعذيبًا وصل حد محاولة اغتصابها.

تناولت عائشة في روايتها مرحلة التحقيق في زنازين الاحتلال، «فالمعتقل إنسان أعزل أمام آلة همجية، قد يضعف ويعترف وقد يصمد ويتحدى. في الحالة الأولى تتمزق روحه وتتشظى، وفي الحالة الثانية يمزقون جسده ويحولونه حطامًا».[4]

وفي كتابها الثاني «ثمنًا للشمس» تلقي الضوء على تجربة المناضلات الفلسطينيات الأسيرات في سجون الاحتلال الإسرائيلية، وما رافقهن من إذلال وعزل انفرادي وانتزاع الاعترافات منهن تحت التهديد. علاوة على حرمانهن من الزيارات، وانتهاك حقوقهن الأساسية. كما تشير إلى صمودهن في وجه تلك الظروف القاسية، وإلى تمردهن على العمل بالسخرة كالعبيد.

وعن موقف لها مع جندي إسرائيلي، قالت: «أراد جندي أن يتسلى، فأحضر

4 انظر رواية «أحلام بالحرية».

جندبًا وتقدم مني طالبًا أن آكله، فرفضت. هدد.. فرفضت بهدوء. رفضي.. مزق شرنقة القهر. تحول الجندي بجندبه إلى رسمية عودة، وطلب منها أن تأكله فرفضت بصوت أعلى وأشد. استدار إلى عزية وزوز فصرخت به. كانت صرختها كشراع نشر أذرعه للإبحار. رفع الجندي بندقيته ليضربها، فتحفزنا للدفاع عنها كأننا لم نكن قبل لحظات نئن من ثقل القهر. كان لذلك التحدي الصغير أثر كبير في نفوسنا، كأننا صهرنا قوة عصية على الانكسار».[5]

وقد تم تحرير عائشة وإبعادها إلى الأردن، في عملية النورس لتبادل الأسرى.

وعلى خلفية نضاله ضد الاحتلال الاسرائيلي اعتُقل رأفت خليل حمدونة (1970-) وحكم عليه بالسجن خمسة عشر عامًا أمضاها في عدة سجون، منها: نفحة، عزل الرملة، عسقلان، بئر السبع. ومن خلال تجربته، رأى بأن «إسرائيل لا تحتاج إلى مبرر لارتكاب جرائم الموت البطيء بحق الأسرى وتعذيبهم، وإطلاق النار عليهم لحظة اعتقالهم وداخل السجون والمعتقلات وحتى ما بعد التحرر».[6]

وقد تمكن رأفت حمدونة من تسجيل موقفه النضالي وتمسكه بالثوابت الوطنية، في رواياته: «عاشق من جنين»، «الشتات»، «قلبي والمخيم»، و«لن يموت الحلم».

وقد أكد هذا الموقف النضالي الأسير الشاعر حنا أبو حنا (1928-2022) من سجن الرملة، وأنشد يقول:

خسئوا فما حبسوا نشيدي

بل ألهبوا نار القصيد

5 انظر رواية «ثمنًا للشمس».

6 انظر رواية «الشتات».

نار تأجج، لا تكبل
بالسلاسل والقيود
نار، جحيم للطغاة
وزمرة العسف المريد
شرف لشعري أن يقض
مضاجع الخصم اللدود
فأعجب لشعر يستثير الرعب
في مهج الحديد
أقوى من السجن المُزنَّر
بالعساكر والسدود
أقوى وأصلبُ من حشود علوجهم
أبدا نشيدي.[7]

وتحديًا للمعاناة النفسية التي يعيشها المعتقلون في السجون الإسرائيلية، والتي نال نصيبه منها الشاعر توفيق زياد (1929-1994)، يقول في قصيدة «هنا باقون»:[8]

كأننا عشرون مستحيل
في اللد، والرملة، والجليل
هنا.. على صدوركم، باقون
كالجدار
وفي حلوقكم
كقطعة الزجاج، كالصبار
وفي عيونكم

7 انظر أعماله الشعرية الكاملة.

8 انظر القصيدة في ديوان توفيق زياد.

زوبعة من نار
هنا.. على صدوركم، باقون
كالجدار
ننظف الصحون في الحانات
ونملأ الكؤوس للسادات
ونمسح البلاط في المطابخ
السوداء
حتى نسل لقمة الصغار
من بين أنيابكم الزرقاء
هنا على صدوركم باقون،
كالجدار
نجوع.. نعرى.. نتحدى
ننشد الأشعار
ونملأ الشوارع الغضاب
بالمظاهرات
ونملأ السجون كبرياء
ونصنع الأطفال.. جيلا
ثائرًا.. وراء جيل
كأننا عشرون مستحيل
في اللد، والرملة، والجليل
إنا هنا باقون
فلتشربوا البحرا
نحرس ظل التين والزيتون
ونزرع الأفكار، كالخمير في
العجين

برودة الجليد في أعصابنا
وفي قلوبنا جهنم حمرا
إذا عطشنا نعصر الصخرا
ونأكل التراب إن جعنا..
ولا نرحل
وبالدم الزكي لا نبخل..لا
نبخل.. لا نبخل..
هنا.. لنا ماض.. وحاضر
.. ومستقبل

إن كل الروايات والقصائد التي خرجت من أقبية السجون وعذاباتها، تؤكد على أن كلمة الأسير والجريح تعدل السيف قوة ومضاء. فقد تناول هذا الأدب محاور عديدة، منها المواجهة مع العدو، التحدي والحرمان، الصمود، الانتماء، الحنين للأهل والأبناء والأصحاب، رفض القيود والتمرد عليها، ومحاولة كسر طوق العزلة.

فالشاعر عبد الناصر صالح (1957-) وقد تعرض للملاحقة والمطاردة والاعتقال، وسجن في «معتقل أنصار 3» في صحراء النقب، كتب أشعارًا تشير إلى صموده وتروي معاناته من العزل في الزنزانة، وتعبر عن مشاعره نحو أهله ووطنه وانتفاضة الحجر. ويصور نفسه في إحدى قصائده طفلًا يلوذ بحضن أمه من وحدته القاتلة، فيقول من سجنه في طولكرم في قصيدة «رسائل من الزنزانة.. إلى أمي»:[9]

1

الموكب الموعود شق طريقه عبر البحار
وسرى.. تعانقه النسائم والمحار

9 انظر «الفارس الذي قتل قبل المبارزة».

ورأيت طلعتك الندية من بعيد
مَثُلَتْ أمامي مثل طيف لا يحيد
أماه يا لحن النهار
هل تسمعين
القلب يخفق والتشوق والحنين
أماه ليتك تسمعين ندائي الملهوف يخترق
الجدار
يأتي إليك مع الطيور الباكيات على الديار
يأتي مع المطر المحلق فوق أطلال المآسي
والألم
أماه يا أحلى نغم!
يا من خلقتِ وجوديَ المشهود من جوف العدم
كبر الأسير وأبرقت عيناه..
وهفا الفؤاد إلى الحياة..
أماه هللتْ النجوم على القمم
2
عام مضى هل تعرفين؟
جحدت به الأيام وجهي
لم تقل: كيف السجين؟
عام مضى أماه ليتك تعرفين..
الدمع يلهث في العيون
والقيد أدماني وفاضت بي الشجون
أماه هل تأتي النجاة؟
أماه وجهك لا أراه
عام مضى وصفاء قلبك لا أراه

أماه هل تأتي النجاة؟
دجت الحياة .. وجف دمعي في الحياة

أما محمود الغرباوي (1951-2012) فقد وضع اللبنة الأولى لثقافة وأدب المعتقلات من خلال قصائد سجل فيها معاناة الأسرى وبطولاتهم وتحدياتهم. أمضى محمود اثنين وعشرين عامًا متنقلًا في غرف السجون الصهيونية وبين زنازين العزل الانفرادي، مع كثير من التعذيب الجسدي والنفسي؛ فيقول:[10]

من أنت إلّا بضع أرقام لدى ملك السجون
بضع أرقام تقرر أن تكون
بضع أوراق لترتيب التآكل، والتنفس والتعب
وأخرى
سلام عليكَ، سلام عليّ
أما زلت تذكر
أنا ما نسيت
فبالأمس كنا نموت اشتياقًا
وها نحن صرنا نموت انتظارًا
فماذا صنعنا بموت جميل

إنه القتل البطيء لضحية، يخشى القاتل أن يترك بصمته الوحشية عليها.

ويكتب السجين عبد الله البرغوثي (1972-) رسالة إلى ابنته يصف فيها مشاعره وهو في الزنزانة، فيقول:

«أمضيت ستة أشهر في زنازين التحقيق دون أن أكشف عن أي شيء، فقد رأيت الموت وكلمته وصارعته في جلسات التحقيق التي كسرت خلالها عظامي ولم تكسر بها بوابة الدخول إلى أسراري. تلك الأسرار التي ما زلت أقبع حيث أنا لأنني ما زلت أحتفظ بها مدفونة بعقلي في زنزانة العزل الانفرادي

10 انظر «الفجر والقضبان».

الجائر منذ أن اعتقلت. ومنذ أن توقف التحقيق معي، لكنه لم ينته منذ قرابة عشرة أعوام، فأنا يا ابنتي متهم من قبل قوات الاحتلال بأني قمت بتنفيذ مائة وثماني عشرة عملية ضد العدو الصهيوني خلال مشواري الجهادي. فخلال الأعوام الماضية تم اقتيادي إلى التحقيق أربع مرات على عدد من القضايا الأمنية الجهادية التي حدثت بعد أسري بادعاء أنّ لي يدًا فيها».[11]

وتستذكر السجينة عائشة عودة مرحلة التحقيق معها في روايتها «أحلام بالحرية»، فتقول: «صَفْعٌ على الوجه، ضَرْبٌ على الرأس، ضرب الرأس في الحائط، شدّ الشعر إلى الأعلى، ركل بالأقدام، ضرب بالكفين على الأذنين، ضرب بالكرباج على مختلف أنحاء الجسد، شتائم ومسبات بذيئة، إهانة وإذلال، حرمان من الطعام، حرمان من النوم برش الماء وتسليط ضوء قوي على الوجه، الوقوف فترة طويلة والوجه إلى الحائط والذراعان مرفوعتان، دلق الماء البارد بعد جولة من الضرب، حرب نفسية بالتهديد بالشلل والعمى، والاغتصاب وتعرية الجسد أمام المعتقلين».[12]

وقد ورد في بحث قام به الباحث المختص بقضايا الأسرى الفلسطينيين الأسير السابق عبد الناصر فراونة، بأنه صدر 19 ألف قرار إداري بحق المعتقلين منذ بدء انتفاضة الأقصى في العام 2000 وأضاف بأن العام 2007 كان الأكثر ارتفاعًا، حيث سجل 3101 قرارًا إداريًا. وقد طالت هذه القرارات أطفالًا وشيوخًا ونساء وشبابًا، ونخبة من المثقفين والطلبة والقيادات السياسية والنقابية ونوابًا في المجلس التشريعي ووزراء سابقين في حكومات فلسطينية.[13]

---

11 انظر «مهندس على الطريق.. أمير الظل».

12 انظر «أحلام بالحرية».

13 انظر موقع فلسطين خلف القضبان.

8

السجن «معتقل أنصار» اللبناني التابع لإسرائيل

في رواية «باب الشمس» يوسع الكاتب اللبناني إلياس خوري مروحته في حديثه عن السجن السياسي، فيأتي على ذكر «معتقل أنصار» الذي أنشأته إسرائيل عام 1982 في لبنان رديفًا للسجن الإسرائيلي في أعقاب اجتياحها لبنان واحتلال بيروت، واعتقال الآلاف من الفلسطينيين واللبنانيين وزجهم فيه.

وعن تجربة الفدائي يونس الأسدي الذي أسرته القوات اللبنانية الملحقة بإسرائيل، على خلفية قيامه مع عدد من رفاقه بعمليات عسكرية مسلحة ضد الاحتلال الإسرائيلي من الجنوب اللبناني، يقول:

«كنت في قبو تحت الأرض، ظلام ورطوبة وبرد. لم أر وجه المحقق سوى مرة واحدة، كان البرد يسكنني وكان وجع العظام الباردة يسحقني من الداخل.

فالبرد حين يسكن العظام، يجعلها قطعا من الألم متجمدة. حتى هيكلي العظمي صار وكأنه قطع من الثلج».[1]

وفي النظارة وحينما كان يونس يتدحرج بين الأرجل وأحذية ثلاثة رجال

1 ص 59

مُعذِبين، دخل المحقق اللبناني فتراجعت الأحذية عن وجهه.

«أوقفوني، فكنت عاجزًا عن الوقوف. أسندني أحدهم إلى الحائط ووضع تحت ذراعه عنقي، وقام بضربي بقبضته الملفوفة بجنزير حديدي على فمي، وانبثق الألم».[2]

استمرأ المحقق مـا يجري ليونس، فطلب منه أن يبلع ريقه وأن يبصق ويتقيأ. في الوقت الذي كان فيه عنصر الأمن يغلق له فمه بيده، ليجبره على بلع أسنانه المحطمة.

وفي المعتقل ذاته وضعوا خليل بعد أسره، وربطوه إلى شِباك تشبه أقفاص الحيوانات. «عصبوا عيني ولفوني بما يشبه الحبال وأخذوني إلى السجن الإسرائيلي، قبل أن أُنقل إلى معتقل أنصار. كنّا آلافًا وسط حقل أجرد تحيط به الأسلاك الشائكة، نداوي همومنا بهمومنا كما كنا نقول».[3]

وتوكيدًا على هول المعاناة النفسية التي يعيشها المعتقلون، يتذكر المعتقل عبد المعطي ما حصل في أثناء التشميسة في ساحة البعنة:

«كان بين المعتقلين رجلان طلبا أذنًا لجلب الماء، فقال لهما الضابط اتبعاني. خرجا من الساحة ومشيا باتجاه النبع، سُمع بعدها صوت رصاصتين. عاد الضابط ولم يعد الرجلان. بعد أكثر من ساعة، وقف كهل وسأل عن الماء. فنظر إليه الضابط باحتقار، وسحب مسدسه. قرب فوهته من جبين الرجل، وضع الفوهة بين عينيه ولم يطلق النار. ارتجف الكهل، واستمر في ارتجافه، حتى بعد أن أعاد الضابط المسدس إلى خصره».[4]

2 نفسه، ص 60

3 نفسه، ص 66

4 نفسه، ص 74

9

السجن الفلسطيني

لم تنته غربة الفلسطيني وأسره لم يتوقف، حتى من قبل أخوة له في الوطن.

وقد جاء ذكر السجن الفلسطيني في رواية «باب الشمس»، من خلال علاقة الفصائل الفلسطينية ببعضها.

ففي أثناء الحرب الأهلية في لبنان، صار لكل فصيل فلسطيني سجنه الخاص به، ليضع فيه المغايرين لأفكاره ومواقفه. وقد كشف المعتقل خليل عن تعذيب الفلسطيني وإذلاله على يد أخيه الفلسطيني، فقال:

«اعتقلتني ميليشيا عين الحلوة، واقتادوني إلى السجن ورموني في قبو مظلم تحت الأرض مليء بالرطوبة ورائحة العفونة وتركوني. تعفنت في القبو عشرة أيام، كأنها عشر سنوات. اختلط الزمن في رأسي، وعشت تحت الأرض وكأني أطفو فوق ليل حياتي كله».[1]

وفي جلسة تحقيق، جاء رجل يحمل مخرزًا يستخدم عادة لتكسير ألواح الثلج. وبدأ يغرسه في صدر سميح ويطلب منه أن يعترف بما قام به. يقول سميح:

---

1 ص 456

«أمام لجنة التحقيق لم أشعر بالبلاهة، بل بالذل. البلاهة ليست ذلًا، إنها موقف. أما هناك فوقفت ذليلًا، وفقدت قدرتي على الدفاع عن نفسي».[2]

ولم يتوقف الأمر عند هذا الحد، أحدهم فك أزرار قميصه ورفعه إلى الأعلى مغطيًا به وجهه. أركبوه سيارة لاندروفر وأخذوه. وجد نفسه في زنزانة معتمة تشبه زنزانة اعتقاله الأول في إسرائيل. وتركوه يعيش، وكأنه في بطن الموت. «عشت في الظلام ثلاثة أيام، بلا طعام وبلا ماء. وكنت على يقين أنهم نسوني، وأنني سأموت داخل هذا القبو المعتم من غير أن يدري بي أحد».[3]

صحيح أن معاناة السجين الفلسطيني في السجون الإسرائيلية شديدة الألم، لكن الآلام تزداد حدة وعمقًا ومرارة في سجن الفلسطيني للفلسطيني فقط لأنه يختلف معه في الفكر والموقف. فأصعب السجون وأشدها مهانة للفلسطيني، هي سجون أهل القربى.

---

2 نفسه

3 نفسه، ص 469

الباب السابع:
أدب السجون

أدب السجون

في منتصف القرن الفائت حينما تحول قمع الآراء المخالفة للسلطة ظاهرة عامة ودائمة في الحياة العربية، التفت عدد من الأدباء العرب من السجناء ومن غيرهم إلى ما يدور في السجن السياسي من ظلم وقهر وإذلال، فامتشقوا أقلامهم وقدموا صورة واقعية عن الحياة خلف القضبان وما يتعرض له السجين من عسف وانتهاك لإنسانيته وثبت من خلال الأخبار والوثائق أنه ليس على وجه البسيطة مخلوق أكثر قسوة ولؤمًا من إنسان لا يتورع من قتل أخيه الإنسان، بأساليب تأنف منها الوحوش الأشد وحشية وضراوة.

«فتكاثرت النصوص التي تستعيد تجارب الخيبة والإحباط وسنوات السجن والمنفى، ومشاهد التعذيب ومطاردة المناضلين والمثقفين. وقد سلكت معظم الروايات التي أرّخَتْ لأزمنة الرصاص طريق البناء الفني المتقدم، حيث تحضر الذات والذاكرة والتاريخ وخطابات المرحلة العاكسة للمظاهر الاجتماعية-السياسية المقوضة للآمال والعزائم».[1]

وإذا كان من الطبيعي أن تنطوي هذه الروايات على قسط من الشهادة «إلا أن نصوصها لا تعزل السياسي عن بقية العناصر المؤطرة لحياة الناس، ولا عن الشكل المتنوع الحامل لمختلف المشاعر والتفاصيل واللغات. لذلك لا يمكن

1 «الرواية العربية بين المحلية والعالمية»/ محمد برادة، ص 26، ندوة مهرجان القرين الثقافي الحادي عشر، الكويت، 2004.

أن نختزلها في تسمية روايات عن الدكتاتورية أو القمع، بل هي روايات الحياة العربية من التاريخ المعاق واستحضار للقيم البديلة المتولدة في أتون مقاومة الانحراف والتسلط».[2]

ومن هذا المنظور نجد روايات ذات أبعاد عالمية إنسانيًا، مثل: «نجمة أغسطس» لصنع الله إبراهيم، و«شرق المتوسط» لعبد الرحمن منيف و«اللاز» للطاهر وطار، وسواها كثير.

ومن نظرة إلى الروايات التي سيأتي ذكرها نجد أن الكتابة فيها جاءت مزيجًا من الحياة اليومية التي يعيشها السجناء، ومن تداعيات وتأملات وذكريات مؤثرة. فتراوح بعضها بين المذكرات بما فيها من حرارة وحميمية، وبين العمل الإبداعي بما فيه من تجديد في الشكل والأسلوب. ويصح في هذا النوع من الكتابة ما قاله الناقد محمود أمين العالم (1922-2009)، «بأنها تندرج في الإطار الدرامي الذي يشكل فيها المعتقل الحدث، وما يتضمنه في حالة الفعل والحركة. إنه الحياة في ذروة احتدام الصراع بين الحدود القصوى لمكوناتها في مكان ضيق تنحصر فيه العلاقة بين الضحية ومجابهة جلادها. كما تتنوع تقنيات رواية السجن بين التداعيات والانتقال بين الزمان والمكان الداخلي والخارجي».[3]

يمثل الاعتقال والأسر والحبس والنفي ظاهرة اجتماعية حاضرة في المجتمعات العربية القديمة والحديثة، إلّا أنّ الأدباء العرب أهملوا الكتابة عنها زمنًا طويلًا. وشاركهم في هذا الإهمال الإعلام العربي الرسمي، بصمته عن الجرائم التي ترتكب في السجون بعامة وفي السياسية منها بخاصة.

ويرى الباحث فايز أبو شمالة في كتابه «السجن في الشعر الفلسطيني

2 المرجع نفسه.

3 انظر «أربعون عامًا من النقد التطبيقي»، مرجع سابق.

1967-2001» وقد أمضى عشر سنوات في السجون الإسرائيلية، أن أدب السجون هو »كل ما له علاقة بالوجدان والعاطفة الإنسانية وما تم التعبير عنه فنيًا، في القصة والرواية والشعر والخاطرة والأغنية والعمل المسرحي. ويتكون من شقين:

شق، يتعلق بالسجناء أنفسهم وما كتبوه من داخل السجن وما وثقوه في أثناء وجودهم وحتى بعد خروجهم منه. فالتجربة قائمة، وتنعكس في التعبير لسنوات طويلة. والشق الثاني، يتعلق بما عبّر عنه الأدباء خارج السجن، ولاسيما أولئك الذين تخيلوا حياة السجن وعاشوا بوجدانهم تجربة السجناء».[4]

ولقد أشرت في منهج البحث إلى أن هذا النوع من الأدب، في شقيه الشعري والنثري، ليس طارئًا على العرب بل له جذور ممتدة في التاريخ قبل الإسلام وبعده. ففي العصور القديمة وحين كان الشعر ديوان العرب، لم ينج الشعراء من نقمة الخلفاء والولاة والحكام وأحكامهم الجائرة. فقد حاصرتهم تلك الأنظمة المتعسفة ووضعتهم بين حدين، إما الاعتقال والأسر أو الرضوخ لمشيئتها.

فدخل بعضهم السجون، وفرّ بعضهم بعيدًا عن العيون. فيما نُفي آخرون خارج حواضرهم ومضاربهم، بسبب كلمة تفوهوا بها أو قصيدة نظموها أو مقالة نشروها. فإن وقع الأديب في قبضة السلطة أو تمكن من الإفلات منها، فهو في الحالتين بين غربتي الأسر والخوف. وقد عكست تجربة المعتقلات بعدًا إنسانيًا يتصل بالظلم من جانبين: ظلم وقع على الأدباء وبه دخلوا السجن من غير وجه حق وما استطاعوا رده، وظلم مورس عليهم نفسيًا وبدنيًا داخل السجن. قد تمكن هؤلاء الأدباء من الانتصار على كل ذلك بمواهبهم

4 انظر «السجن في الشعر الفلسطيني»، مرجع سابق.

الإبداعية، وبصمودهم وإيمانهم بالقضية التي حبسوا بها. فخرجوا من حبوسهم بأدب دّالٍ على رحم المعاناة اليومية، وعذابات الزنازين وظلامية العنف. ولهذا ليس غريبًا أن تصبح القصيدة أو الرواية وسيلة للأديب ليثأر بها من غريمه، ويسرد ويصور فيها تجربته المريرة وما في نفسه من قهر وألم. وتأتي قيمة هذا النوع من الأدب من كونه صادقًا، يتضمن ما اختزنته عقول وصدور السجناء والأسرى والمنفيين في زمن ما وفي مكان ما، ويؤكد على ما تنوء به المجتمعات العربية من قمع واستبداد. وعلى ذلك تحولت الأشعار والسرديات بما تحمله من دلالات إلى تجربة أعم وأشمل، لأنها انسحبت على السياسيين والمفكرين وأصحاب الرأي من مختلف الفئات العمرية، وعلى كل من يعاني من الاضطهاد والتشريد.

تعود بدايات أدب السجون إلى مرحلة الاستعمار البريطاني على مصر، ومن رواية «وراء القضبان» التي صدرت في العام 1949 للكاتب أحمد حسين وضمّنها حكايته، وما تعرض له من مهانة وتعذيب وحشي في سجن النظام الملكي وفي سجن ثورة يوليو.

فحفزت تلك الرواية الأدباء والنقاد العرب للالتفات إلى السجن السياسي، ودوره المهم في بناء مادة درامية. فتوالت الأعمال الروائية والشعرية والمسرحية، وظهر نوع أدبي جديد اسمه أدب السجون يحمل تجربة الأسر والرعب والصمود.[5]

وبعد رواية «وراء القضبان» صدر في مصر روايات عديدة، من أبرزها:

«العين ذات الجفن المعدني» لشريف حتاتة (1923-2017) الذي أمضى في السجن خمسة عشر عامًا، قبل ثورة يوليو وبعدها، على خلفية أفكاره اليسارية وإيمانه بالاشتراكية.

5 انظر «أدب السجون»، مرجع سابق، ص 27 بتصرف.

ويشير الأديب السعودي عبد الرحمن منيف (1933-2004) إلى أن هزيمة العرب أمام إسرائيل في حرب حزيران 1967 هي التي دفعته إلى كتابة الرواية، ليس وسيلة للهروب وإنما وسيلة للمواجهة. وقال لنفسه: عالم عربي بهذا الاتساع وبهذه الإمكانات يتساقط ويهوي، يعني بأن هناك خللًا كبيرًا في الحياة العربية، ولا بد من اكتشاف هذا الخلل وفضحه وربما تكون الرواية هي الوسيلة الأساسية. وهذا ما كان..

ففي العام 1975 صدرت له رواية «شرق المتوسط»، وعُدّتْ نقلة جريئة في عالم أدب السجون مع أنه لم يجرب الاعتقال ولم يدخل السجن.

تطرقت الرواية إلى وضع المعارضة السياسية في بلدان الشرق الأوسط، من خلال شخصية رجب إسماعيل السياسي المثقف الذي أمضى خمس سنوات في سبعة سجون في شرق المتوسط، عانى فيها من القمع والتعذيب مما يصعب توصيفه. هذا عدا شعوره بالتمزق بين فكي التحرر القومي مع الاستبداد، أو الاستعمار الأجنبي. فما إن صعد رجب إلى متن السفينة المبحرة إلى الغرب للعلاج حتى عادت به الذاكرة إلى السجن وجدرانه الضيقة، وإلى لحظات ضعفه وتخاذله. فتمنى أن تسرع السفينة بالابتعاد عن شرق المتوسط، لكي ينسى ما مر فيه من أوجاع.

لقد اكتسبت رواية «شرق المتوسط» فرادتها ومكانتها العالية، من كونها جاءت خالية من أسماء الحكام والسجون والمدن. لكن هذا الاسلوب لم يمنع قارئها العربي من الشعور بأنها كتبت عن وطنه. فالقمع والتسلط والاستبداد، نهج مقدس في المنطقة العربية.

بعد هذه الرواية صدرت روايات عديدة تضمنت تجارب أدباء التهمت السجون زهرة شبابهم، منها: «الحقد الأسود أو السوار» للعراقي شاكر خصباك، و«المستنقعات الضوئية» للكويتي إسماعيل فهد إسماعيل، و«السجن»

للسوري نبيل سليمان. و«أيام الرمادة: حكايات خلف القضبان» للفلسطيني نواف العامر، و«لن يموت الحلم» للفلسطيني رأفت خليل حمدونة، وكتاب «مذكراتي في سجن النساء» للمصرية نوال السعداوي، ورواية «تلك الرائحة» للمصري صنع الله إبراهيم (1937-) التي كتبها من تجربته في السجن التي امتدت إلى خمس سنوات، ولم يتبع فيها تسلسلًا زمنيًا كما أنه لم يضمنها حبكة. فالبطل فيها بلا اسم وبلا عنوان، وكأن صنع الله إبراهيم أراد بهذا أن يؤكد على الضياع الذي يحكم المواطن العربي في وطن يفتقد أجواء الحرية والعدالة الاجتماعية، ويحضر فيه العسف والاعتقال:

«قال الضابط: ما هو عنوانك؟ قلت: ليس لي عنوان. وتطلع إليّ في دهشة: إلى أين إذا ستذهب، أو أين ستقيم؟ قلت: لا أعرف. ليس لي أحد. قال الضابط: لا أستطيع أن أتركك تذهب هكذا. قلت: لقد كنت أعيش بمفردي. قال: لا بد أن نعرف مكانك لنذهب إليك كل ليلة. ليذهب معك العسكري».

وفي روايته «شرف» ناقش صنع الله فيها أسرار السجون المصرية بكلمة عالية النبرة، وأشار إلى ما تخفي في داخلها من فساد وطغيان وظلم وتعذيب. فقد دخل «شرف» الذي تحمل الرواية اسمه، السجن بتهمة قتل سائح أجنبي في موقف انتهاك جنسي. وهناك أيضًا كان الطبيب رمزي المسجون بتهمة الارتشاء، التي يتكشف من خلالها ما ترتكبه شركات الأدوية من جرائم ومخالفات.

ومن بين أشهر ما كُتب في هذا الجنس الأدبي رواية «القوقعة» للناشط السياسي السوري مصطفى خليفة (1948-)، وتناول فيها تجربته في سجن تدمر وما تعرض له من تنكيل نفسي وجسدي.

فقد تَمَثّلَ الكاتب في الرواية بشخصية شاب مسيحي أنهى دراسته بالإخراج

السينمائي في فرنسا، وحين عودته إلى الوطن ألقي القبض عليه في مطار دمشق بتهمة انتمائه إلى تنظيم «الإخوان المسلمون». تهمة لفقها له أحد زملائه، ألقت به في السجن ثلاثة عشر عامًا. ومن خلال قوقعته شهد رعبًا يصعب وصفه، وتوصيفه. ولأنه مسيحي عانى في السجن اضطهادًا مزدوجًا، من السجان الذي لم يصدق أنه مسيحي ومن المسجونين الإسلاميين الذين عدّوه جاسوسًا للنظام.

بُنيت «القوقعة» على تلصص الكاتب السجين على ما يجري خارج زنزانته من خلال ثقب في الجدار، مكّنه من التعرف إلى ما يتعرض له السجناء من انتهاكات جسدية ونفسية. «فجسد قضى بعد حفلة تعذيب، وجسد أفرغ فيه السجانون وحشهم الجنسي، وجسد يحكي عن سياسة التجويع والحرمان من الرعاية الصحية، وجسد ذلك الفتى يحكي إجبار السجناء الأكبر سنًا على اغتصابه علنًا أمام الجميع».

لقد كان مصطفى خليفة، بشخص بطله، شاهدًا حيًا على موت الإنسانية، وفقدان الشعور بالكرامة. ورأى السجناء الذين انتحروا لأنهم لم يطيقوا وجودهم في مكان لا حياة فيه، وتحت حكم لا يرحم. «أكثرنا جمالًا وحساسية هم من انتحروا إذ لم يستطيعوا التصالح مع هذا الواقع غير السليم، فكانوا بين الجنون أو الانتحار».

وشعر بالوجع عندما حُرم من الفضفضة البصرية مع رفاقه في الزنزانة، فالحديث والنظر إلى من يقاسمونه الزنزانة ممنوع. وهذا القرار أدخل الشاب الطموح الراغب بالحياة في قوقعتين: قوقعة السجن وقوقعة منعه من النظر إلى الآخر. وبرغم كل ما كتب من مواجع وقهر وإذلال، تبقى الحقيقة والوقائع في رأيه أقوى من كل كلمة. ويشير خليفة إلى مفارقة مؤلمة، وهي أن سجن تدمر الذي يُعدّ الأشد وحشية في العالم يرفع فوق بوابته آية: «ولكم في القصاص

حياة يا أولي الألباب»!

وفي كتاب «بين السجن والمنفى» الذي صدر بصورة غير رسمية في العام 1981 يروي الأديب السعودي أحمد عبد الغفور العطار (1916-1991) قصة اعتقاله مدة تسعة أشهر متفرقة على خلفية وشاية ادعت أنه في أثناء وجوده في مصر للدراسة، كتب في «جريدة الغريب» مقالة حمل فيها على المملكة العربية السعودية.

فَأُلقي العطار خمسين يومًا في سجن بمكة المكرمة، كان يُستخدم فرنًا. وعن ذلك يقول العطار: «فترة من حياتي عشتها خلف أبواب متينة مغلقة لا تفتح إلا نادرًا، ووراء جدار كجدار السدود». ولم تمر غير شهور قليلة حتى ألقي القبض عليه مرة ثانية، ونفي إلى الرياض وزج في سجنها «المصمك» سبعة شهور وعشرة أيام، بتهمة الالحاد في كتابه «كتابي» الذي طبع على نفقة الأمير فيصل.

ويقول: «شعرت وأنا أمشي مع رئيس المنطقة، بعد التحقيق معي من قبل مدير الأمن العام، بأنه لم يبق لي من الحياة غير الأربع والعشرين ساعة، إلّا إذا أدركني الله سبحانه وتعالى برحمته. وما كانت طرق التعذيب ووسائل الشدة بخافية عليّ، فكل ذلك معروف للناس، «الجلد المبرح حد التلف، الكي بالسفافيد، قطع الأنامل، حصر البول، الوخز واللذع في المواضع الحساسة لانتزاع الاعتراف».

ورواية «الكراديب، أو أطياف الأزقة المهجورة» الصادرة في العام 1998 للكاتب السعودي تركي الحمد (1952-) وتتضمن تجربته في السجن زمن الستينيات من القرن الفائت، وهي واحدة من ثلاثيته الروائية «العدامة»، و«الشميسي».

«كان عوض مخلصًا في إمساكه بالفلقة، فلم تفلح حركة هشام العابر إلّا

في جعل سلسلة القيد تصدر أصواتًا كصوت ناقوس في جمعة حزينة». «ومع علو الخيزرانة وهبوطها، أخذت قدماه تتحولان إلى شيء غريب عنه. إنه يراهما ويعلم أنهما قدماه، ولكنه لا يحس بأي علاقة معهما. توقف عن الصراخ وهدأت حركة القدمين وأخذت الأشياء من حوله تتحول إلى أرواح وأشباح وظلال لا جسم لها، وإحساس كأنه بدأ يهوي في بئر عميقة لا قرار لها. أو كأن حوت يونس ابتلعه فجأة، دون أمل في نجدة الرحمن. وبدأت ألوان مختلفة تحيط بالخيزرانة وهي تعلو وتهبط بلا كلل أو ملل، وتحول جلجل وعوض إلى كتلتين لا ملامح لهما. وبدأ النور يخف شيئًا فشيئًا والخيزرانة الصفراء اللعينة لا تكف عن الحركة، وكأنها قد تحولت إلى حركة بذاتها. انتهى الألم تمامًا وأطبق الظلام وأحس هشام برغبة في النوم العميق».

ورواية «الشرنقه» الصادرة في العام 1998 للكاتبة السورية حسيبة عبد الرحمن (1959-) التي اعتقلت بتهمة الانتماء إلى حزب سياسي معارض للنظام، وعقابًا لها على إعلاء صوتها في زمن غابت فيه الأصوات. أمضت حسيبة في السجن سبع سنوات متفرقات، فكتبت أحداثًا عن نساء سوريات مختلفات في الفكر والانتماء، عانين من عتمة السجن السياسي وسطوة السجان مما جعل بعض النقاد يصنفون الروايةَ في حقل السرد السيري. توصّف الرواية القمع العربي الهائل القسوة، والمكابدة التي قدمتها المرأة المعارِضة في السجون وفي الحياة عامة: «كُتب علينا رفع الأرجل في الفراش، وفي الدولاب». «إنها ضريبة كل امرأة ترفع رأسها قليلًا، فإذا فشلت السلطات في تدميرها يدمرها الأقربون». وعن الموت الذي صار قريبًا من الجميع بشكل أو بآخر، تقول:

«لا كلام أمام تابوت الموت، يحاول أن ينجو من الموت، وجثته دخلت التابوت هربًا من الحياة. فلم تنج وحياة شعب بأكمله بات ثمنها رصاصة واحدة، تنتظر أجسادًا تستعد هي الأخرى للسقوط». لكن الروائية وبرغم مكابدتها من العسف والذل والإهانة، تقول عن هذه التجربة: «كانت أغنى

تجربة أعيشها»، و«كانت فرصة كبيرة للتعرف على الآخر».

وأيضًا هناك كتاب «جدار بين ظلمتين» الصادر في العام 2003 عن تجربة الكاتب العراقي رفعة الجادرجي (1926-2020) في السجن، وتَشاركَ بكتابته مع زوجته بلقيس شرارة (1933-1997). فقد تعرضا، رفعة وبلقيس، لمحنة قاسية دامت عشرين شهرًا لم يتمكنا من تناسيها أو التغاضي عنها، فسجلاها بعد مرور خمس عشرة سنة لكي لا تضيع في متاهات النسيان.

«في أحداث تلك المحنة كان يفصلنا جدار غير قابل للاختراق، جعل كلّا منّا في ظلمة بمعزل عن الآخر. لذا قررنا أن يكتب كل واحد فينا من موقعه من ذلك الجدار الذي يفصلنا». تنقل رفعة بين زنزانات صغيرة جدًا، وسجون أكبر منها. في حين كانت بلقيس تعيش في سجن كبير هو العراق، يحرم المواطن فيه من التنفس بحرية ومن الحلم بأمان.

يصف رفعة الجادرجي في الكتاب سجينًا تصدر عنه أصوات تأوه، والحراس يهددونه بالضرب وتكسير الضلوع إن واصل ذلك. فعندما يبدأ «بطرق باب الحديد، يُسحب إلى الممر ونسمع أصوات ضربات الحارس على جسده، ومع كل ضربة تصدر صرخة أخرى. وتتكرر الضربات تجاوبًا مع كل صرخة أو يتعاقب الصراخ مع الضربات». «كان كل واحد منّا يجمد في مكانه ملتفًا ببطانيته ونسمع أحدنا يهمس في أذن الآخر: هذه وحشية، ظلم، ويضع أحدنا رأسه بين يديه لِمَ هذه الوحشية؟ لو يموت أحسن له. ويبكي أحدنا، ويبقى الآخر كئيبًا مدة من الزمن. ويستمر الضرب ويزداد معه الأنين وتقل نسبة سماعه، ثم ينقطع».

أما بلقيس فتصف لحظة تبلغها الحكم بالمؤبد على رفعة، فتقول:

«شاهدتُ نصير أخا زوجي عن بعد يتلكأ بخطواته، وقرأت في وجهه المتجهم والممتقع قرار قسوة الحكم الصادر بحق رفعة. جلس على كرسي

بجانبي، يسود بيننا الصمت ويخيم الوجوم. شعرت بعبء الحزن والألم اللذين كان ينوء تحتهما، فقد جثت الكلمات ضاغطة على شفتيه وأزاح ما ينوء به عندما نطق كلمة «مؤبد». كانت كلمة مؤبد كإعصار هز كياني، صعقت من شدة الصدمة بعد انتظار دام مائة واثنين وخمسين يومًا وكنت أتوقع براءته وعودته إلى داره».

ويستذكر رفعة معاناتهم من الجوع، فيقول:

«الجوع الذي عانينا منه جوع مثبط لأنه مقترن بقلق، فنحن لا نعلم كم سيدوم وما سيرافقه من مفاجآت. ولكل منا في الزنزانة روايات عن تلك المفاجآت، إنه جوع يخضع لنظام صارم ونحن آخر من يعلم بمواعيده ومسبباته. فهو ليس جوع العوز، إنه جوع يهدف إلى إخضاع إرادة الفرد وإذلاله وتحطيم معنوياته وإضعاف بدنه ليتحقق بذلك إضعاف نفسيته أيضًا».

وكان من جملة معاناة السجناء أنهم تعرضوا للقمل بأنواعه بسبب الرطوبة وعدم رؤية الشمس وقلة الاستحمام، يقول الجادرجي:

«عندما امتلأت ملابسي بالقمل وأخذ ينتشر في مختلف طياتها، خلعت البيجاما وبقيت بالسروال الداخلي ملتفًا بالبطانية. كان البعض منا ينصرف قبل غروب الشمس عندما تكون أشعتها موازية للفتحة الصغيرة في أعلى باب الزنزانة الحديدي في التفتيش عن القمل بين طيات ملابسهم. لم أتمكن من القيام بهذه العملية، لأنني كنت بلا نظارات».

كما ضمنت الروائية العراقية هيفاء زنكنة روايتها «أروقة الذاكرة» حكايتها في السجن وما مرت فيه من عذاب وما سمعته من أنين:

«لمدة أسبوعين لم أستطع النوم مصغية، نهارًا، لخطوات المعذبين منتظرة اصطحابي من جديد، وليلًا محاولة التعرف على أصوات المعذبين لمعرفة هوية

أصحابها. ذات يوم زارني طبيب السجن وأعطاني حبوبًا لمنع الالتهابات، وعطف عليّ أحد المُعذِبين ذات يوم، بعد أن رأى دم العادة الشهرية يغطي تنورتي وساقي، فأعطاني قميصًا قديمًا مزقته إلى قطع صغيرة حشرتها بين ساقي. ثم زاد عطفه عليّ فسمح لي بالذهاب إلى المرحاض ناولني سطلًا وممسحة لتنظيف الغرفة من الغائط والبول المتراكمين في زاوية الغرفة. بمرور الوقت، اعتاد الرجال وجودي هناك ولم يعودوا حريصين على أمري بالاستدارة نحو الحائط كلما مر معتقل آخر. حتى أنني ذات مرة، وقفت مع ما يشبه صفًا من المنتظرين أمام المرحاض. حمل الواقف أمامي سطلًا مملوءًا بالغائط والبول.. انزعج المُعَذِّب لتأخر أحدهم في الخروج، ففتح الباب وسحبه بقوة ثم أمر الواقف أمامي بتفريغ السطل على رأس رفيقه، بين ضحكات المُعذِّبين وسخريتهم. نظف الاثنان المكان، وتمت إعادتي إلى الغرفة، دون أن أحظى بالامتياز اليومي».

وتعد رواية «أحباب الله» للتونسي كمال الشارني أول عمل أدبي يروي عذابات القمع والاضطهاد السياسي، في زمن نظامي الحبيب بو رقيبة وزين العابدين بن علي. فجاءت شاهدًا على مرحلة شديدة البؤس من التاريخ الوطني التونسي، حين كانت أجهزة القمع ترمي بالتلاميذ إلى المعتقلات. وتخضعهم للتعذيب، لمجرد خروجهم في مظاهرات احتجاجية على الوضع المتردي معيشيًا. وقد وثّق الشارني في الرواية التي لم تنشر إلا بعد سقوط بن علي، حادثة اعتقاله والسنوات الخمس التي قضاها في السجن وهو طالب بالمرحلة الثانوية.

أما رواية «يا صاحبيّ السجن» للأردني أيمن العتوم الذي دخل السجن مائة يوم عقب ندوة شعرية أطال فيها لسانه على الملك فلم تكن رواية عن تجربة ذاتية فحسب، وإنما تندرج تحتها حالات الكثيرين من المعتقلين السياسيين العرب. فيقول: «مساكين أولئك الذين ظنوا أن الموت أو الغياب

السحيق سوف يودي بصاحب الجبّ، ولم يدر في خلدهم يومًا أن الفضاءات المطلقة تبدأ من الجحور الضيقة. فهناك تصنع الحياة ويعاد ترتيب مكوناتها، وهناك يتهجى الإنسان حروف ولادته من جديد». ويصف العتوم في روايته ظلمة الممرات وضيق الزنازين، «السجن جنات ونار، وأنا المغامر والغمار». ويشير إلى معاناته من غياب القلم والورق اللذين اشتاقا لهما، مثل اشتياقه للحرية. فكل شيء مهما قلّ صار حلمًا، مثل المرآة: «لم يكن أمامنا غير الأمل نافذة على الشمس تشق جيوب الظلام، تملكتني رغبة جامحة في النظر إلى المرآة لثانية واحدة، لأراني.. لأرى هذا الساكن فيّ ماذا تبقى منه وماذا تبقى له». أما أخطر ما في السجن من وجهة نظر العتوم، فيتمثل في فقدان الشعور بالكرامة وباحترام الذات: «لأنك إن فعلت صارت رقبتك بيد الجلاد، وصرت تتقبل منه الصفعة في وجه الكرامة على أنها قبلة في خد الرضا».

وفي العام 1980 اعتقل الكاتب ياسين الحاج صالح (1961-)، وحكمت عليه محكمة أمن الدولة بالسجن خمس عشرة سنة. أمضى من مدة محكوميته أربع سنوات في سجن المسلمية بحلب، والسنوات الباقيات في سجن عدرا. لكنهم لم يفرجوا عنه عندما انتهت المدة، وإنما أرسلوه إلى سجن تدمر ليمضي فيه سنة إضافية. وفي كتابه «بالخلاص يا شباب» يحكي عن تمكنه من ترويض وحش السجن وتحويله إلى تجربة انعتاق حقيقية، انعتاق عبر الصراع مع السجن ومع النفس ومع الغير، وعبر التعلم من الرفاق ومن الكتب.

«في السجن أبعاد من شخصيتنا تكفُّ عن النمو وتتقزم، وهذا ينطبق خاصة على البعد العاطفي». فلو كان للحب في السجن وجود، لخفف على السجناء من وطأة السجن. «فالسجن عالم بلا نساء، بلا علاقات عاطفية، بلا فتوحات غرامية، بلا حياة جنسية، بلا أزمات عاطفية حادة والشفاء منها». وقد دفع ياسين ثمن هذا النمو غير المتكافىء بعد الخروج من السجن، إذ قلما يتاح للسجناء أن يكبروا السنوات العاطفية التي لم يكبروها في السجن

بطريقة لطيفة وهادئة. وعلى هذا حاول ياسين أن يتقبل وضعه ويتأقلم مع واقع السجن، فيقول: «اعمل لسجنك كأنك مسجون أبدًا، واعمل لحريتك كأنك خارج غدًا».

وعنه وعن رفاقه، يقول: «حاولنا أن نحول السجن إلى بيت، نستوطنه نحوِّلهُ إلى وطن بشكل من الأشكال». لكن الخروج من السجن كان مجرد التفكير فيه يشكل لياسين معاناة كبيرة، «ماذا سأعمل بعد خروجي؟»

وغسان جباعي (1952-2022) الكاتب والمخرج السينمائي السوري الذي كان يسمع الصمت في السجن ويحس أن المكان مسكون بالأشباح، أمضى ما يقارب عشر سنوات من حياته من 1988 وحتى 1998، بين قضبان التحقيق العسكري وسجني تدمر وصيدنايا مع كثير من العتمة والإهانة وانكماش الروح ووجع الجسد. لكنه برغم ذلك استطاع أن يحمي حياته من الموت، بالحرف والكتابة.

في مجموعته الشعرية «رغوة الكلام»، يقول: «في عتمة السجن، تصبح الأشياء شفافة كالعين، ويستطيع الأعمى أن يلمس السماء بالأصابع». وفي روايته «قهوة الجنرال» يبدأ الأحداث من لحظة اعتقال البطل. فتنثال ذكرياته جدولًا من الحزن، وهو الشاهد الحقيقي على ما عاشه في السجن. عقله المتيقظ وخياله الجامح مكّناه من اختراق الزنزانة الضيقة والجدران العالية لكي يحافظ على ذاكرته ندية وليس مجرد شخص حي مقبور في قبر. لم يستطع غسان جباعي الخروج بروايته من سجنه بل ظل فيه، وكأنه بذلك أراد أن يأسر قراءه بالمشاهد التي رسمها بالألم ووجع الروح.

وهبة الدباغ الصبية السورية، التي طلب منها رجل الأمن أن تأتي معه لاستجواب لن يتجاوز «خمس دقائق»، فامتد تسع سنوات من 1981 إلى 1989. انتزعوا هبة من حياتها من غير أي ذنب رهينة للوصول إلى

أخيهـا الفار، وبذلك كانت الناجية الوحيدة من أسرتها الحموية التي أبيدت في العام 1981.

«خمس دقائق.. تسع سنوات» كتاب صدر في العام 1995، روت فيه هبة معاناتها من قهر وظلم وعذاب جسدي. «تقدم مني عنصر الأمن وطرحني على لوح من الخشب له أحزمة، طوَّق بها رقبتي ورسغيّ وبطني وركبتيّ ومشطيّ رجليّ. ولما تأكد من تثبيتي، رفع القسم السفلي من اللوح الخشبي فجأة، فبات كالزاوية القائمة. ووجدتني وأنا بين الدهشة والرعب مرفوعة الرجلين في الهواء، وقد سقط الجلباب عنهما ولم يعد يغطيهما غير الجوارب والسروال الشتوي الطويل، ولا قدرة لي على تحريك أي من مفاصل جسمي». تنقلت هبة خلال السنوات التسع بين سجون متعددة: السجن في كفرسوسة، كان لها رحلة خارج الزمن 1981-1982. وسجن قطنا، كان لها رحلة الموت البطيء 1982-1985 وفي سجن التحقيق العسكري، أحست وكأنها في غيابة الجب. وفي سجن دوما، عاشت معركة مع الزمن من 1985-1989 إلى أن تم الإفراج عنها في كانون الأول من العام 1989. تجاوزت هبة في روايتها أبعاد التجربة الذاتية، إلى حكايات السجينات اللواتي صادفتهن وعاشت ظروفهن الموجعة تحت سياط الجلاد وإهاناته. ولأنها تتضمن أسماء وتفاصيل دقيقة، يجعلها رواية توثيقية عن تلك المرحلة من سورية.

وفي العام 2011 اعتقل الأمن السوري المخرج السينمائي السوري فراس فياض مرتين في أثناء الثورة السورية، بتهمة التحريض على قلب نظام الحكم والإساءة إلى رئيس الدولة بوصفه له بالدكتاتور. ومرة ثانية في مطار دمشق وهو في طريقه إلى دبي، للمشاركة في فعاليات ثقافية وعرض فيلمه «على الضفة الأخرى» الذي يتحدث فيه عن اضطهاد الكلمة- الإنسان. يقول فراس:

«طـوال الطريـق إلى المطـار كـانت صور الثـورة تهبط على ذاكرتي، رائحـة

عرق زملائي، الهتافات، الأغاني، الوجوه المنتشية، عاطفة الجموع، الألوان، الخوف، أصوات الرصاص، اللون الأحمر، الانفجارات، الدموع، تلك الحالة السمع بصرية المذهلة التي نعيشها يوميًا. وفي المطار توقفت تلك الصور، لتظهر وجوه الأمن بعيونها المليئة بالشك والحقد.

لحظة نظروا في جواز السفر وعرفوا أني من إدلب وهي لهم سراقب، بنش، كفر نبل، وجبل الزاوية... ابتعد عنصر الأمن عني قليلًا. تحدث بالهاتف، وعاد ليطلب أن ننزوي في إحدى الزوايا لنتحدث. وعندما تأكد أني أسافر وحدي، غطوا رأسي بكيس ووضعوا جسدي داخل كيس آخر ورموني فوق حقائبي. على طريق العودة الى دمشق أخرجوني من الكيس وربطوا عينيّ، وبدأوا بضربي.

في فرع الأمن بقيت مقيدًا حتى الصباح، مع ما يكفي من الشتائم والضرب. ومن غير مقدمات افتتح المحقق تحقيقه معي بسؤال مباشر: ربيع براغ، هتلر، القائد، ربيع دمشق. بماذا يذكرك كل هذا؟

يذكرني أني كنت بعد كل سؤال وجواب حول الفيلم أحظى بصعقة كهربائية تتوقف فيها أنفاسي، وأسمع صوت خفقان قلبي أقوى من صوت صرخات المحقق. وعلى مدى ثلاثة أشهر انتقلت فيها من فرع أمني إلى فرع أمني آخر مع كثير من الضرب والإهانات، بسبب فيلمي الذي يصف القائد بالديكتاتور ويشبهه بهتلر».

وبعد الإفراج عنه، اضطر بفعل الضغط الأمني إلى مغادرة دمشق. وعن ذلك يقول:

«لحظة التفكير بالهجرة مؤلمة جدًا، لأنك ستفقد عاداتك الثورية التي صرت تمارسها يوميًا. ستفقد تفاصيل حياتك التي تجعلك ابن هذا المجتمع الذي تعيش فيه، لحظات التأهب الدائم والحماسة لكل شيء يصب في إسقاط

النظام. قد تشعر بالأمان في البلاد التي تصلها، لكنك تضيق برؤية الطرق ذاتها والصور ذاتها. لقد خسرت الفضاء العظيم المتمثل بعاداتي الثورية التي كنت أعيشها، فأنا حتى اليوم ما زلت أستيقظ باحثًا عن بقايا لي في مظاهرة».

ونقرأ عن الكاتب التونسي سمير ساسي، ما قاله بعد سجنه: «عجبت فعليًا من الانتصار على السجن، فلم أدعه يهزمني. بل حرك جذوة الإبداع في مكنوناتي، وصقل معارفي وخبراتي فكتبت وأنا في السجن رواية «خيوط الظلام» لأفضح السجون التونسية في عهد زين العابدين بن علي وما يمارس على المساجين من أصناف التعذيب».

والمحامي الكويتي محمد عبد القادر الجاسم اعتقل مدة 12 يومًا بتهمة التشهير برئيس مجلس الوزراء ناصر المحمد، وحكمت عليه المحكمة بالسجن ستة أشهر وأطلق سراحه بكفالة مالية. لكن محكمة الجنح ما لبثت أن أعادت النظر في الدعوى نفسها، وحكمت عليه في نوفمبر 2011 بالحبس مدة سنة مع الشغل والنفاذ. يروي الجاسم في كتابه «في طريقي إلى السجن» عن لحظات عاشها في حبسه، فيقول:

«في أحد أيام العيد، كان الجو ماطرًا، وكنت أتمنى مشاهدة المطر والاستماع إلى أنغام تساقط حباته. وكان يتواجد في مكان احتجازي أحد ضباط المباحث، فخاطبته قائلًا: هل يمكنني الاقتراب من الباب للاستمتاع بالأجواء الماطرة؟ فقال: لا بأس في ذلك، وسأرافقك. سحبنا كرسيين وجلسنا خارج المبنى تحت مظلة الباب... وفيما ينهمر المطر، استمعت إليه واستمع إلي. كانت لحظات جميلة عوضتني قليلًا عن أجواء الحرية».

وفريدة النقاش (1940-) المفكرة المصرية دخلت السجن أكثر من مرة كما تذكر في كتابها «السجن، الوطن»، فكانت فترة الأسر لها ممزوجة بالألم مضمخة بالوجع والقهر. وتروي عن مهاجمة قوات مباحث الدولة في

العام 1979 لمنزلهم ثلاث مرات متصلة في أثناء وجودهم فيه وفي غيابهم. وفي العام نفسه تم القبض عليها مرة أخرى بتهمة إرسال مقالات للخارج تهاجم فيها إسرائيل، وتنقد المعاهدة التي أبرمتها مصر معها. وتقول: «أقر وأعترف أنني لم أتعرض للتعذيب، وأقر وأعترف أنني تلقيت بعض الزيارات والكتب في سجن القناطر للنساء الذي حبست فيه انفراديًا مدة شهر ونصف الشهر». وتقول: «ليس في السجن ما يخيف. السجن سور، هو الباب المغلق على الحرارة والرطوبة والبق والصراصير. وهو برغم ماديته وبرغم العين السحرية للمخبرين وضباط المباحث في سجن القلعة، هو في النهاية سد معنوي يستطيع المناضل دائمًا عبوره بل واقتحامه لا بقوة أفكاره وحدها وإنما بصلابة روحه».

وبما أن لكل شيء في الحياة وجهين، سلبي وإيجابي، فهناك سجناء يجدون في السجن جوانب إيجابية برغم قتامته وهول المعاناة فيه، لأنه يتيح لهم التحليق بذاكرة متخيلة تساعدهم على الخروج منه بمذكرات أو بروايات مهمة.

فالروائية سلوى بكر (1949-) التي اعتقلت على خلفية مشاركتها في إضراب عمال السكك الحديد في مصر واتهامها بالعمل على قلب نظام مبارك، رأت في توقيفها أيامًا بسجن القناطر فرصة أتاحت لها أن تتعرف فيها على السجينات الجنائيات وأن تخرج منه برواية «العربة الذهبية لا تصعد إلى السماء». تدور أحداث الرواية في عالم السجن النسائي، وتتمحور حول الظروف التي أحاطت بتلك السجينات وأوصلتهن إلى وراء القضبان. وأيضًا عن دور المجتمع المصري وتأثيره على المرأة المصرية وفي حياتها. لقد أجادت الروائية في اختيار بطلة روايتها «العزيزة» التي دخلت السجن في مرحلة الشباب، وما زالت تحيا وهي في القضبان وبينها على ذكريات البيت بحلوها ومرها. فتهرب بذاكرتها المنفصلة عن الواقع المظلم إلى السماء في عربة ذهبية، رسمتها في خيالها وحملت فيها النزيلات اللواتي قهرن الزمن ودخلن

السجن برغم منهن. تصور الرواية الصراع بين بعض السجينات وأزواجهن، الذي أوصل الجميع إلى أن يسحق واحدهما الآخر. وهذه إشارة مهمة إلى القسوة التي يمارسها المجتمع على المرأة بوجه عام، غير مبال بامرأة غنية أو فقيرة، متعلمة أو جاهلة، حلوة أو هي غير ذلك. وكأن هذا المجتمع يقول لها: كوني أنثى... لتكوني تعسة. ويُعد المجتمع المصري أنموذجًا عن المجتمعات العربية، التي ما زالت الجنسوية فيها حالة حاضرة بشدة برغم حصول المرأة على أعلى الدرجات العلمية.

إنما وبرغم الإيجابيات التي يمكن للأديب السجين أن يحققها في سجنه، إلّا أن أهوال السجن أكبر من أي إيجابية. فالسجين حيّ وميت، في آن. جسد يتحرك وفي داخله نفس مدمرة روحيًا، وسنوات من عمره يقتنصها العسف والذل. الهواء النقي محرم عليه، والماء الصافي ممنوع عنه، والحمام الساخن حلم بعيد عن التحقيق. ومهما تكن قدرة السجين على مقاومة هذا الوضع واحتمال ظروفه القاسية، فإن قدرته تخف مع الأيام أمام عتمة الزنزانة وغياب شروط الحياة فيها.

يقول السجين عزيز بنبين في رواية، «تلك العتمة الباهرة»: «كان كل ما يحيط بهم، أي السجناء، يقوم على السواد، على تلك العتمة الحالكة. تلك الظلمات التي تنمي الخوف، الخوف من اللامرئي الخوف من المجهول. الموت يحوم في الأجواء، ولا يعرفون متى سيضرب ضربته القاضية لا كيف ولا بأي سلاح. وعندما التهبت مرارته وصار كل ما فيه ينضح مرًا، كان الوجع يمنحه صفاء غير معتاد ويمده بإيمان يبعده عن الإحباط واليأس. فبالصلاة استطاع أن يخفف عن جسده ألم التهاب المرارة، لكنه لم يستطع بها أن يخفف عن نفسه عبء صمت الليل وصمت الغياب».

الباب الثامن:
أدباء كتبوا عن السجن ولم يدخلوه

أدباء كتبوا عن السجن ولم يدخلوه

من قراءتي لعدد من الروايات عن السجون لحظت بأنها تراوحت بين المذكرات بما فيها من حرارة وحميمية، وبين العمل الإبداعي بما فيه من تجديد في الشكل وأسلوب التناول. ويحسب لهذا النوع من الروايات تحولات مدلولاتها إلى تجربة أعمّ وأشمل، فيرى فيها الدارس أنها تنسحب على جميع السجناء السياسيين بعيدًا عن انتماءاتهم الوطنية. كما تنطبق الكثير من أحداثها وتفاصيلها على معظم البلاد العربية، فأساليب القمع والترهيب والبطش عند الأنظمة واحدة.

فلم تقتصر كتابة هذا النوع من الأدب على الذين عاشوا تجربة السجن، بل امتدت إلى أدباء سمعوا عنها وعما يدور فيها من أهوال وإهانات للسجين وإنسانيته. وما نجده من تداخل بين الواقعي بالمتخيل في هذه الكتابات، يشير بكل وضوح إلى انتصار الحياة في المشاعر والأقلام التي لا تروم غير سلامة الوطن وخلوه من الشرور والأشرار.

فإذا كان الروائي الطاهر بن جلون لم يستطع أن يكتب عن مكوثه في معسكر تأديبي ثمانية عشر شهرًا بأمر من الجنرال أوفقير عقابًا له ولمجموعة من رفاقه المسؤولين في الاتحاد المغاربي للطلبة لدفاعهم عن الحرية والديمقراطية، إلّا أنه استطاع أن يكتب ببراعة «تلك العتمة الباهرة» برواية الضابط عزيز بن بنبين عن سنواته الطويلة في سجن تازمامارت بعد محاولة الانقلاب الفاشلة على

الملك الحسن الثاني. تمكن بن جلون وبأسلوبه الباذخ وتمكنه من التعبير، من إنجاز رواية مهمة عن أهوال ذلك السجن الذي يُعدّ أسطورة في التعذيب. فوصف أحوال السجناء وما يلاقونه من عسف ورعب وإهانات، وما يعيشونه من كراهية وصمت وجنون، وعن مقاومتهم للقهر وتمسكهم بالحياة والكرامة الإنسانية. وجاء في الرواية: «عندما دقت الساعة عصبوا عينيه وعيون رفاقه، ووضعوا الأصفاد في أيديهم وأصعدوهم إلى الشاحنة التي بدأت سيرها في شعاب وعرة جعلت الأجساد المتعبة ترتج طوال الليل. في هذا السجن الذهبي كما أسماه عزيز، أمضى أسبوعين لقي خلالها رعاية طبية ومعاملة إنسانية. وحينما جاء دوره للإفراج عنه، قالوا له أنه في غضون أيام سيعود إلى أسرته. وطلبوا منه عدم التعاون مع الصحافيين الأجانب الذي سيتصلون به، والامتناع عن التحدث إليهم والإجابة على أسئلتهم».[1]

فكتب بن جلون بلسان عزيز عن حالة السجناء في الليل: «كان الليل كسوتنا، وربما قيل في عالم آخر، إنه كان يحيطنا برعايته. لا أثر للنور، أو يعثر بكراز الماء، أو يطيح بكسرة الخبز اليابس التي يحتفظ بها البعض اتقاء لتشنجات المعدة».[2]

قدم بن جلون في الرواية بانوراما عن حقبة مهمة ومفصلية من تاريخ بلده في السبعينيات من القرن العشرين، «فاستنطق المكان ومفرداته، حيث الزنزانة تشبه القبر بمساحتها وانخفاض سقفها وبردها الشديد الذي كان يصيب السجناء إما بالرعدة أو بالإسهال. واستنطق الزمان ومن عاش فيه ضمن رؤية مشهدية غنية بالدلالات، ليعيد الحياة إلى إنسان توقفت سنوات عمره منذ لحظة القبض عليه في تموز 1971، والحكم عليه بالسجن عشر سنوات امتدت لتصبح ثماني عشرة سنة».[3]

كان على السجناء في تازمامارت أن يتعلموا بأن النهارات والليالي قد

تمازجت، وأنها تتشابه في كفافها المقيت. «كان عليهم أن يتخلوا عن التفاصيل اليومية التي كانوا يعملونها، مثل الاستيقاظ صباحًا، ودخول حجرة الاستحمام وحلق الذقون وفرك الأجسام بالصابون المعطر بالخزامى تحت ماء الدش الساخن، ثم ارتداء الثياب النظيفة المكوية وقراءة الجريدة مع ارتشاف فنجان القهوة».[4]

فها هم الثائرون يعتقلون ويسجنون وقد يُحاكَمون أو لا يُحاكَمون، وقد يعدمون فورًا أو يتركون للموت البطيء. هكذا يتم التعامل مع الإنسان الحر، في البلاد النامية: «علينا أن نكابد إلى الأبد اختبار الموت المتباطئ الفاسق الشاذ، الموت الذي يتلاعب بأعصابنا ويتلاعب بالقليل القليل الذي تبقى لنا».[5]

وفي رواية «باب الشمس» يحكي الروائي الفلسطيني اللبناني إلياس خوري قصة فلسطين أرضًا وبشرًا، عبر سلسلة من الحكايات المتشابكة والمتداخلة. يقدم فيها للأجيال حكاية وطن غاب عن العين، وبقي حاضرًا في القلب والروح.

تقوم الرواية على شخصيات عديدة متعددة المواقف والأفعال، أهمها الفدائي الفلسطيني «يونس الأسدي» الغارق في غيبوبة دماغية، ويشرف على حالته الفدائي السابق الدكتور خليل الذي يحاول يائسًا، إنقاذه من موت شبه محقق. فتاريخ يونس النضالي، يمثل الرمز الأبدي للصمود ضد الوجود الصهيوني. لقد قصد إلياس خوري من خلال تركيزه على موضوعة السجن، إلى بناء عالم موازٍ لعالم الواقع. فيلج عوالم السجن والسجين ليسلط الضوء على جانب إنساني مسكوت عنه من قبل السلطات المعنية، ووسائل الإعلام. فهو عندما يضع القارئ في قلب تجربة الأسر فلأنه يريده أن يعيش واقعًا حيًا، وليس مجرد كلام يمر أمام عينيه.[6]

ومع أن يونس البحري الذي يسمونه في المخيم «أبو سالم»، وفي عين الزيتون «أبو إبراهيم» وفي المهمات الصعبة «أبو صالح» وفي باب الشمس «يونس» وفي دير الأسد «الرجل» وفي القطاع الغربي «عز الدين»، هو العقد الناظم لأحداث الرواية، إلّا أن الكاتب لم يفرده بالبطولة وإنما جعل من جميع شخوصه أبطالًا وحضورًا متنوعًا لهم جميعًا. فها نحن أمام خليل وهو يروي بصوته تجربته القريبة زمنيًا في سجن أنصار الذي شيده الاحتلال الإسرائيلي في الجنوب اللبناني، بعد احتلال بيروت عام 1982:

«ربطوني إلى تلك الشِباك التي تشبه أقفاص الحيوانات، وعصبوا عينيّ ولفوني بما يشبه الحبال وأخذوني إلى السجن الإسرائيلي، قبل أن أنقل إلى معسكر أنصار. كنا آلافًا وسط حقل أجرد تحيط به الأسلاك الشائكة، نداوي همومنا بهمومنا كما كنا نقول. وفيه خسرت من وزني عشرين كيلو، وصرت نحيلًا وسقيمًا».(7)

ونذهب مع ذاكرة المعتقل عبد المعطي إلى الماضي البعيد، وتحديدًا إلى عام 1948 وما تم فيه من اعتقالات بساحة البعنة:

«جمعونا في الساحة، وتركونا مصلوبين تحت الشمس. يومها سمعت كلمة تشميسة لأول مرة من رجل كان يقف إلى جانبي قال: إنهم يشمسوننا قبل قتلنا».(8)

لكن عبد المعطي ما يلبث أن يعود إلى الحاضر، ليهمس لنفسه ما أشبه اليوم بالبارحة. فتشميسة المعتقلين في البعنة، تشبه تشميستهم في معتقل أنصار الذي بناه الإسرائيليون بعد احتلالهم لبنان في العام 1982.

«كانت التشميسة وسيلة التعذيب الأساسية، يربطون يديك ورجليك ويلقون بك تحت أشعة الشمس. فـتتلوى وتتبرم وتتدحرج باحثًا عن لحظة، لـتخفيف احتراقك. فتبقى هكذا من طلوع الشمس، حتى غيابها. ثم يأتي

الضابط، ويأمر بفك قدميك ويديك ويطلب منك الوقوف. فتكتشف، أنك صرت عاجزًا عن فعل أي شيء. الشمس غابت تحت جلدك، والنار تعشش في داخلك.[9]

في ساحة البعنة رجلان لا أعرفهما طلبا إذنا لجلب الماء، فقال لهما الضابط اتبعاني. خرجا من الساحة ومشيا في اتجاه النبع، وسمعنا صوت رصاصتين. عاد الضابط ولم يعد الرجلان، ولم يعد أحد يملك جرأة إعلان عطشه».[10]

ويعترف سميح بركة صاحب الوجه الأسمر العريض المحفور بخطوط الألم، بأن ضابطًا إسرائيليًا لقنه درسًا قاسيًا في أول اعتقال له عام 1967: «علمني الضابط الإسرائيلي، الدرس الأول في حياتي. حقق معي، وهو يحمل بيده المنشور الذي كنت أوزعه. في البداية نفيت، وقلت إني كنت أقرأ المنشور ولا أوزعه. وفي الحقيقة كنت أنا كاتب المنشور الذي يدعو إلى إضراب المدارس ضد الاحتلال. نظر في عينيّ، وقال: إنني جبان. قال إنه لو كان مكاني، وبلده محتل لما قام بتوزيع المناشير، وإنما بزرع القنابل».[11]

وتتكامل صورة السجن الصهيوني في الأرض المحتلة من حيث تعذيب السجناء وإذلالهم جسديًا ونفسيًا، بما جاء في رواية الفلسطيني د. حسن حميد «مدينة الله». فخوف العدو وارتباكه وقلقه، حوّل البلاد إلى سجن كبير. لقد فقد المجاهد عارف الياسين عافيته وعمره، في سجون (البغّالة) الصهاينة.

«دخل السجن بوزن 117 كيلو، وخرج منه بوزن 40 كيلو. خرج نحيلًا ممصوص الوجه، طويلًا مثل عود قصب. لا صدر له ولا بطن، رقيقًا وكأنه صفحة في كتاب».[12]

لكن هذا كله لم ينل من شموخه وإبائه وكبريائه، وتفانيه في سبيل تحرير وطنه. دخول الياسين السجن كان بسبب تصديه مع رفاقه لدورية إسرائيلية، التي قتلت طفلًا فلسطينيًا شارك في رشق سيارات جيش الاحتلال بالحجارة.

في السجن، «عاش الياسين الجحيم. شغّلوه بالأعمال الشاقة، سلخوا جلده وقلعوا أظفاره. كووا عينه بالسكائر فغاب بصرها، وقالوا له يكفيك أن ترى بعين واحدة. سرقوا منه كليته اليسرى، وخصوه مثلما يخصون العجول. ووضعوا إحدى خصيتيه بين عصوين، وطقوها».[13]

لم يكن التعذيب في السجن وقفًا على الياسين وحده، بل طال الأسرى جميعهم. فحال عبد العاطي التوبة ليس أفضل، إذ كان الإسرائيليون ينقعونه بالماء ثم يرمونه جثة هامدة. يربطونه من خصيتيه، ويشدونه إلى الحائط. «يقتلعون شعر جسده شعرة فشعرة، ويعلقونه في السقف من إحدى أذنيه، ويرمونه بالتناوب في مغاطس تارة ساخنة جدًا وتارة باردة جدًا. السجن الإسرائيلي خلّف عبد العاطي أعمى وأطرش وفاقدًا لخصيته وأسنانه، وعضوه التناسلي مدمى ومتقيح».[14]

أما أستاذ المدرسة أبو تحسين، فتلقى مختلف أنواع التعذيب وظل شجاعًا ومقاومًا. ليقينه بأن اليهود هم هم، مفطورون على العنصرية والتعطش للدماء. نقَّلوه بين سجون عديدة ولم يستطيعوا أن يغيروا مواقفه ومبادئه، ولا أن يقللوا من صموده وإيمانه بوطنه. «علقوه في السقف من يد واحدة أسبوعًا كاملًا، وتركوه يتدلى فوق الأرضية الخشبية مثل الخروف المذبوح».[15]

وبعد كل حفلة تعذيب، كان الصهاينة يسألون أبا تحسين عن رأيه بما يجري له. ويطلبون منه معلومات عن التنظيم الذي ينتمي إليه، فلا يصلهم منه غير الصمت والثبات. وحينما فشلوا في تليين موقفه، قتلوه بالكهرباء وادّعوا أنه انتحر.

وتشير رواية «مدينة الله» إلى معاناة النساء الفلسطينيات في السجن الإسرائيلي، وما يلاقينه من تعذيب وامتهان لأنوثتهن وتشويه لأجسادهن وتحطيم لنفسياتهن. فالسجانة الإسرائيلية تجرد النساء من ثيابهن لكي يتمتع

الجنود بمشاهدتهن عاريات، ثم تكوي أعضاءهن النبيلة بملاقط الحديد. «فما من سجينة فلسطينية إلا وكويت بالنار، وتَشوَّه صدرها وفخذاها. في حين كانوا يفضون بكارة الفتيات الصغيرات، بزجاجات طويلة العنق مثبتة على الأرضية الخشبية. فلا تترك الفتاة منهن، إلا عندما تغيب عن الوعي من شدة الألم والنزيف».(16)

وإذا كان العالم الحر لا يصدق ادعاء الإسرائيليين بأنهم شعب متمدن يحب السلام ويعمل على تحقيقه ويحسن معاملة الأسرى الفلسطينيين داخل السجن وخارجه، فإن السجانة سيلفا تؤكد ما عرفه الأحرار من نذالة الإسرائيليين ووحشية سجانيهم.

فهي تفكر بالرحيل بسبب الشقاء الذي تعيشه يوميًا في السجن، وبما يحدث فيه للسجناء. فتقول لصديقها الروسي فلاديمير بودنسكي:

«تصور لقد أحضروا اليوم إلى السجن حمولة سيارات شحن كبيرة، من جرار وأباريق وصحون وطاسات وشمعدانات وأوان فخارية. أدخلوها إلى قاعات التحقيق الوسيعة جدًا، وإلى قاعات التعذيب الخشبية. تصور أن كتابات طلاب المدارس الدينية، كانت تغطي سطوح الأواني كلها. فقد سطروا عليها بأقلامهم شتائم وعبارات بذيئة وعدوانية، موجهة للأسرى العرب. وبعد أن رتب السجناء الأواني وصفوها بمحاذاة الجدران، استدعوا السجناء واحدًا واحدًا وراحوا يكسرونها على رؤوسهم. مشهدية من الدم، والتوجع والأنين. ثم تتابع قائلة: رأيت السجناء داخل أكوام من الفخار، مثل أسماك صغيرة تحاول أن تنتشل نفسها من الوحل. عشرات منهم نقلوا إلى المشفى، وعشرات منهم راحوا ينظفون المكان من قطع الفخار ومن دماء رفاقهم».(17)

الهوامش

1 انظر «تلك العتمة الباهرة»، مرجع سابق ص 216
2 المرجع نفسه، ص 8
3 نفسه.
4 نفسه، ص 22
5 نفسه، ص 13
6 انظر «باب الشمس»، مرجع سابق ص 70
7 المرجع نفسه، ص 77
8 نفسه، ص 232
9 نفسه.
10 نفسه، ص 234
11 نفسه، ص 361
12 انظر «مدينة الله»، ص 221
13 المرجع نفسه، ص 226
14 نفسه، ص 227
15 نفسه، ص 228
16 نفسه، ص 253
17 نفسه، ص 348

الباب التاسع:
المنفى والأدباء

المنفى والأدباء

لم يسلم الأدب العربي عبر تاريخه الطويل من تجربة المنفى، فكثير من الشعراء والكتاب عرفوا طعم الاغتراب والبعد عن الوطن، واشتاقوا إلى الأمكنة التي تركوها مجبرين أو مختارين. وهذا ما يجعل هذا النوع من الأدب لا يقلّ قيمة عن أدب المعتقلات، وإن لم يلق الاهتمام ذاته. مع أنه أدب مقاوم بما يتضمنه من مفردات الحنين والرحيل، وبالمدن التي يذكرها في إشارة إلى الطفولة والمنشأ.

وقد تجسدت المعاناة من المنفى في نصوص أدبية مختلفة، بدءًا من طلليات القصائد الجاهلية مرورًا وليس انتهاء بأعمال شعراء وكتاب لا حصر لهم. ويعرّف الشاعر محمود درويش المنفى، فيقول: «للمنفى أسماء كثيرة، ووجهان: داخلي، وخارجي.

المنفى الداخلي، هو غربة المرء عن مجتمعه وثقافته. وتأمل عميق في الذات، بسبب اختلاف منظوره عن العالم وعن معنى وجوده من منظور الآخرين. لذلك يشعر بأنه مختلف وغريب، وهنا لا تكون للمنفى حدود مكانية. إنه مقيم في الذات المحرومة من حريتها الشخصية في التفكير والتعبير، بسبب إكراه السلطة السياسية أو سلطة التقاليد. والمنفى الخارجي، هو انفصام المرء عن فضاء مرجعي، عن مكانه الأول وعن جغرافيته العاطفية. إنه انقطاع حاد في السيرة، وشرخ عميق في الإيقاع».[1]

والنفي نوعان:

1. نفي إجباري أو مفروض.
2. نفي اختياري.

من أشهر الأدباء الذين وقع عليهم حكم النفي في التاريخ، الشاعر الروماني أوفيد (43 ق. م.-17 م) رائد المقاومة السياسية عبر الأدب ومؤلف كتاب «فن الحب». فقد أبعده الإمبراطور أوغسطس في العام الثامن الميلادي عن روما في ظروف مجهولة، مع أنه كان لديه من المقربين. وبرغم التوسلات الكثيرة التي قدمت إلى أوغسطس للعفو عنه وإعادته إلى روما، إلّا أنه لم يستجب. ومثله فعل خلفه تيبريوس، فمات أوفيد في منفاه برومانيا.

والشاعر الأموي عبد الله بن محمد الملقب بالأحوص (ت 105 هـ) وقد نفاه الخليفة سليمان بن عبد الملك إلى جزيرة دهلك في اليمن وأمر بجلده، بعد أن كان من المقربين إليه بسبب هجائه ابن حزم والي المدينة. وبقي الأحوص في الجزيرة حتى وفاة عمر بن عبد العزيز، إلى أن أطلق سراحه يزيد بن عبد الملك.

ونفى الخليفة المتوكل، الشاعر العباسي علي بن الجهم (188-249 هـ) إلى خراسان عندما عرف بهجائه له، وأمر واليه عليها طاهر بن عبد الله بأن يصلبه يومًا كاملًا مجردًا من ثيابه.

ونُفي ملك إشبيلية الشاعر المعتمد بن عبّاد (431-488 هـ) إلى المغرب، بسفينة سارت به وبأسرته من إشبيلية. وحين رأى الناس محتشدين لوداعه على ضفتي النهر، سجل هذا المشهد شعرًا:

حان الوداع فضجت كل صارخة   وصارخ من مفداةٍ ومن فادي
سارت سفائنهم والنوح يتبعها   كأنها إبل يحدو بها الحادي
كم سال في الماء من دمع وكم حملت   تلك القطائع من قطعات أكباد

وابن عُنين (1154-1232 هـ) أحد شعراء الشام وكان هجّاء، فلم يوفر من هجائه أحدًا حتى الوزير والسلطان.

سلطاننا أعرج وكاتبه ذو عَمَشٍ والوزير منحدب

فضاق به السلطان ورجاله، فأصدر أمرًا بنفيه عن دمشق إلى أي بلد يختاره. فطاف في البلاد ووصل إلى الريّ، لكن ذلك لم ينسه وطنه والحنين إليه. وعندما تولّى الحكم الملك العادل، كتب له قصيدة يشكو فيها الغربة والتشوق إلى الشام ليأذن له بالعودة إليها. يقول فيها:

فارقتها لا عن رضى، وهجرتُها لا عن قِلَى، ورحلتُ لا متخيرا
أسعى لرزق في البلاد مشتت ومن العجائب أن يكون مقترا
وأصون وجه مدائحي متقنعًا وأكفّ ذيل مطامعي متسترا
أشكو إليك نوى تمادى عمرها حتى حسبت اليوم منها أشهرا
لا عيشتي تصفو ولا رسم الهوى يعفو، ولا جفني يصافحه الكرى
ومن العجائب أن يقيل ظلكم كل الورى، ونبذت وحدي بالعرا

فأذن له بالدخول، وقرّبَهُ.[2]

ولا يُنسى أن في التاريخ الأدبي الإنساني أدباء وشعراء كثر تعرض بعضهم للسجن والتعذيب، وبعضهم للنفي من قبل أنظمة بلدانهم.

ومن هؤلاء الأديب الروسي فيودور دوستويفسكي (1821-1881) الذي أُوقف واقتيد إلى السجن ووضع في زنزانة منفردة بقي فيها ثمانية أشهر، إلى أن حكم عليه بالإعدام. وذلك بسبب اشتراكه في جماعة «بتراشيفسكي» الاشتراكية، ومناصرته لأبناء الشعب المسحوقين. وقبيل تنفيذ حكم الإعدام فيه، جاء قرار القيصر باستبدال إعدامه بنفيه إلى سيبيريا ثماني سنوات مع الأشغال الشاقة.

عـاش فيـودور في المعسكر السيبيري تجربة حياتية وفكرية صعبة تـوازي برودة الطقس وشظف العيـش، أصيب بسببها بمرض الصرع الـذي لازمه حتى وفـاته. إلى جـانب معانـاته من حبسه مع مساجين محكومين بجرائم مختـلفة، بعيـدين عنه في الفكر والثقـافة. ويُعـد كتـابه «ذكريـات من منزل الأمـوات» أول كتاب يؤلفه كاتب روسي عن النفي ومعسكرات الاعتقـال وأوضاعها. يقول فيه:

«رأيت رجالًا مشدودين إلى الجدران بسلاسل طولها متران، على مقربة منهم مضاجع يرقدون فوقها، يلبثون على هذه الحال من التنكيل بالأغلال خمس سنين أو عشرًا، وبرغم ما يبدو على الرجل منهم من رضى فإن الرغبة في إنهاء ما هو فيه تحرقه حرقًا وتأكل نفسه أكلًا». وتشير تجربة دوستويفسكي إلى أن أدب المنفى «قديم في الآداب الإنسانية، ويمكن تبينه في ثيمات الاستبعاد والخروج والهجرة القسرية».[3]

وكذلك الروائي ألكسندر سولجنتسين (1918-2008) اعتقل في العام 1945 وسجن ثماني سنوات في معسكر للعمل في سيبيريا، على خلفية معاداته للاتحاد السوفييتي ونشره رسائل تعبر عن موقفه. وعن لحظة اعتقاله، يقول:

«الاعتقال هو القذف اللحظي الصاعق، والانقلاب من حالة إلى أخرى. هو صاعقة تقطع أوصالنا، وهو زلزال نفسي كاسح يجتاح الجميع. وغالبا ما يخر من لم يستطع الصمود أمامه، زاحفًا فاقد العقل والجنان». وعندما لحظت السلطات السوفيتية أن روايته «أرخبيل غولاغ» لفتت أنظار العالم إلى معسكرات العمل القسري، اتهمته بالخيانة وطردته من البلاد. وفي العام 1994 الذي تفكك فيه الاتحاد السوفييتي، عاد إلى روسيا بعد أن أمضى في المنفى مدة عشرين سنة.[4]

ومن مصر نفى الاحتلال الإنكليزي أحد زعماء الثورة العرابية الضابط

الشاعر محمود سامي البارودي (1839-1904) إلى جزيرة «سرنديب» سيرلنكا حاليًا وبقي في عاصمتها كولومبو أكثر من سبعة عشر عامًا، عانى فيها من الوحدة والمرض والغربة عن وطنه:

حزن براني، وأشواق رعت كبدي ... يا ويح نفسي من حزن وأشواق
أُكَلِّفُ النفسَ صبرًا وهي جازعة ... والصبرُ في الحبِّ أعيا كلَّ مشتاق
يا حبذا نَسَمٌ مِنْ جَوِّها عبقٌ ... يَسري على جدول بالماء رقراق
مرعى جيادي ومأوى جيرتي، وحمى ... قومي، ومنبت آدابي وأعراقي
يا قلب صبرًا جميلًا، إنه قدر ... يجري على المرء من أسر وإطلاق
لا بدَّ للضيق بعد اليأس من فرج ... وكلُّ داجية يومًا لإشراق[5]

ومما يذكر له أنه في فترة النفي أتقن اللغة الإنكليزية، وعلم اللغة العربية لمن حوله من المسلمين.

كما نفى الإنكليز أحمد شوقي (1868-1932) إلى الأندلس، فبث معاناته اشتياقًا إلى وطنه مصر في قصيدة، منها:

اختلاف النهار والليل ينسي ... اذكرا لي الصبا وأيام أنسي
وسلا مصر: هل سلا القلب عنها ... أسا جرحه الزمان المؤسي
وطني لو شغلت بالخلد عنه ... شاغلتني إليه في الخلد نفسي
وهفا بالفؤاد في سلسبيل ... ظمأ للسواد من عين شمس
شهد الله لم يغب عن جفوني ... شخصه ساعة ولم يخل حسي[6]

وحين كانت فرنسا تحتل المغرب، اعتقلت سلطاتها السياسي والأديب المغربي علال الفاسي(1910-1974) وهو طالب، ونفته إلى بلدة تازة لانضمامه إلى عبد الكريم الخطابي في جهاده ضد الاحتلال. وفي العام 1933 عندما عاد إلى فاس حاولت السلطة الفرنسية اعتقاله مجددًا، فغادر المغرب

إلى أوروبا. وفي العام 1937 قَدَّم إلى سلطة الاحتلال وثيقة فيها مطالب الشعب المغربي، فنفته إلى الغابون حتى العام 1941 ومن ثم إلى الكونغو حتى العام 1946.(7)

أما **النوع الثاني**: فيتمثل بتجربة عبد الرحمن الداخل (113-172 هـ) ابن معاوية بن هشام بن عبد الملك، بفراره من بطش أبي العباس السفاح وانتقاله من الشام إلى مصر وصولًا إلى المغرب ومنها إلى الأندلس من غير أن ينسى وطنه الشام، فكان دائم الحنين إليه:

أيها الراكب الميمم أرضي | أَقْرِ من بعضي السلامَ لِبَعضي
إنَّ جسمي كما علمتَ بأرضٍ | وفؤادي ومالكيهِ بأرضِ
قُدِّرَ البينُ بيننا فافترقنا | وطوى البينُ عن جفونيَ غُمضي
قد قضى الله بالفراق علينا | فعسى باجتماعنا سوف يقضي

ويقال إنه نزل ذات يوم بمنية الرصافة من قرطبة، فرأى فيها نخلة ذكرته بغربته عن وطنه. فقال:

تَبدَّتْ لنا وسطَ الرصافةِ نخلةٌ | تناءتْ بأرض الغرب عن بلد النخلِ
فقلت: شبيهي في التغرب والنوى | وطولِ التنائي عن بنيّ وعن أهلي
نشأتِ بأرضٍ أنتِ فيها غريبةٌ | فمثلك في الإقصاء، والمنتأى مثلي(8)

وهذا ما فعله عالم الاجتماع وأحد مهذبي الأمة عبد الرحمن الكواكبي بمغادرة مدينته حلب في العام 1899 نافيًا نفسه إلى مصر، إثر التضييق العثماني عليه. فحين حبسه عارف باشا والي حلب وأمر بمحاكمته بتهمة التواصل مكاتبة مع دولة أجنبية لـتسليم حلب لها، رفض الكواكبي أن يحاكم في حلب وطلب بأن يتم ذلك في مكان آخر ليقينه بأنهم سيحكمون عليه بتهمة كاذبة ملفقة. فكان له ما أراد، وتمت محاكمته وتبرئته من التهمة في بيروت. وفي أثر ذلك سافر مهاجرًا إلى مصر، لكن إقامة الكواكبي في مصر لم تطل، إذ

مات مسمومًا في العام 1902 من فنجان قهوة وضع فيه السّم أحد عملاء العثمانيين. فوقعت وفاة الكواكبي على الأدباء والأصدقاء في مصر، وقع الفاجعة. فسعوا إلى توفير مكان خاص لمدفنه، وكتبوا على الشاهدة بيتين نعاه بهما الشاعر حافظ إبراهيم:

هنا رجل الدنيا هنا معبد التقى   هنا خير مظلوم هنا خير كاتب
قفوا واقرؤوا أمَّ الكتاب وسلموا   عليه، فهذا القبر قبر الكواكبي[9]

والشاعر محمد مهدي الجواهري (1899-1997) غادر العراق نافيًا نفسه أو بمعنى آخر مهاجرًا لا مهجَّرًا. فالهجرة في هذا المعنى تختلف عن التهجير، لأنها تتم اختياريًا. إنها لا يعني أن هذا الاختيار يأتي لمجرد رغبة الشخص بالإقامة في بلد ما، وإنما قد تكمن وراءه في بعض الحالات أسباب سياسية أو اقتصادية أو علمية. فالهجرة ليست أمرًا سهلًا، ومغادرة الوطن لزمن غير معروف مداه لا يمكن أن يتم لمجرد رغبة في التغيير.

في حنينه إلى رياض الوطن وضفافه، يقول:

حَييتُ سفحك عن بُعدٍ فَحييني   يا دجلة الخير، يا أم البساتين
حَييتُ سفحك ظمآنا ألوذ به   لَوْذُ الحمائم بين الماء والطين
يا دجلة الخير يا نبعًا أفارقه   على الكراهة بين الحين والحين
إني وردت عيون الماء صافية   نبعًا فنبعًا فما كانت لترويني
وددت ذاك الشراع الرخص لو كفني   يُحاكُ منه غداة البين يطويني
يا دجلة الخير قد هانت مطامعنا   حتى لأدنى طماح غير مضمون
يا أم بغداد من ظَرْفٍ ومن غَنَجٍ   مشى التَّبغددُ حتى في الدهاقين[10]

وأيضًا الشاعر عبد الوهاب البياتي (1926-1999) نفى نفسه مرغمًا خارج العراق وتنقل في بلدان عديدة، إلى أن استقر بدمشق وتوفي فيها. يقول في إحدى قصائده:

مدنٌ بلا فجرٍ تنام
ناديت باسمك في شوارعها، فجاوبني الظلام
وسألت عنك الريح وهي تئن في قلب السكون
ورأيت وجهك في المرايا والعيون
وفي زجاج نوافذ الفجر البعيد
وفي بطاقات البريد مدن بلا فجر يغطيها الجليد
هجرت كنائسها عصافير الربيع
فلمن تغني؟ والمقاهي أوصدت أبوابها
ولمن تصلي؟ أيها القلب الصديع
والليل مات
والمركبات
عادت بلا خيل يغطيها الصقيع
وسائقوها ميتون
أهكذا تمضي السنون؟
ونحن من منفى إلى منفى ومن باب لباب
نذوي كما تذوي الزنابق في التراب
فقراء، يا قمري، نموت
وقطارنا أبدًا يفوت[11]

ولكن البياتي لم يصبح الوحيد المحروم من العودة إلى وطنه العراق، فسرعان ما شهد النصف الثاني من السبعينات بداية موجة جديدة من فرار العراقيين من وطنهم. وهي الموجة التي ظلت تتصاعد حتى وصلت مع أواخر الثمانينات وأوائل التسعينات إلى شبه نزوح كامل لمعظم المثقفين والمبدعين العراقيين، ليتوزعوا على شتى منافي الأرض في حالة من الضياع والتفكك. وها هو الشاعر كمال سبتي (1954-2006) يؤكد على ذلك وهو في غربته بهولندا، فيقول:

وَيْكَأَنَّ الأرض ضاقت بي
فلا تسأل آلامي عن البلدان هل جارت؟
ولا تبسطها كالأرض..
ضاقت بي سريعًا..
لا يُسمى الليلُ ليلي، والنهارُ الشمسُ أو
قلْ والنهارُ البيتُ صنوان بلا فَرقٍ
كفرق الليل عن ليلي وفرق الشمس عن بيتي
ولا ليلٌ ولا شمسٌ ولا تسأل آلامي عن
البلدان هل جارت؟
ولا ليلٌ ولا شمسٌ ولا تبسطها كالأرض..
إني ذاهب فيها بلا لغزٍ إلى لغزٍ
وإني مِشيةُ الأرض إلى أرضٍ إلى لغزٍ
وإنّي
ويكأني
قد أضعت الأرض في مشيتها أو قد
أضاعتني سريعًا..[12]

كذلك غادر الشاعر الليبي علي عبد السلام الفزاني (1937-2000) بنغازي إلى بيرن في سويسرا، حين شعر أن روحه الثائرة تختنق بالفكر المؤسساتي، وبالطغيان الشمولي الذي يحكم وطنه. ومن قصيدة طويلة له بعنوان «سارق النيران»، نقتطف هذا المقطع:

يا حبيبي في دمائي ثورة ... هي عندي كل أوج الكبرياءْ
قد صنعنا للهوى أسطورة ... وعشقنا الأرض حبًا وانتماءْ
كل صوت لم يصل مئذنة ... فهو لغو من هُراء الجبناءْ
إن شيئًا رائعًا أعبده ... وطني المحروم من كل ضياءْ

من رمـاد النـار إني صانـع أحرفًا سمرًا، وفجرًا وسناء

ولإيمانه بالإنسان أينما كان ووجوب تأمين حياة كريمة له، يشير إلى ما يفعل السارقون بالوطن:

أنا لا أخبىء الشعر المعادي للأفراد
أنا أبحث عن الخلاص للإنسان المقهورْ
في وطني الكبيرْ
في العالم أجمع
إنني أغضب
وعندما أغضب
أبصق علنًا في وجوه المرابين
والوصوليين والخونة
الذين أعرفهم
فردًا فردًا
وعصبة عصبة
وقبيلة قبيلة
وماذا يتوقع الأغبياء
من شاعر معاصر لهزائمهم؟(13)

والشاعر الفلسطيني محمد القيسي (1945–2003) وقد عاش محنة المنفى والاغتراب عن حيفا وعن أهله. يقول في قصيدة «سقط في المنفى»:

ترى من سيخبر الأحباب أنا ما نسيناهم/ وأنا نحن في المنفى نعيش بزاد ذكراهم/ وأنا ما سلوناهم/ فصحبتنا بفجر العمر ما زالت تؤانسنا/ وما زالت بهذي البيد في المنفى ترافقنا/ ونحن بهذه الغربة/ تعشش في زوايانا عناكب هذه الغربة/ تمد خيوطها السوداء في آفاقنا الغبراء أحزانا/ تهدهد جفننا

الأحلام تنقلنا على جنح من الذكرى/ إلى عهد مضى حيث السكون يثير نجوانا/ وحيث الشوق أغنية نرددها على ربوات قريتنا/ وحيث الحب في بلدي كلام صامت النبرة/ كلام صادق الإحساس والنظرة/ وحلم أخضر في القلب يروي سر نشوتنا/ ويحضننا ويرعانا/ ترى من يخبر الأحباب أنّا ما نسيناهم/ يمر الليل عن جفني ويسألني/ متى تشفى من الشجن؟/ أحبائي سؤال الليل يؤلمني/ ويحزنني/ لأني كل ما أدريه أني بتُّ منفيًا/ وأني لم أزل حيًا/ تعذبني وتقلقني/ طيوف الأمس والذكرى تعذبني/ فأجتر الأسى والصمت والحيرة/ وأقتات الفراغ الرحب أنحر فيه أيامي/ وتقضم عشب أحلامي/ نيوب الوحشة المرة/ وتملأ خافقي بالحزن، تفعم عالمي حسرة/ فأطوي صفحة الماضي، وأغفو علني أصحو/ على ربواتنا أعدو/ وأحضن في ثراها الشوق، ألمسه بتحنان/ ويغرقني عبير الأرض، يسكرني بلا خمرة/ وأحيا حلمي المنشود، ألمح فيه إنساني/ وأدفن فيه أشجاني/ ولكني أحبائي أفيق وبيننا سد/ غريب في بلاد النفي ينهش عمره البعد/ ويسقم قلبه الوجد/ يداعبه سنا أمل، بدا في أفقه وَاهٍ/ غدًا يمضي بنا التيار يجمعنا بمن نهوى/ ويدري الناس والأحباب أنّا ما سلوناهم.(14)

ولن ننسى شعراء المهجر الذين هاجروا مرغمين إلى الأميركيتين بسبب الأوضاع المعقدة سياسيًا واقتصاديًا في بلاد الشام أيام السفر برلك. فكابدوا في هذه الهجرة، مختلف أنواع التعب والعذاب في العمل وفي تأمين المعيشة. ومما يؤسف له أننا وفي الألف الثالثة نقع على هجرات مشابهة، قام بها أدباء وشعراء كبار لأسباب أمنية ومعيشية.

وفي هؤلاء الشاعر السوري شاهر خضرة الذي حاول بسبب التحارب في سورية أن يهاجر إلى إسبانيا بوساطة بعض المهربين عن طريق المغرب، إلى مدينة سبتة التابعة لإسبانيا. وفي سبتة استلم جواز سفر إسباني مزور يسمونه الشبيه، وعليه صورة لا تمت له بشبه. وبرغم محاولته لتغييرها، إلا أن لآلّة فاطمة أصرت على أنه هو الذي في الصورة.

وبعد أن اجتاز الحاجز الأمني الأول بسلام، ركب حافلة إلى الميناء حيث البواخر ليستقل إحداها إلى داخل إسبانيا. لكنه حينما سلم جواز سفره المزعوم إلى العسكري المراقب في المرفأ، نظر في الصورة وطلب منه أن يرفع وجهه المطرق إلى الأرض. امتثل له، فدقق النظر ولم يقتنع. فنادى على زميلة له، وهي الأخرى لم تقتنع. فاجتمع على جواز سفره وعلى وجهه عشرات الأعين، وأجمعوا بأن الجواز ليس له. ومع ذلك طلبوا من مدقق الجوازات بالكمبيوتر أن يصطحبه إلى مكتب خاص، فكان كلما وضع سبابته على آلة الكشف أعطى البرنامج تنبيهًا أن البصمة مزورة. فخرج، وأخبر المفتشين أن الجواز مزور.

وهنا يقول شاهر: «أعطوني ورقة وطلبوا أن أكتب اسمي وجنسيتي فكتبت باللغة الإنكليزية اسمي وأنني من سورية، فصاح أحدهم وهو يضحك: من سورية... من سورية. لم يكونوا عنيفين، بل تقبلوا الأمر بأخلاق راقية. وبكل لطف استدعوا رجل أمن إسباني، يجيد التحدث باللغة العربية الفصحى. أخذ مني قليلًا من المعلومات، وأعجبته لغتي الفصيحة فسألني مستغربًا: معظم من نمسك بهم لا يعرفون سوى اللهجة الدارجة، فكيف لي التحدث بلغة فصيحة؟ فأخبرته بأني شاعر وكاتب.

فحمل اسمي إلى البحث في غوغول، وحمّل لي صورة شخصية وصورة تحمل اسمي وعنوان بيتي. فاعتبروني عندهم معروفًا، وإن كنت لا أحمل

جواز سفر أو هوية. وحضر أحد مسؤولي الأمن وتحدث معي لنصف ساعة، ومن أهم ما قاله لي:

لا تخف فأنت الآن في حماية إسبانيا، لكن الشرطة هي الشرطة. فالبوليس المسؤول عن الإجراءات عند كتابة الضبط اعتبر ما قمت به عملًا يخرق الأنظمة والأمن الوطني والقاري أيضًا، بدخول غير مشروع مارقًا كالزئبق من حواجز عديدة.

وزجوني- بكل لطف- بسجن التوقيف مع اللصوص ومع المتهمين بالمخدرات، ومع القادمين مثلي بطرق غير مشروعة. وبعد أربعة أيام أطول من زمن فقد الخبز قضت عليّ المحكمة الموقرة بالسجن أربعة أشهر وغرامة مالية، لا يقدر عليها شاعر سوري مُنتهٍ تاريخه. ثم عينوا لي محامية إسبانية للدفاع عني، فكانت أسوأ من الحاكم. إلّا أني استطعت توصيل قضيتي لبعض الأصدقاء وأثاروا القضية، فهبت لجنة حقوق الإنسان لمساندتي وهيئة الحماية الدولية ومبعوثية الأمم المتحدة لمؤازرتي. وعينوا لي محاميين من قبلهم، استطاع أحدهما بوقف تنفيذ الحكم وإطلاق سراحي. هوية الإنسان حريته، وكل عمري كنت أملك مستندات وأوراقًا وهوية وغيرها.

وما بتُّ يومًا دون خوف.. لا أمان يركن إليه القلب في الدول العربية التي عشت فيها سنين مديدة. هنا في سبتة لا أملك أي أوراق .. وأشعر بالأمن والأمان، فالحرية أهم هوية في هذه القارة».[15]

أما الشاعر العراقي كمال سبتي (1954-2006) الذي اضطر إلى مغادرة العراق بسبب مطاردة النظام السياسي له، فيقول عن هروبه: «يوم هربت من العراق، كنت أفكر كأي هارب في الثأر يوم العودة. وليس الثأر عند الشاعر، أكثر من الكتابة. وقد قلت مرة، إن القصيدة ملجئي الوحيد للثأر».[16]

ولكن لم يخطر له في بال بأن يكون ثمن تحقيق حلمه بالثأر من النظام الذي

تسبب في هروبه من العراق، جثثًا مرمية في شوارع المدن والطرق الخارجية، وجرحى مقطوعي الأيدي أو الأرجل نائمين على أسرّة عتيقة في مستشفيات مدن محاصرة. فما حلّ بوطنه آلمه أكثر من وجوده في المنفى، لأنه وجد فيه نصرًا خاسرًا ومكسورًا، يتبدى في رجفة العين قبل الدمعة، وفي تجهيز الأطفال في الصباح للذهاب إلى المدرسة أمام عيون جنود الاحتلال.

ويرى الكاتب الفلسطيني الأميركي إدوارد سعيد (1935-2003) بأن المنفي عن وطنه والمغترب عنه في مكان آخر، لا يمكنه الانقطاع عن جذوره ومنبته الأصلي. «فهناك افتراض رائج لكنه مخطئ كليًا وهو أنك لكونك منفيًا يعني أن تكون معزولًا تمامًا عن موطنك الأصلي، ومنقطع الاتصال به. ألا ليت هذا الانفصال الكامل القاطع صحيح، لأنك ستجد عندئذ العزاء في معرفة أن ما تركته وراءك، لا مجال للتفكير فيه وغير قابل بتاتًا للتغيير. فالمنفي يعيش في حالة وسيطة لا ينسجم تمامًا مع المحيط الجديد، ولا يتخلص كليًا من عبء البيئة الماضية».[17]

كذلك غادر عدنان الصائغ (1955-) أحد الشعراء العراقيين المعاصرين وطنه في العام 1993، على خلفية تعرضه لمضايقات فكرية وسياسية بعد عرض مسرحيته «الذي ظل في هذيانه يقظًا» على مسرح الرشيد في بغداد. فتنقل بين بلدان عديدة عربية وأوروبية، إلى أن استقر في لندن. أحب شعره كثيرون من الشعراء والنقاد، وقرظوه. يقول عنه الأديب الكبير جبرا إبراهيم جبرا (1919-1994): «الشعر اليوم كثير جدًا ولكن ما يستحق أن يصغى إليه قليل جدًا، وشعر عدنان الصائغ من هذا القليل».[18]

ويقول الشاعر شيركو بيكه س (1940-2013): «في أثناء قراءتي لهذا الشاعر المبدع، شعرت وكأنني أذوق رطب البصرة وأنا فوق النخل. وأشم زهور الأهوار وأنا في المشحوف. وأغمس رأسي في عمق القرنة وأنا أحلم.

ومن ثم أصعد إلى بغداد لكي أسمع دقات قلب شعره يدق فوق نصب الحرية».[19]

من ديوان عدنان الصائغ «تأبط منفى»، نقرأ قصيدة هواجس:

أقل قرعة بباب
أخفي قصائدي- مرتبكًا- في الأدراج
لكن كثيرًا ما يكون القرع
صدى لدوريات الشرطة التي تدور في شوارع رأسي
ورغم هذا فأنا أعرف بالتأكيد
أنهم سيقرعون الباب ذات يوم
وستمتد أصابعهم المدربة كالكلاب البوليسية إلى
جوارير قلبي
لينتزعوا أوراقي
و...
حياتي
ثم يرحلون بهدوء

وفي قصيدة حنين، يقول:

لي بظل النخيل بلاد مسورة بالبنادق
كيف الوصول إليها
وقد بعد الدرب ما بيننا والعتاب
وكيف أرى الصحب
من غُيّبوا في الزنازين
أو كُرشوا في الموازين
أو سُلِّموا للتراب
إنها محنة- بعد عشرين-

أن تبصر الجسر غير الذي قد عبرت
السماوات غير السماوات
والناسَ مسكونة بالغياب

وفي قصيدة العراق:

العراق الذي يبتعد
كلما اتسعتْ في المنافي خطاهْ
والعراق الذي يتئد
كلما انفتحت نصف نافذةٍ..
قلت: آه
والعراق الذي يرتعد
كلما مر ظلٌّ
تخيلتُ فوهةً تترصدني،
أو متاهْ
والعراق الذي نفتقدْ
نصفُ تاريخه أغانٍ وكحلٌ..
ونصفٌ طغاهْ[20]

والشاعر المغربي طه عدنان (1970-) نفى نفسه إلى بلجيكا ويرى أنه لم يعد أي شيء مجديًا في المنفى، ولا حتى البكاء.

حتى البكاء لم يعد مجديًا/ ليسعف روحي البردانة/ أنا القادم من جهة الشمس/ محنتي هذه البلاد المطيرة/ أنا القادم من جهة النخل/ هائم على وجهي/ في صحراء تشبه الصحراء/ أحصي خساراتي/ فلا تكفيني الأصابع/ تائه، أجرجر أثقال روحي/ من المحيط الأطلسي/ إلى بحر الشمال.[21]

نلحظ في النص تضخيم المنفي جماليات بلاده وإضفائه عليها صفات

الفردوس المفقود، مع أنه لم يكن مجبرًا على مغادرتها. في حين لو أن المنفى كان اختياريًا سيضطر المنفي أو المهاجر، إلى تأمين حياة لا علاقة لها بحياته السابقة. وإلى اختبار قدرته على الخروج من ذاتها، والانخراط في المحيط الإنساني الجديد.

والشاعر فرج بيرقدار (1951-) غادر سورية في العام 2005 إلى السويد بدعوة ثقافية، ثم مُنح الإقامة هناك ولم يعد. «في المنفى/ أنت الذي يدور/ حول اللعنة. أما في السجن/ فإن اللعنة/ هي التي تدور حولك».

ويقول: «أنا حصيلة سجني ومنفاي، فهما المحطتان الأطول والأكثر تعرجًا وتعطلًا في حياتي، وإن كانت محطة المنفى أقل وطأة بكثير، برغم أن السجن أتاح لي كتابة الشعر أكثر بكثير مما أتاحها المنفى».[22]

أما الشاعر التركي ناظم حكمت (1902-1963) فقد دخل السجن في عهد مصطفى أتاتورك. لكن الريح لم تستطع أن تحوله إلى ورقة في مهبها، بل تغلب عليها وأسقطها أمامه: «لقد سقطت الريح أمامي!».

وعندما خرج من السجن، نفى نفسه إلى الاتحاد السوفيتي هربًا من جور السلطة. ومن هناك كتب لابنه رسالة، قال فيها:

كمستأجر بيت/ أو زائر ريف وسط الخضرة/
ولتحيا على الأرض/ كما لو كان العالم بيت أبيك/
ثق في الحب وفي الأرض وفي البحر/ ولتمنح ثقتك
قبل الأشياء الأخرى للإنسان/ امنح حبك للسحب
وللآلة والكتب/ ولتستشعر اكتئاب الغصن الجاف/
والكوكب الخامد/ والحيوان المقعد. ولتستشعر أولًا
اكتئاب الإنسان/ لتحمل لك الفرحة كل طيبات
الأرض/ لتحمل لك الفرحة الظل والضوء/ لتحمل
لك الفرحة الفصول الأربعة/ لكن/ فليحمل لك
الإنسان أول فرحة.[23]

والشاعر الإسباني رافائيل ألبرتي (1902-1999) هرب من إسبانيا بعد انتهاء الحرب الأهلية الإسبانية إلى فرنسا ومنها إلى أميركا، إلى أن استقر به المقام في الأرجنتين حتى وفاته.

ما أشد وحدتي أحيانًا، آه كم أنا وحيد،
وحتى كم أنا فقير وحزين ومنسيّ!
وهكذا، أرغب في طلب صدقة
من شواطئ بلادي، من حقولي
امنحوا العائد، أحلفكم بالحب، قطعة
من نور هادئ، من سماء ساكنة
رحمة! ألا تعرفونني...
ليس كثيرًا ما أطلب.. أعطوني شيئًا.(24)

وتجدر الإشارة إلى أننا حتى اليوم نعتمد قصائد وأبياتًا لبعض الشعراء المنفيين أو المعتقلين، وثائق تشهد على مراحل من الزمن تؤكد معاناتهم وما أحيق بهم من ظلم وعنت وإهانات. فأعداد الشعراء الذين تعرضوا لعقاب السلطة الحاكمة في زمنهم وقاسوا ظلام السجن ولوعة النفي، أو الذين عانوا من اضطهاد العدو الإسرائيلي وتجبره أكثر من أن تُحصى.

وإذا كانت الأديبة المغربية زهور كرّام (1961-)، ترى أن المنفي هو من يعيش على العتبة «فلا هو يدخل البيت، ولا هو يذهب إلى بيت آخر. هكذا يبقى في مكان ضيق».(25) وفي رأيي أن المنفى لا يعني العجز الكلي للمنفي، بل هو في كثير من الأحيان على العكس من ذلك. فقد يعطي المنفى زخمًا للمبدع في منتَجه الإبداعي، سواء أكان كتابة أم تشكيلًا فنيًا.

وترى الروائية العراقية هيفاء زنكنة أن المنفى ليس هو تغيير المكان فحسب، «فأحيانًا يعيش الإنسان النفي في بلده، ولكن الأكثر قسوة هو النفي الاجباري. حين لا تكون قادرًا على العودة إلى بلدك، فتصبح كمن بترت ساقه

أو ذراعه وتظل تشعر بها فعلًا».[26]

ومما لا شك فيه أن المغتربين قسرًا أو ضرورة يعيشون في حروب داخلية بينهم وبين نفوسهم من الشعور بالذنب لإعجابهم وتعلقهم بالوطن الجديد، برغم العقبات التي تواجههم في تعلم لغة غريبة على ألسنتهم وتقبلهم عادات ليست لهم ولا منهم. والجفاء في الوجوه والصدمة من غياب الحوار والابتسامة في الجوار، تعيدهم روحيًا إلى الوطن الذي أتوا منه، وإلى أناس بعيدين آلاف الأميال وما زالوا حاضرين في العين والوجدان. لكن ما يمكن أن يخفف من الوحشة والحنين هو الإحساس بالأمان، والعيش الكريم في الوطن الجديد.

لقد حقق المنفى حضورًا واضحًا في الأدب، بما تضمنه من تجارب أشخاص عاشوا الهجرة وعانوا النفي وقسوته. مع أن بعض الدارسين يرون أن الأدب الذي أنتجه المنفى سواء أكان إجباريًا أم اختياريًا ليس «نوعًا أدبيًا بالمعنى الدقيق، بقدر ما هو أدب موضوعاتي يلازمه حدث مهم ألا وهو النفي». لكن رأيهم هذا لا يقلل من أهمية أدب المنافي الذي كان الأبرز في تاريخ الأدب العربي، في الربع الأول من القرن العشرين. فمن لحظة النفي يتخذ أدب المنفى علامة فاصلة في تاريخ الفرد والجماعة، بوصفها لحظة انتقال نفسي زمني تتم من وإلى المكان المهجر إليه. «وهذه اللحظة الانتقالية تستدعي سؤال الكينونة ومعنى الوجود، في سياق لا يشي إلا بالاغتراب والحنين والشعور بالانفصال».[27]

لقد رحل الكثيرون من الأدباء الذين عاشوا في المنفى، وظلت آثارهم الأدبية حاضرة لم ترحل وفي متناول الأجيال. ولم تزل عيون كتابها تحدق صوب أوطانهم، التي حلموا بأن تكون من جنان الله على الأرض.

الهوامش

1 انظر المجلة الثقافية، عمان، ص 97، 2008

2 ديوان ابن عنين، موسوعة الشعر العربي.

3 انظر «ذكريات من بيت الأموات»، مرجع سابق.

4 انظر «أرخبيل غولاغ»، مرجع سابق.

5 انظر «الأعلام من الأدباء والشعراء».

6 انظر «أبي شوقي»، حسين شوقي.

7 انظر «علال الفاسي: استراتيجية مقاومة الاستعمار».

8 انظر «أعلام النبلاء للذهبي»، مرجع سابق.

9 انظر الكواكبي، مرجع سابق.

10 انظر «ديوان الجواهري».

11 انظر «أشعار في المنفى»، مرجع سابق.

12 انظر كمال سبتي، هولندا 2005.

13 انظر «رحلة ضياع» للفزاني.

14 انظر الأعمال الشعرية للقيسي.

15 نصوص من مخطوطة «يوميات لاجئ سوري»، شاهر خضرة.

16 انظر «معجم البابطين لشعراء العربية في القرنين التاسع عشر والعشرين»، وأيضا دواوينه العديدة، وبوابة العراق.

17 انظر «صورة المثقف»، مرجع سابق.

18 جبرا إبراهيم جبرا، أديب وفنان وناقد تشكيلي ومترجم فلسطيني، ألّف أكثر من 70 كتابًا بين رواية ونقد وترجمة.

19 شاعر عراقي شهير ولد في السليمانية، وله أكثر من 35 ديوان.

20 انظر ديوان «تأبط منفى».

21 انظر مجلة نزوى العمانية، عدد 64، ص 66

22 انظر فرج بيرقدار، مرجع سابق.

23 انظر ديوان ناظم حكمت.

24 قام بترجمة النص: صالح علماني وعاصم الباشا.

25 زهور كرّام أديبة وناقدة مغربية، من إصداراتها: «الإنسانيات والرقميات في عصر ما بعد الكورونا»، 2020.

26 هيفاء زنكنة، مرجع سابق.

27 انظر مجلة نزوى العمانية، عدد 64، ص 65، مع كثير من التصرف.

الباب العاشر:
مختارات من شعراء السجون

مختارات من شعراء السجون

في العصور القديمة حين كان الشعر ديوان العرب، لم ينج الشعراء من نقمة الخلفاء والولاة والحكام، وأحكامهم الجائرة. فقد حاصرتهم تلك الأنظمة التعسفية ووضعتهم بين حدين إما الاعتقال والأسر، وإما الرضوخ لمشيئتها. فدخل الشعراء السجون أو فروا بعيدًا عن العيون أو نفوا خارج حواضرهم ومضاربهم، بسبب كلمة تفوهوا بها أو قصيدة نظموها أو مقولة قالوها.

وسواء وقع الشاعر في يد السلطة أم هرب منها، فإنه في الحالتين كان يعيش غربتي الاعتقال والقلق على مصيره. عند ذلك تصبح القصيدة ملجأه الوحيد للثأر من غريمه، يقدم فيها تجربته المريرة ويشير فيها إلى ما لاقاه من عَنَتٍ وقهر وظلم.

ونتيجة لهذه المعاناة الإنسانية، تحولت أشعار الأسر بمدلولاتها إلى تجربة أعم وأشمل، لأنها تنسحب على الأسرى من السياسيين والمفكرين وأصحاب الرأي وعلى كل من يعاني من الاضطهاد والتشريد، بغض النظر إلى أي بقعة من الأرض ينتمون. فإن كان الفعل السياسي ضمن المستوى الأمني فقط، يكون السجن ميدانه وليس البرلمان. أما إذا تخلت السلطات عن العودة إلى البرلمان وأحالت الفعل السياسي إلى صراع أمني عنفي، وقتها يصير النصر الأمني هو الغاية.

طرف ينتصر بملء السجون، وآخر ينتصر بعجز الأول عن فوزه بذاك.

لقد ساهمت أشعار السجناء في الإضاءة على جوانب من الأوضاع السياسية والاجتماعية والثقافية التي كانت سائدة، في حينها. كما حاول الشعراء بأشعارهم مواجهة جبروت السلطة، ومقاومة الألم والفراغ والقمع الجسدي واللفظي والنفسي. وهذا ما جعل من الشعر السجين، أحد علائم المقاومة.

فالشعر ليس ترفًا فنيًا ولا ملاذًا تخيليًا، بقدر ما هو فعل أنطولوجي ووسيلة للحلم والصراخ والتعبير. وتتمثل وظيفته الأولى في إيقاظ المبدع، وتحريره نفسيًا.

وقد حقق الشعراء منذ القديم قصب السبق في توصيف السجن، وذكر مآسيه وأهواله. وفي التعبير عن تجلدهم وصبرهم، واحتمالهم سوء المعاملة من السجان. وربما تكون هذه الأوضاع المأساوية قد ساهمت في توجه بعض الشعراء، ولاسيما في العصور القديمة، إلى أولي الأمر مستعطفين العفو وسائلين الرحمة والفرج.

فقد حُبس الشاعر طرفة بن العبد (543-569) بهجائه ملك الحيرة عمرو بن هند بن المنذر (582-608 م)، وقُتل في محبسه غيلة. في قصيدة له يخاطب الملك، فيقول:

أبا منذر إنْ كنتَ قد رُمتَ حَربنا ... فمنزلُنا رَحب مسافتُهُ مُفْضِ
أبا منذر كانت غَرورًا صحيفتي ... ولم أُعطكمْ بالطَّوعِ مالي ولا عِرضي
أبا منذرٍ رُمتَ الوفاءَ فَهَبْتَهُ ... وَحدْتَ كما حادَ البعيرُ عن الدَّحْضِ
أبا منذرٍ أفنيتَ فاستبقِ بعضَنا ... حَنانيكَ بعضُ الشَّر أهون من بعض
فلستَ على الأحياء حيًا مملكًا ... ولست على الأموات في نكتة الأرض
فأقسمتُ عند النَّصب: إنِّي لهالك ... بمتلفة ليست بِغَبطٍ ولا خَفض
تميل على العبدي في حدّ أرضه ... وكعب بن سهل تخترمه عن المحض
هما أورداني الموت عمدًا وجرَّدَا ... على الغدر خيلًا ما تَملُّ من الركض

ومثل ذلك حصل للشاعر عدي بن زيد العبادي (ت 587 م) مع النعمان بن المنذر، حين حبسه في سجن الصِّنين. فأرسل له عدي قصيدة قبل أن يُقتل خنقًا، بفعل وشاية من عديّ بن مرينا:

ألا من مبلغ النعمـان عني	وقد تهوى النصيحة بالمغيب
أحظي كان سلسلة وقيدًا	وغلًا والبيان لدى الطبيب
سعى الأعداءُ لا يألونَ شرًّا	عليكَ وربّ مكة والصليب
أتـاك بأنه قد طـال حبسي	ولم تسأم بمسجون حريب
وبيتي مقفر الأرجـاء فيه	أرامل قد هلكن من النحيب
يحاذرن الوشاة على عَديٍّ	وما اقترفوا عليه من الذنوب
وإنْ أَظْلُمْ فقدْ عاقبتموني	وإنْ أُظلم فذلكَ من نصيب

ومن الأمور التي استاء منها عدي في محبسه وأشار إليها في شعره، تتعلق بسطوة السجان وهيمنته عليه. وأظنه أول شاعر يشير إلى حضور السجان، ودوره في مراقبة السجين والإثقال عليه بالتعذيب والإهانة. فيقول:

في حديد القِسطاسِ يَرقبُني الحا	رسُ والمـرءُ كلَّ شيءٍ يُـلاقي
في حديـد مُضـاعفٍ وغُلـولٍ	وثيـابٍ مُنضّحـات خَـلاق

وقد ظهرت هذه العلاقة العدائية بين السجان والسجناء في قصائد أكثر من شاعر سجين، عانى مما يمارس من قهر وإذلال وتعذيب. وفي هذا يقول يزيد بن مفرغ الحميري:

حَيِّ ذَا الزَّوْر وانْهه أنْ يَعودا	إنّ بالباب حارسين قُعودا
من أساويرَ لا يَنونَ قيامًا	وخلاخيلَ تُسهرُ المَولودا
وطماميمَ من سبابيجَ غُتْمٍ	ألبسوني مع الصباح القيودا

والشاعر صالح بن عبد القدوس:

طوى دوننا الأخبار سجن ممنع له حارس تهدا العيون ولا يهدا
قُبرنا ولم نُدفن فنحن بمعزل من الناس لا نُخشى، فَنَغْشى ولا نَعشى

وأبو نواس أيضًا تشكى من سجانه في رسالته إلى الفضل بن الربيع، فقال:

وقيتَ بيَ الردى زدني قيودا وَثَنَّ عليّ سوطًا أو عمودا
ووكّلْ بي، وبالأبواب دوني من الرقباء شيطانًا مَريدا
وأَعْفِ مسامعي من صوت رجسٍ ثقيلٍ شخصُهُ يُدعى: سعيدا
فقد ترك الحديدُ عليّ ريشًا وأوقر بُغضه قلبي حديدا

ولا يخفى بأن السجانين ينفذون على مساجينهم تعليمات الحكام وأوامرهم بكل ما تتضمنه من حقد ولؤم وبغض، بدرجة قد تصل في بعض الأحيان حد القتل.

وعلى هذا نجد أن مواقف الشعراء ومشاعرهم تجاه السجانين تختلف وتتباين، ففيهم من يبرر لهم تصرفاتهم غير الإنسانية لكونهم مجرد أداة تنفيذية، وآخرون يضمرون لهم حقدًا وكراهية ولا يستطيعون أن يتجاوزوا عن أفعالهم.

فالشعور بالقهر والوجع من إساءات السجان، دفعت الشاعر الأموي القتّال الكلابي (ت 66 هـ) إلى قتله والهروب من السجن. وفي هذا يقول:

إذا قلتُ رَفِّهني من السجن ساعةً تَدارك بها نُعمى عليّ وأَفضِلِ
يَشدُّ وِثاقي عابسًا وَيَتُلُّني إلى حلقات في عمودٍ مُرمَّلِ
أقولُ له والسيفُ يَعصبُ رأسَه: أنا ابنُ أبي أسماءَ غيرَ التَنحُّلِ
عرفتُ نِدايَ من نِداهُ وجرأتي وريحًا تَغشاني إذا اشتدَّ مِسْحَلي
تركتُ عِتاقَ الطيرِ تَحجَلُ حولهُ على عُدواءَ كالجِوارِ المُجَدَّلِ

لا مراء في أن أشعار السجناء هي دليلنا إلى ما يتعرضون له من عنف جسدي ولفظي، وبها نتعرف إلى وضعهم النفسي في حال قوتهم أو ضعفهم. كما نستشف منها علاقتهم مع السجانين، والأمراء والخلفاء.

فقد عبر الشاعر عدي بن زيد العبادي عن ضيقه في السجن من طول الليل واعتكاره، فقال:

طال ذا الليل علينا واعتكر   وكأني ناذرُ الصبحِ سَمَرْ
مِنْ نَجِيّ الهمّ عندي ثَاوِيًا   فوقَ ما أُعلنُ منه وَأُسِر
وكأنَّ الليلَ فيهِ مثلُهُ   وَلِقدمًا ظُنَّ بالليل القِصَرْ

حتى أنه من شدة ألمه وإحساسه بالمهانة كان يفضّلَ الانتحار، على البقاء سجينًا:

ليت أني أخذت حتفي بكفيٌّ   ولم ألق ميتة الأقتال

كذلك يبدي حزنه وتألمه وتخوفه من الإلقاء به في السجن الشاعر أبو اسحق الصابي إبراهيم بن الهلال (313-384 هـ) في قصيدة قالها وهو متوارٍ عن عيون عسس السلطان عضد الدولة، قبل القبض عليه.

ليس لي منجدٌ على ما أقاسي   من كروبي سوى العليم السميع
دفتري مؤنسي وفكري سميري   ويدي خادمي،وحلمي ضجيعي
ولساني سيفي وبطشي قريضي   ودواتي عيني، ودرجي ربيعي
أتعاطى شجاعة أدعيها   في القوافي لقلبي المصدوع
بمقال أعزُّ من ليث غابٍ   وفعالٍ أذلُّ من يربوع
كلما هَرَّ في جواريَ هِرٌّ   كاد يُفضي إلى فؤادي المروع
وإذا اجتاز في السطوح فمن   قبل قبوع الجرذان فيه قبوعي

وعندما حُبس كتب إلى صديق له متعاليًا على معاناته في الحبس، برغم ما

يلاقيه من ضنك ومن قسوة السجان، فقال:

كتبت أقيك السوء من محبس ضنك ... وعين عدوي رحمة منه لي تبكي
وقد ملكتني كف فظٍّ مُسلَّطٍ ... قليل التقى ضارٍ على الفتك والإفك
صليتُ بنار الهمّ فازددت صفوة ... كذا الذهب الإبريز يصفو على السبك

أما الشاعر هدبة بن خشرم (ت نحو 50 هـ) فكان في حبسه صابرًا ومحتسبًا، حتى في أثناء سوقه إلى الموت:

وكم نكبة لو أنّ أدنى مرورها ... على الدهر ذَلَّتْ عندها نوب الدهر
فإن تك في أموالنا لم نضق بها ... ذراعًا، وإنْ صَبْرٌ فنصبرُ للصبر

وصُلبًا شامخًا:

ولستُ بمفراحٍ إذا الدهر سرني ... ولا جازع من صرفه المتقلب

ومع أن يزيد بن مفرغ الحميري قال أبياتًا يفخر فيها بنفسه، إلّا أنها لم تنجح في التورية على ما لقيه من تعذيب وإهانات.

فصبرنا على مواطن ضيق ... وخطوبٍ تُصيّر البيض سودا
ظل فيها النَصيحُ يُرسل سرًا ... لا تُهالَنَّ إن سمعت الوعيدا
لا ذَعرتُ السَّوام في فلق الصبح ... مُغيرًا، ولا دُعيت يزيدا
يوم أُعطي مخافةَ الموت ضَيمًا ... والمنايا يَرصدنني أن أَحيدا

ولا يبتعد ابن زيدون عن هذا الموقف، فالأسر له ولغيره من الشعراء يعني الذل والوهن والخنوع. ولا يخفف من هذه المشاعر، غير التعالي عليها بالفخر:

لا يهنأ الشامت المرتاح خاطره ... أنّي مُعنّى الأماني ضائعُ الخطر
هل الرياحُ بنجم الأرض عاصفةٌ ... أمّ الكسوفُ بغير الشمس والقمر
إن طالَ في السجن إيداعي فلا عجبٌ ... قد يودع الجفنَ حدُّ الصارم الذَّكَر

ومثلما كانت الحالة النفسية للسجين لا تستقر على حال وتتراوح بين الحزن

والألم والفخر والصبر والتجلد، كان التذلل للولاة والخلفاء في أشعار بعضهم يكاد لا يغيب تخوفًا من القتل وطمعًا في نيل العفو.

ويرى عبد الله بن عمر مسوغًا لهم في ذلك، فيقول: «أفضل صناعات الرجل، بيت من الشعر يقدمه في حاجته يستعطف به قلب اللئيم».

ومن هؤلاء سراقة بن مرداس البارقي (ت 79 هـ)، الذي استعطف المختار الثقفي (1-76 هـ) عندما وقع أسيرًا في أيدي أصحاب المختار بعد هزيمة عرب الكوفة يوم «جبانة السبيع». فقبل المختار ترجي سراقة واستجاب إلى سؤاله، وأمر بحبسه ليلة قبل العفو عنه. وكأنه أراد بذلك أن يشعره بالمنّة عليه، وبقدرته على أن يفعل به ما يشاء. وفي اليوم التالي، أرسل مَن يُخرجه من السجن ويأتي به إليه. فكان سراقة مستعدًا لهذه اللحظة، بقصيدة أفاض فيها بمديحه والاعتذار منه وبالتذلل إليه. حتى أنه وصف خروجه عليه، بالنزوة والطيش والسفه والحمق والجحود.

ألا أَبْلِغْ أبا اسحاق أنَّا   نزونا نزوة كانت علينا
خرجنا لا نرى الضعفاء شيئًا   وكان خروجُنا بطرًا وَحَيْنا
نراهم في مَصَافِّهُم قليلًا   وهم مثل الدَّبَى حين التقينا
برزنا إذ رأيناهم فلمّا   رأينا القوم قد برزوا إلينا
لقينا منهم ضربًا طِلَحفًا   وطعنًا صائبًا حتى انثنينا
نُصرتَ على عدوك كل يوم   بكل كتيبة تنعى حُسينا
كنصر محمد في يوم بدر   ويوم الشِّعب إذ لاقى حُنَيْنا
فأسجح إذ ملكتَ فلو ملكنا   لجرنا في الحكومة واعتدينا
تقبل توبة مني، فإني   سأشكر إن جعلت النقد دينا

ولأن المختار كان عارفًا بكذبه ونفاقه، اشترط عليه أن يغادر الكوفة مقابل العفو عنه. فقبل سراقة الشرط وغادر. لكنه ما إن ابتعد عن الكوفة، حتى أبى

على نفسه الذل وأنشد أبياتًا يتوعد فيها المختار وأصحابه ويسخر منهم.

ومع أن المتنبي حاول أن يخفف بالفخر من واقعة السجن:

لو كان سُكناي فيكَ مَنقصةً　　　لم يَكُنِ الـدّرُّ ساكنَ الصَّـدف

إلّا أنه تنازل عن كبريائه، واستعطف والي حمص:

بيـدي أيـها الأمير الأريـب　　　لا لشيء إلّا أني غريـب
أو لأمٍ لهـا إذا ذكرتـني　　　دمُ قلب في دمع عين يذوب
إن أكن قبل أن رأيتك أخطأ　　　ت فإني على يديـك أتـوب

وبعد هذا يحضرني تساؤل: هل يمكن للشعراء والأدباء في القديم وفي الحديث الذين عاشوا تجربة السجن المريرة أن ينسوا ما مروا فيه من عذابات جسدية، وما سمعوه من إهانات لفظية؟

وهل يمكن أن يمحوا من قلوبهم الضغينة والكراهية، ومن آذانهم أصوات الكرابيج على أجسادهم ووقع الصفعات على وجوههم؟ وهل يستطيعون أن يتغاضوا عن رؤية الأصابع الممتدة نحوهم، بإشارات تخجل منها الإنسانية؟ وهل يقدرون على نسيان اليأس الذي اجتاحهم واحتلهم، فاستكانوا له وعاشوا معه؟

أسئلة.. لا أحد يستطيع الإجابة عليها إلا أصحاب التجربة.

زيد بن علي الموشكي

1948-1911

شاعر يمني ولد في بلدة موشك من ضواحي مدينة حجة في محافظة ذمار. تلقى العلم عن والده وعن جده لأمه القاضي عبد الوهاب الشماخي في مدينة شهارة، وتعلم في كتاتيب وجوامع عدد من المدن اليمنية. توسع بالاطلاع على مختلف الدراسات والأفكار، فقرأ كتبًا مترجمة وتأثر بالدعوات التي كانت موجودة في عدن. كما تأثر بفكر جمال الدين الأفغاني والشيخ محمد عبده والمفكر شكيب أرسلان. عمل مدرسًا لبعض أولاد الإمام يحيى بن محمد حميد الدين في قرية السّر، وعين قاضيًا لمدة قصيرة وحاكمًا على أكثر من بلدة في أثناء حكم الإمام يحيى. شكّل مع عدد من الأدباء والمثقفين النواة الأولى للعمل على إحياء الإدراك عند اليمنيين وتبصيرهم بواقعهم السياسي والاجتماعي، وكاشف الإمام بأخطائه ونقده بجرأة فسجنه. فقال له من السجن:

أيها الساخر الذي غَرّه الد   هر، فأبدى لنا الجفا والملاما
أخفض الصوت وارفع الحق وارحم   من توليت واحذر الأياما
وأنظر الشعب نظرة تغرس الحب   لتجني من غرسك الإعظاما
وتجنب عنف المقال وعنف   الفعل واجعل عميدك الإسلاما

إلى أن يقول مستنهضًا الشعب:

أيها الشعب، غافل أنت عنه   وبسوء العذاب إياك ساما
أرضكم خيرة البلاد فهل قد   تم إليها من الفنون زماما

وقال:

ساد في ذا الزمان كل خسيس   سافل واستكان كل رئيس
أصبحت زمرة النفاق بعز   وأولو الفضل في عناء وبؤس
يا بني شعبنا نهوضًا فقد طا   ل نومكم بين ازدراء وبؤس
فانهضوا كلكم بقلب امرىء لا   يرهب الموت أو نزال الخميس

عمل الموشكي في عدن ضمن نشاط حزب الأحرار، وفي صحيفته المناهضة للإمام يحيى وولي عهده. كما كان من مدبري ثورة 1948 والمشاركين فيها، فأمر الإمام بهدم بيته. فقال له:

لله درك فارسًا مغوارًا   طعنَ السقوفَ ونَازلَ الأحجارا
لم يبق في كفيك إلا معولٌ   تؤذي به طفلًا وتهدم دارا
يا من هدمت البيت فوق صغاره   شكرًا فأنت جعلتنا أحرارا
شُلّت يداك وَعُطلت عن كل ما   تُسدي جميلًا أو تَشيد منارا
سنّيتَ في الشعب الخراب فلن ترى   من بَعْدُ إلا ثورة وخرابا
عار وصمت به البلاء وإنما   صارت حياتك في الجزيرة عارا

وفي قصيدة أخرى، يقول:

بني اليمن الميمون إن عليكم   فرائض لم تنفك منك على الكتف
أأحسنتم بالمستبدين ظنكم   وهم داؤكم لو تعلمون الذي يشفي
أقمتم إمامًا للتقدم في الدنى   فكان إمامًا للتقدم في النسف
وبايعتموه أول الأمر بيعة   أحاطت بكم يا قوم صفًا إلى صف
وتاجرتموه بالنفوس ومالكم   ولكنكم ما عدتمو بسوى الخسف
تخيرتموه عن غفول لتهلكوا   فكنتم كشاة تطلب الحتف بالظلف
أما آن أن تبدوا له من إبائكم   زئيرًا أو يهوي إلى اليأس بالقحف

فـإن يك أهـلًا للخـلافـة ملتـم		إلـيه وإلا فـانبـذنـه إلى الخـلـف
على أنني من عـدلـه الدهـر يـائس		وفي أهله من عبرة الدهر ما يكفي
وبيت حميـد الـدين بيتٌ معـطَـلٌ		من الخير للإسلام والوطن العرفِ
لـه أسـرة مـا بـيـن لاهٍ وعـاثـر		وذي إحنـةٍ فَـظٍّ على شعـبه جِلـفِ

فعندما سمع الإمام بها وعرف أنها منبعثة من سجن (حجة)، أمر مرة أخرى بهدم دار الموشكي وصبَّ جام غضبه على الشعب وأعمل فيهم سيفه، وحوَّل عيشهم إلى شقاء وإرهاب ولعنة. كل هذا حدث لهؤلاء الأدباء ولغيرهم، من قبل أنظمة تظن أن أعمالها الإجرامية تحقق لها النصر والديمومة. لكنها لم تتنبه إلى أن المعاني لا يمكن اعتقالها ولا محاصرتها ولا قتلها. فمهما تكن قوة السلطة السياسية، سيأتي يوم وتنتهي فيه. في حين يبقى تراث الأدباء حيًا، ولا أحد يستطيع طمسه أو إلغاءه.

جمعت أشعاره، في:

-كتاب زيد الموشكي، صنعاء: مركز الدراسات اليمنية، 1984

-كتاب شعراء اليمن المعاصرون.

-مقالات متنوعة الموضوعات في مجلة «الحكمة اليمانية»، صنعاء 1939

المراجع

1- لمحات من التأريخ والأدب اليمني/ عبد الله أحمد الثور، القاهرة: دار الفكر العربي، 1971

2- زيد الموشكي: شاعرًا وشهيدًا/ عبد العزيز المقالح وآخرون، صنعاء: مركز الدراسات والبحوث العلمي، 1984

3- هجر العلم ومعاقله في اليمن/ إسماعيل الأكوع، دمشق-بيروت: دار الفكر ودار الفكر المعاصر، ج2، 1995

شاذل طاقة

1973-1929

شاعر وسياسي ودبلوماسي عراقي ولد في مدينة الموصل، وهو من مؤسسي مدرسة الشعر العربي (الحر) الحديث مع الشعراء بدر شاكر السياب والبياتي ونازك الملائكة. كان عضواً في حزب البعث، وسجن خمسة أعوام من 1963 وحتى 968 على الرغم من توجهه القومي العربي. توفي مسمومًا في مدينة الرباط وكان يشارك في اجتماع الوزراء العرب بوصفه وزير خارجية العراق، عن عمر لا يتجاوز الخامسة والأربعين. كتب الشعر العمودي، ثم اتجه إلى كتابة الشعر الحر ويعد من مؤسسي مدرسة الشعر العربي الحديث مع الشاعرين بدر شاكر السياب وعبد الوهاب البياتي، والشاعرة نازك الملائكة.

لقد ترك الشاعر شاذل طاقة، إرثًا أدبيًا وسياسيًا خالدًا.

هنا من سجني الكئيبْ/ في المدينة البعيدهْ/ أكتب يا
حبيبتي الحزينهْ. الليل حولي موحش غريبْ/ تشربه
مقابر المدينهْ/ والريح تصفع الجدارْ وتسرق الصدى
وتأكل البذارْ/ وتشرب النَّهَرْ/ وراء سور السجن
في مدينة الغجرْ. وتحصد النجومْ/ وتزرع الغيومْ/
في سمائنا الصغيرهْ / وتدفن القمرْ. وأنت يا حبيبتي
في عشنا وحيدهْ/ تحكي للصغارْ/ حكاية جديدهْ عن
عربي لصَّه القطار/ مسافرٍ بلا هويةٍ بلا وداعْ/ رقم

مضاعْ في زحمة المدينة البعيدهْ/ مدينة الأسوارْ/
والسجونْ/ والغجرْ. بالأمس، مرَّ من هنا عصفور/
مغردٌ مصفقُ الجناحْ ذكّرني بطفلنا الغرير/ يموسق
اللثغة في حبور/ ويملأ المنزل بالصياح. بالأمس
مرَّ من هنا/ وطار للجنوب/ مع العصافير الشماليهْ
وطفلنا الحبيب/ معي هنا في كل أغنية/ يشدو بها
بصوته الحزينْ/ ملوَّعٌ سجين. وبعدُ يا حبيبتي/
فإننا بخير/ جميعنا بخير القيد والسجان والغياهب
السحيقهْ/ والصمت والظلام والنوافذ الصفيقهْ
جميعنا بخير/ لكننا/ رغم الدجى/ رغم القيود/
لنا الغد الزاهي السعيدْ لنا لنا/ السواعد المتينهْ/ تهز
سور السجن تصهر الحديد وفي غدٍ تطهُرُ المدينة/
فأشرب الدموع في عينيك / يا حبيبتي الحزينه ونجمع
الصغار/ أطفالنا الصغار/ نحكي لهم حكاية جديدهْ
عن عربي لصَه القطار/ مسافرٍ بلا هوية بلا وداع/
رقم مضاعْ في زحمة المدينة البعيدهْ/ عاد إلى المدينهْ
السعيدهْ/ في وضح النهارْ.

له في الشعر: «المساء الأخير»، «ثم مات الليل»، «الأعور الدجال والغرباء».

وفي الدراسات: «تاريخ الأدب العباسي»، «في الإعلام والمعركة».

المراجع

- شاذل طاقة: الشاعر والوزير والإنسان/ نواف شاذل طاقة، باريس، 2011
- موقع: الدكتور عمر الطالب، موسوعة أعلام الموصل في القرن العشرين، 2016

الشاعرة سعيدة المنبهي

1977-1952

ولدت الشاعرة سعيدة في مراكش بالمغرب، وتخرجت في كلية الآداب قسم اللغة الإنكليزية بجامعة الرباط. ناضلت في صفوف الاتحاد المغربي للشغل، وانخرطت في صفوف منظمة إلى الأمام اليسارية السرية. اختطفت في العام 1976، واحتجزت في المعتقل السري «درب مولاي الشريف» بالدار البيضاء الشهير بجرائم التعذيب. وتعرضت فيه لشتى أنواع التعذيب الجسدي والنفسي، قبل نقلها إلى السجن المدني. حوكمت سعيدة بتهمة المساس بأمن الدولة، وحكم عليها بالسجن خمس سنوات وأضيف إليها سنتان بتهمة القذف في هيئة القضاء لتنديدها بالقمع الممارس ضد المرأة المغربية، وتأكيدها على حق الشعب الصحراوي في تقرير مصيره.

أعلنت إضرابًا عن الطعام، واستشهدت في اليوم الأربعين من الإضراب عن خمسة وعشرين ربيعًا. كتب عنها الشاعر عبد اللطيف اللعبي، فقال:

«كانت سعيدة تكتب بأظافرها في غبش الزنزانة، ولا تأبه بأمراض الإبداع. القصيدة رئتها الثالثة التي تستنشق بها رائحة غابات الحرية، عرق السواعد التي تنشر الخيرات وتبترها أحيانًا آلات الرأسمال. كانت القصيدة اليومية عينها الثالثة التي ترقب بها تراث المستقبل». أصبحت سعيدة شاعرة، لأنها اكتشفت بهاء تجربتها الإنسانية وكفاحها كامرأة ومناضلة. ولمّا كانت على فراشها الأخير خرجت اللحظة من غيبوبتها العميقة، لتكتب بالدم كلمتين

بسيطتين رقيقتين حادتين، لهما طعم الرصاصة والقبلة: «سأموت مناضلة».

من ديوان الغائبين، نقرأ:

ريح بلادي
تَعوي.. تَصرّ.. تَهبّ
على الأرض المبللة..
تكنسها..
ترسم أشكالًا
تنقش صور الماضي
ماضيّ أنا .. ماضيك أنت
ماضي كل واحد فينا
صوتها يذكرني بسمفونية
تلك التي كنتَ تهمسها في أذني كل ليلة
قبل ذلك.. منذ وقت بعيد
اليوم.. هذا المساء.. هذه الليلة..
بصمات الحياة وحدها تراود ذهني
والمطر الدؤوب..
الريح العنيدة..
يعودان ككل سنة
ويرجعان إليك مهما بعدت
فيذكراني بأن لي جسمًا،
بأن لي صوتًا،
أرفعها قربانًا إليك

بعد الحكم الجائر
أنتظر دق الساعة

ساعة اللقاء والانتصار
منذ ما يقرب من سنتين
لا شيء غير الصمت
الكثيف المجلجل..
هكذا أشعل نجوم حياتي
الواحدة تلو الأخرى
ليظهر وجهك
في ضوء النجمة الحمراء
وأسهر ليتحطم الليل
لتتبعثر كل الأصوات
ولتنفجر الكلمة شرارة
كلمة تثقب السور
والكثافة
كلمة حمراء ضد الديماغوجية
كلمة كرسم هيروغليفي لقلبي
مخططة بريش الدم
كلمة شاعر
كلمة كالشفرة التي تسلخ
قامة مصاص الدماء

وفي قصيدة أخرى تروي فيها عن زيارة ابنتها الطفلة لها:

يوم الأربعاء
أم وطفلتها في ذعر الإهمال
والسجانة
ضوء باهر في ظلمة وحدتي
هذه الطفلة

هذه الأم
تفصلهما القضبان
كل واحدة من جهة
لقاء نظرتين دون كلمات
الصغيرة تضرب الأرض برجليها
وأنت منذ وقت طويل
منشغلة بشؤونك
الأطفال في مثل هذا السن
يظنون أن العالم ملك لهم
إنها تريد أن تكون كبطيخة
بين ذراعيك
إنها تجهل القضبان
عناق
لكن دموع الغضب
تسيل على وجهها الممتقع
إنها تشعر ببرودة القضبان الحادة
لماذا هذه القضبان
كأنها أول شيء يجب أن يرى
في الحياة
عناق
الطفلة.. الأم
والقضبان
عندما تتبادل طفلة وأمها
قبلة
حتى لو كان ذلك من خلال القضبان

الغادرة

يتجسد الحب

يغرد خفية

وفي الأفق يرتسم عالم الغد

الجبال .. التلال

تركع لهما

بينما يعلو في الدروب البعيدة

في ممرات الاعتقال

نشيد عبد الكريم والأممية

يا طفلتي

إذا ما بلغتني الشيخوخة

أو الموت

إذا ما قطعوا رأسي..

لكي لا يرى السجن غدًا

أطفالٌ مثلك

فالعراقيل ستنتفي أمامكم

ستفتح الأبواب

ستجد الشمس طريقها

إلى السجن

* ترجم القصيدة عن الفرنسية الشاعر عبد اللطيف اللعبي

كانت سعيدة تكتب بالفرنسية، وقد تم جمع شعرها ونشره في العام 2000، كمثال عن الشعر المغربي الثوري والنسوي.

المراجع

1- امرأة أحبت الضوء، جريدة هيسبريس الإلكترونية، 26 اغسطس، 2011.

2- بوابة المرأة المغربية.

عبد اللطيف اللعبي

1942

شاعر وكاتب ومترجم، ولد في مدينة فاس بالمغرب العربي. اعتقل في العام 1972 على خلفية نشاطه السياسي الماركسي والانتماء إلى منظمات سياسية محظورة، والتحريض على العصيان من خلال مجلة أنفاس. وفي العام 1980 أطلق سراحه نتيجة لحملة دولية واسعة، قادتها صديقته الفرنسية جوسلين التي صارت زوجته. يقول عبد اللطيف: «السجن علمني الكثير عن نفسي، عن الصقع الغريب لجسدي وذاكرتي. عن أهوائي وعن كامل متاهة جذورها الغريبة، عن قوتي وضعفي وقدراتي وحدودي. فالسجن إذًا، مدرسة بلا رحمة في شفافيتها».

كتب رواية «رسائل السجن: يوميات قلعة المنفى»، يذكر فيها أنه أدرك المعنى العميق لمكان وزمان اسم السجن: «إنه تحويل الإنسان الذي يدخل إليه، تغييره باتجاه محوه وإلغاء كيانه الذي به كان».

ولأنه قوي وقادر ولا يريد أن يموت في السجن، فهو لم يتراجع عن عشقه للحرية وللحياة العادلة لكل الناس. فأزهرت الكتابة في يده، وبها اكتسح حواجز العزل. كما عمقت سنوات حبسه الثمانية تجربته في الحياة وفي الأدب، وهو القائل:

إنني هنا..
في الهامش الذي اختارني

ماسكًا الزهرة
التي نَمَتْ
في الإسمنت
هكذا..
لم يستطيعوا توقيف دماغي
بل أشعر فوق ذلك بأنني كبرت قلبًا
أشعر بهذه الشمس المخترقة الحواجز
تولد وتأفل عند قدمي
بهذا الليل المعمور بالنجوم
كأنه مطية
تساعدني على اجتياز القرون
وبهذه الجلبة المستمرة
خارج الأسوار
كتموج غابة من الأيدي
سبابات تشير إلى الأهداف
إني سعيد
ما أقوى حبي الآن
وكم يعرف حقدي
كيف يختار
فيا ملايين الشعراء انهضوا
انهضوا».

***

في ساعتين بالقطار
أستعرض فيلم حياتي
بمعدل دقيقتين في السنة

نصف ساعة للطفولة
وأخرى للسجن
الحب، الكتب، والتسكع
تتقاسم الباقي
يد صاحبتي
تذوب شيئًا فشيئًا في يدي
ورأسها على كتفي
بخفة حمامة
***
عند وصولنا
سأبلغ الخمسين
وسيبقى لي من الحياة
ساعة تقريبًا.

كتب اللعبي عن السجن والاعتقال ولا يعد نفسه كاتب سجن، بل كاتبًا يدافع ويحارب من أجل مواطنته ومن أجل الإسهام في تقدم المجتمع المغربي. وبعد أن ذاق مرارة السجن والتضييق على الفكر، اختار الهجرة والإقامة في فرنسا. نال جائزة غونكور الفرنسية للشعر عن مجمل أعماله في العام 2009، كما نال في العام 2011 الجائزة الكبرى للفرانكفونية.

في قصيدة الموت الربيعي التي أهداها لروح المناضلة سعيدة المنبهي، يقول:

الكتابة تافهة. تافهة هذه الطعنة في القلب. سماء الشتاء العاقر. شمس الجريمة كجهيض شاحب. صمت الأسوار المتراكزة، كمامة مسننة تحاصر أيدينا. تافهة هي عيوننا المدماة، الموشومة بأخاديد الحقد. وكلماتنا مفرقعات باردة كقماط في المزبلة. تافه طوافنا المسلول ونحن نجرجر أقدامنا في قلعة المنفى.

آه من حبنا المتوحش يا رفاق السلاح!

ولكن لا تأبه/ شُقّ العصا أيها القصيد/ يا ابن الألم الأقصى/ فلقد زوجنا هذا الصباح/ أجمل امرأة/ للموت الربيعي/ وهذا واجب العنف والعدل/ يأمرنا/ بتشييع الزفاف.

في وطننا، لا يولد الناس متساوون. لا الشمس ولا البرتقال ولا الفوسفات هبات من السماء والأرض يمكن التقاطها فاقتسامها كل حسب عمله أو حاجته. ثمار الإنسان سريعة التلف. في الأرياف القريبة والنائية، في مدن القصدير التي تجثو على صدرها الأحياء الجميلة ومواخير السادة ذوي السيارات الخيالية، في مدن البؤس المعدي، يموت الأطفال كهريرات زائدة، أغرقها الجوع واليأس ومخططات القدرية.

في وطننا، يكفي أن تكون في صفوف الشعب لتصبح خارجًا على القانون. التعذيب فضيحة مألوفة، ركيزة العدل الطبقي. التعذيب يقتل، لم يعد ذلك سرًا.

في وطننا يزدهر النخاسون، كبار اللصوص، ماضيا وحاضر، صغار الوشاة المتآزرين، وهم يشكلون حلقة اللاشعب الرهيبة، يتصدون للأمل، يسنون الخطر على المستقبل. في وطننا، لا تزال النساء يرزحن تحت نير مأساتهن التاريخية، وإذا ما أردنا استكشاف عذابنا النوعي، فلنلتفت بكل تيقظ إلى صرختهن.

ولكنه وطننا، هذه القرحة المشعة، هذا الكائن المنصوب كأبي الهول المهووس بالشمس، هذه الأرض المهانة بالاغتصابات الجماعية، وفوق كل اعتبار، هذا الشعب الكادح ذو البسمة التي لا تفنى، شعبنا الذي يسير.

من أعماله الشعرية

«أزهرت شجرة الحديد» 1974، «عهد البربرية» 1980، «مسرحية الشمس تحتضر» 1992، «شجون الدار البيضاء» 1996،

ترجم إلى الفرنسية عددًا من الأعمال الشعرية، منها: شعر المقاومة الفلسطينية، أشعار للشاعر المغربي عبد الله زريقة، وترجم رواية للروائي السوري حنا مينة.

الشاعر رشدي العامل

1934–1990

ولد بالعراق في بلدة عانة بمحافظة الأنبار، ودرس في مدارسها إلى أنْ شَبَّ عن الطوق. انتقل إلى بغداد للدراسة، وتابعها في القاهرة عندما كان منفيًا عن العراق. بعد ثورة الرابع عشر من تموز 1958 عاد إلى بغداد، وواصل مسيرته الأدبية والإعلامية. ينتمي رشدي العامل إلى الجيل الثاني من شعراء العراق، وإلى العقيدة الماركسية. تصدى للسلطة الحاكمة في بغداد بروحه المقاومة وقصيده الجارح، فتعرض للملاحقة الأمنية وسُجن في العام 1963، وعلى الرغم من مراقبة السلطة له بعد الإفراج عنه إلا أنه لم يفكر بمغادرة العراق وفضَّل البقاء فيه. لكنه ومن شدة الظلم والعسف والقسوة والإهانات التي مورست عليه، اندفع نحو الكحول فأدمنه وكان من ضحاياه. انزوى رشدي عن الناس ليتفرغ لشرب الخمرة التي كان يعبها ليل نهار، غير مبال بأي دعوة له للتوقف. وقد يعود تصرفه هذا إلى فشله سياسيًا، وانتقامًا لنفسه من هجر زوجته له.

من أشعاره:

ألـوى بعزم تجلـدي وتصبري ... نـأي الأحبة واعتيـاد تذكري
شحط المزار فلا قـرار ونـافرت ... عيني الهجوع فلا خيال يعتري
أزرى بصبري وهو مشدود القوى ... والآن عودي وهو صلب المكسر
وطـوى سروري كـله وتلـذذي ... بالعـيش طي صحيفة لم تنـشر

هلّا بما ألقي الحبيب توهمًا بضمير تذكاري وعين تفكري
وإذا الفتى فقد الشباب سما له حب البنين ولا كحب الأصغر
عجبٌ لقلبي يوم راعتنا النوى ودنا فراقك كيف لم يتفطر
ما خلتني أبقى خلافك ساعة لولا السكون إلى أخيك الأكبر
إنسان عيني إن نظرت وساعدي مهما بطشت وصاحبي المستوزر
فإذا شكوت إليه شكوى راحة ذكّرتُه فشكا إليّ بأكثر
أربى عليّ فحظه مما بنا حظّ المُعلّى من قِداح الميسر

عن تجربته كتبت هيفاء عبد الكريم في موقع الحوار المتمدن (عدد 2049 تاريخ 2007):

«تمثل تجربة رشدي العامل تجانسًا فريدًا ووحدة لا تعرف الشروخ، فهو الصادق حد الألم مع نفسه ومع الآخرين. لم يجعل من شعره أداة للمساومة أمام ما يحمله من فكر، فهو يمتلك روحًا عالية في ربط مفردة الشعر باللون، ساعيًا إلى قيم جمالية تجسد روحه. إلى جانب ثقافة عميقة تطرح الكثير من الأسئلة، من بينها الموت والغربة من وطن عاش فيه ومات فيه».

في قصيدة من ديوانه «حديقة علي» يخاطب ابنه ناصحًا وناهيًا، ويقول له:

لا تركع يا ولدي،
حتى للموت.
يقولون بأن العالم يحكمه اثنان:
الذهب الأصفر،
والسوط الأسود في قبضة سجان.
* * *
كذب يا ولدي

فالعالم ليس السجن،
وأهداب الدنيا بستان،
وزهور الدنيا قمح العالم، حلم الشاعر
كركرة الطفل تغني،
صدر الأم يناغي شفتيه
هي البستان.
العالم يا ولدي:
الإنسان.

وفي قصيدة أربعة وجوه، يقول:

أمس كنا أربعة / شاعر ضلّ طريقه/ كاتب يبحث في الظلمة عن نور الحقيقة/ ثالث يرسم بين الشوك والصبار/ أزهار حديقة/ راهب يستل أنات من القيثار وسط الزوبعة. أمس كنا أربعة/ هكذا كنا،/ ولكنا افترقنا/ عند منتصف الليل/ حدقنا طويلًا وضحكنا/ عندما قال لنا الراهب إنّا أغنياء،/ خبزنا الصبر مأوانا العراء،/ لم نخن شيئًا ولم نكذب،/ ولم نلبس أثواب الرياء./ وافترقنا../ نغرف الضحك وكنا سعداء.

من دواوينه: «همسات عشتروت»، «أغان بلا دموع»، «عيون بغداد»، «حديقة علي».

المرجع

1- معجم الشعراء منذ بدء عصر النهضة/ إميل يعقوب، بيروت: دار صادر، مج1، ط1، ص432

يوسف الصائغ

2005-1933

ولد في مدينة الموصل بالعراق، وينتمي إلى جيل الرواد. كان متعدد المواهب، شاعرًا وروائيًا ومسرحيًا وصحافيًا وفنانًا تشكيليًا وكاتبَ سيناريو.

دخل السجن في العام 1963 على خلفية مبادئه الشيوعية وآرائه اليسارية، وخرج منه بعد خمس سنوات. عانى يوسف من شظف العيش في مطلع شبابه وفي شيخوخته، كما حاق به ظلم خلال مسيرته الحياتية من قبل بعض الأوساط الثقافية والرسمية. خسر عمله في الصحافة بعد انهيار الجبهة الوطنية التقدمية للأحزاب المؤتلفة مع السلطة، مما دفعه إلى أن يعلن تخليه عن عقيدته الماركسية. فأبعد عنه موقفه هذا أصدقاءه في الوسط الثقافي.

استوقفني لصٌّ في الليل/ وهددني فحلفت له أني لا
أملك شيئًا

قال: إذن قل لي ما اسمك؟

فضحكت..

وقلت له: صدقني.. يا لصَّ الليل

حتى اسمي..

أخذوه مني!

ومما زاد في انكفاء يوسف على نفسه، تحوله عن المسيحية إلى الإسلام بزواجه من سيدة مسلمة، بعد وفاة زوجته الأولى في حادث سيارة. وبرغم

ابتعاد يوسف عن مبادىء اعتنقها في مطلع شبابه، إلا أنه لم يتخل يومًا عن حبه لوطنه وعن تقديم الاعتذار له في أكثر من قصيدة:

هذا زمن مسدود/ يخرج منه الدود/ صار الشعراء
قرود فيه/ والعشاق يهود/ باركني بيديك الحانيتين/
وامنحني غفرانك يا وطني.

كما توجه إلى مواطنيه يطلب منهم أن يلحظوا طيبته، ويعاملوه على أساسها:

وأنتم خذوني بطيبة قلبي
فإنَّ المحبة طيبة القلب
والشعر مغفرة
وزمان المحبين جدّ قصير.

وفي أكثر من لقاء، صرّح قائلًا:

«إنني مع العراق في حربه مع إيران، وضد أميركا وضد كل من يقف ضد بلدي. أنا ضد الحزب الشيوعي، لأن موقفه خاطىء. أنا أنحني لشهداء الحزب وتاريخه، ولكن الخطأ خطأ ويجب أن أقول الحق. إن وقوفهم إلى جانب إيران ضد العراق، عمل خاطىء إن لم يكن جريمة.

ولشدة ما شفّت روحه في سنواته الأخيرة وازدادت أحاسيسه رهافة، جاءت قصائده وكأنها تستشرف المستقبل، سواء من حيث اقتراب وفاته، أم من حيث احتلال العراق.

1

بلى كان عامًا مريبًا.. أتى ثم راحْ/ وخلفني عند حافة
عمري، مثل نسر كسير الجناحْ. وها هو.. عام جديد..
يجيء.. ويروحْ/ يلوّح لي.. بكفين داعرتين.. ووجه
بذيء ويذكرني، أنه، عن قريب سيأتي../ ويحتل
بيتي.. يشاركني زوجتي وحفيدي وبنتي. فيا أيها
الشاعر المستباح.. حاذر الآن، من أن تنام..

ربما كان عامك هذا.. حنانيك .. آخر عام/ فاستفق..
في زهوك.. فوق الجراح. بحيث إذا جاء يوم الفراق..
هتفت مع الهاتفين..
نموت.. ويحيا العراق!

2

ها أنا، واقف/ فوق أنقاض عمري/ أقيس المسافة/
ما بين غرفة نومي .. وقبري وأهمس: وا أسفاه..
لقد وهن العظم/ واشتعل الرأس/ واسودت الروح..
من فرط ما اتسخت بالنفاق/ سلام على هضبات الهوى..
سلام على هضبات العراق!

توفي يوسف في دمشق بعيدًا عن العراق، تاركًا وراءه كنزًا لا يفنى من دواوين الشعر:

«اعترافات مالك بن الريب»، «سيدة التفاحات الأربع»، «المجموعة الكاملة لقصائد يوسف الصائغ».

والمسرحيات: «مسرحية الباب»، «العودة»، «ديدمونة»، «السرداب»، وغيرها.

المرجع

1- معجم الشعراء منذ بدء عصر النهضة/ إميل يعقوب، بيروت: دار صادر، مج3، ط1، 2009

كمال سبتي

2006-1954

ولد كمال سبتي في مدينة الناصرية، بجنوبي العراق. درس في بغداد، وتخرج في معهد الفنون الجميلة قسم السينما. ولا يخفى أن كمال عاش حياة لا تخلو من قسوة وتشرد في غرف فنادق غريبة، شأنه شأن الكثيرين من الأدباء والفنانين العراقيين».[1] وهو واحد من جيل التمرد على الأشكال المألوفة في الشعر، ومن أهم شعراء السبعينيات في العراق كما يصنفه النقاد ضمن موجة الحداثة الشعرية الثالثة. وأيضًا هو أحد الشعراء القلائل، الذين عاشوا حياتهم من أجل الشعر.

تمتاز أشعار كمال بخصوصية من حيث لغتها المبسطة المفهومة، وبما تتضمنه من تناص مع آيات القرآن والتراث. وكتب الناقد علي حسن الفواز دراسة عن تجربة كمال سبتي الشعرية، وقل فيها:

«الشاعر الخارج من أزمنة الأمكنة إلى أزمنة متشظية، إذ هي تتحول إلى منافيه التعويضية التي يقترح مواقيتها وجهاتها. إذ هو النازح الجنوبي بكل ملامحه القروية باحثًا عن خلوده الشخصي، وحالمًا بعالم يتسع له دائمًا. هذا العالم لم يرث منه إلا شفرات منافيه، تلك التي ظلت تتمظهر في نصوصه وكأنها تعيش لصق ذاته، تؤثث المكان وتمنحه إحساسًا استيهاميًا».[2]

1 سعد قاسم، قاب قوسين: مجلة ثقافية، 29/ 4/ 2017

2 الناقد علي حسن الفواز، موقع كتاب العراق.

بعد أن أنهى كمال خدمته الإلزامية في الجيش العراقي وكانت الحرب الإيرانية العراقية قد وضعت أحمالها، ضاقت به الحياة في ظل حكم استبدادي وأصبح الهروب هاجسًا له. وقد تحقق له ما أراد من خلال سفره إلى ليبيا عام 1989، للمشاركة في المؤتمر الذي يقيمه الاتحاد العام للكتاب العرب، ومن هناك سافر إلى إسبانيا، ودرس في جامعة مدريد المستقلة الفلسفة والآداب. ليستقر بعد ذلك في هولندا، ويتوفى فيها.

عاش مهووسًا بالموت وبالشعر، فهو لم يعرف غيرهما برغم أنه كان سعيدًا في الوجه وحزينًا في الشعر، كما يقول أخوه إبراهيم.

«يعتمد كمال سبتي في منجزه الشعري الإيجاز والتقشف في استخدام اللغة برغم تراكم الأسئلة واحتدام تراجيديا الواقع، وما تتطلبه من البوح العام والمراجعات الذاتية المنهمرة بسخاء لا مزيد له».[3]

هي مجزرة../ قل إي وربي/ ودع السكينة جانبًا،/ واشتم كتائب كل حرب/ قل إي وربي../ واشتم عبيد المال/ واشتم دعاة الموت/ من شعراء سمسرة ونصب/ قل إي وربي.[4]

لو كان في البلاد لي مال/ كصراف عجوز/ لو كان لي في البلاد بيت/ بكيته كمالك البيوت/ لكنما أنا فقير كل عمري سيدي القاضي،/ وإذ أبكي فلا أدري لماذا؟/ يعقل أن أبكي أم البلادُ للصراف/ والمالك يحصيانها مالًا وأملاكًا؟/ لهذا/ لا يبكيان مثلي،/ لن يضيع منهما ما قد يضيع/ مني ومن غيري، ولا أدري لماذا؟[5]

3 د.عبد العزيز المقالح، جريدة الحياة، 2010/2/17

4 ديوان «صبرًا قالت الطبائع الأربع»، ص 11

5 نفسه، ص 13

وفي ديوانه الأخير، يقول:

«كان أبي يقول: في الحرب لي أربعة، ومثل كونفيشيوس يخشى أن يموت الابن قبل الأب في الحرب، وكان لا يرانا كلنا، أربعة، لو مرة واحدة، في بيته.

اثنان منا يأتيان، قل ثلاثة ولا تزد وكونفيشيوس في بالي وفي بال أبي عشرون عامًا، وأبي لا يقرأ الحكيم، لكن أبي يعرف ما الحكمة في الشرق، فإن لم يمت الأبناء في الحرب فقد يهرب جنديان، قد يموت واحد ولما يبلغ الخمسين في بغداد، كان لا يرانا كلنا أربعة، لو مرة واحدة في بيته. يعرف ما الحكمة في الشرق، فكنا أربعهْ وكان يحلم أنْ يرانا كلنّا».

وعن الوطن، يقول:

بلادي التي سوف تُذبح باسم الجميع
بلادي التي أنجبتني، فقالوا:
لقد جئتِ شيئًا فريًّا
بلادي التي شردتني
ولم تَكُ، قالوا، بغيًّا
بلادي التي سوف تذبح باسم الجميع
بلادي التي تشبه البقرة
مُسَلَّمةٌ، لا ذَلولٌ ولا فَارِضٌ، لونها كالذهب
بلادي الذهب
يشع بها في الظلام
بلادي التي لا تجيدُ الكلام
تسرُّ الجميع

بلادي التي سوف تُذبحُ باسم الجميع[6]

خرج كمال سبتي من لعبة الاحتجاج الشعري العراقي إلى منافيه الشخصية الباردة، ليموت في هولندا وحيدًا، وهو القائل: «أنا شاعر، أقول عن نفسي هربت من البلاد لأنني شاعر، وأفتخر أمام نفسي بأني ما سعيت في شيء إلا كان من أجل الشعر».

من مؤلفاته:

«وردة البحر»، «ظل شيء ما»، «حكيم بلا مدن»، «متحف لبقايا العائلة»، «آخر المدن المقدسة»، «آخرون.. قبل هذا الوقت»، «بريد عاجل للموتى»، «صبرًا قالت الطبائع الأربع».

6 نفسه، ص 10

عمر محمد شبلي

1944

شاعر لبناني من قرية الصويري في البقاع الغربي، قومي النزعة والانتماء.

أسره الجيش الإيراني في أثناء الحرب العراقية الإيرانية، عندما كان مراسلًا حربيًا في الجبهة العراقية. فقضى سني شبابه في المعتقلات، وعانى مأساة انهيار ما كان يحلم به على مستوى الفرد والجماعة. ومع ذلك لم يفقد إيمانه بقيم الحق والجمال والحرية، وانتصاره لها. وما يؤسى له في تجربته أنه بعد سجن عشرة أعوام أُبلغ بالإفراج عنه واقتيد إلى الطائرة التي حملت أسرى عراقيين، وقبيل إقلاع الطائرة دخل شخص ونادى عمر شبلي. وقف عمر، فقال له الرجل بشماتة وتشفٍ: انزل، ستبقى عندنا عشرة أعوام أخرى. أعيد إلى السجن، ولم يكن بينه وبين الحرية غير لحظات.

تنقل في عدد من السجون الإيرانية خلال عشرين عامًا 1981-2000 وزار فيها أكثر من زنزانة، وبرغم ذلك لم يضعف ولم يهن. فلجأ إلى الكتابة، وجعل منها وجهًا آخر للصراع مع السجن- المقبرة. فكانت له سلاحًا ضد الغربة والغسق والظلام، فأنتج كتبًا عديدة، في الشعر والقصة والترجمة والبحث. ولأنه شاعر أولًا، نلحظ أوجاعه الروحية والجسدية تتمدد في قصائده، وتتجلى.

ففي أثناء نقله إلى سجن (قصر فيروزيه)، وسجن (رينا) المحفور في صدر

جبل (دماوند) العملاق وهو مقيد بالسلاسل، عاين الجبال الشاهقات بوجع من يبحث عن صيرورة لجسد ينقلونه من معتقل إلى آخر. وتخيل أن تلك الصخور هي أجيال هاجعة من البشر، وأحس بأن أصوات الرياح الصاخبة على تلك الشواهق وفي الأودية العميقة ليست سوى أرواح أجيال راكمها الزمن على هيئة صخور.

في حوار معه (فاطمة رسلان، مجلة شؤون جنوبية، 19-12-2009) يقول عن السجن، وعن وجوده عشر سنوات في انفرادية:

«السجن حالة متناقضة مع فطرة الإنسان وكينونته، ولذا تنقص إنسانية الإنسان في السجون». ويضيف: «كانت الغربة تتسع في داخلي، وبدأت أغترب أكثر عن وعيي الخارجي وبخاصة في سنوات الانفرادي الي كنت فيها وحدي. أما سنوات الأسر الأخرى، التي قضيتها مع الأسرى فقد كانت شيئًا مختلفًا تمامًا، لقد شعرت وأنا أدخل في معسكر الأسرى بعد عشر سنوات من الانفرادي، أنني عائد إلى لبنان».

وعن الكتابة يقول: «صارت الكلمة جزءًا من لحمي الحي، وبدأ الشعر يغريني بهزيمة الوقت الذي لا يتحرك. كان الشعر هو القطار والهواء والأفق، وكان ترجمة لإرادة الحياة فيّ. لم يكن ترفًا، بل كان بديلًا للموت ودخولًا في الشمس».

أما العزلة فكانت له بمثابة مطهر للنفس من الدنايا الدنيوية، ومصالحة عميقة بين الوجدان وحقائق الكون الكبرى. فكان يشعر في بعض الأوقات بالضوء يشف في أعماقه، فتشرق روحه بفرح يشوبه حزن حينًا وبفرح غامر حينًا آخر. لكنه في كلتا الحالين فرحًا عابرًا، ما يلبث أن يعود إلى شرنقته في غيابة الجب.

واللافت أن شعوره بالفرح، كان مصدره خبر عن الوطن. وكان يأتيه من

حارس الزنزانة الطيب الذي كان كلامه مصدر غذاء لروحه، وكان في صوته كل ما يحتاجه من الصدقات.

ترجم قصائد الشاعر العرفاني حافظ الشيرازي إلى العربية، وكتب له مقدمة أهدى فيها هذه الترجمة إلى سجانه في المعتقل الإيراني مصطفى خزاد آمر المعسكر الذي كان رجلًا طيبًا وبارًا بالأسرى. كما أسهم في تعليم الشاعر اللغة الفارسية، وحمل له المثنوي وديوان شمس تبريز لجلال الدين الرومي وديوان حافظ الشيرازي.

وهذا يشير إلى تمكن الشاعر من «تحويل الطاقة العدمية للسجن، إلى طاقة إبداعية خلاقة. وإلى مقدرة الثقافة على مد الجسور، بين دول متخاصمة»، بحسب الشاعر محمد علي شمس الدين (جريدة الحياة، 13 نوفمبر 2016).

كان عمر شغوفًا باستعادة تفاصيل تحمل إليه من الماضي صورة الأم وصورة الحبيبة، وصورًا من أفراح القرية ومآتمها وأشياء حميمة من طفولته. فكان يحس وهو في حضرة القصيدة أنه يسجن السجن، وأن الكون كله على مرمى قدميه. فيقول في قصيدة، «أي خبز فيك يا هذا المطر»:

عشرون سنة/ وأنا أقرع بابك يا الله/ وأنا أتأهب
للموت الرابض عند الباب/ ورأيت النطع، وكان
عليه/ بقع من دم./ لكن نداء كان يجيء ويغسلني
من خوفي/ هل صوتك هذا يا ربي/ ولمحت الصوت
لأدنو منك/ فكيف أراك/ وأنا في جوف الحوت
وقاع البحر./ وأنا أسمع تسبيح حصاه/ هل في
ظلمات الحوت أراك/ هل في ظلمات البحر أراك؟.
قال لي السجان لما/ أغلق الباب وراح:/ بعد هذا
اليوم لن تحتاج رجليك ولا عينيك/ في هذا المكان/
إنما الآن عليك/ وضع عينيك ورجليك في (صندوق
الأمانات)/ إلى أن يفتح الباب عليك/ أغلق الباب،

ولكن قبضة ظلت/ على الباب تدق./ ربما قبضة أمي/ ربما قبضة طفل كان لا يقبل أن يسجن/ حتى في الرياح/ ربما قبضة من ليس ينام/ ربما الرؤيا التي تقرع باب المستحيل/ أعطني حزنًا، فأعطيك مسافة/ خلف باب موصد عشرين عام.

في كتابه الحجر الصبور، نختار من قصيدته زنزانة «شمارة جهارده»:

متران من حجر، وباب من حديد
سجني الجديد.
في حفرة تمتدُّ زنزاناتُها
العشرون مثل جِمالِ قافلةٍ بوادٍ
غير ذي صبحٍ، وتغرق في الرمال.
ويُطلُّ من طاقاتها ناسٌ
لهم شعرٌ طويلٌ،
يَحسبون العمرَ بالرمل الدقيق، يهرمون
على الحديد.
كانت مآقيهم مسيلًا للدموع،
وكان في فمهم سؤال.
لا يحلمون بغير فتح الباب أحيانًا
وتبديل الجنود.
***

من قصيدة «علو في العالم السفلي»:

يا رفيقي حين تدعوني
من الزنزانة الأخرى أحس الضوء يجري
في دمائي.
مد صوتك.

ربما وحدك في هذا الدجى
تحضر موتي،
ربما وحدي انا أحضر موتك.
يا رفيقي أنا إن مت غريبًا،
لا ضلوع الأرز تابوتي،
ولا سهل البقاع،
تبقى جزءًا من سمائي.
نحن جيل نبتت أحلامه بين السلاسل،
دائما سيزيف فيما بيننا،
والنار والصخرة والجرح علامة،
ونبي يرفض الهجرة في عصر الزلازل.
***

ممكن أن تحجبوا النور بهذا الكهف عني،
ممكن أن تسدلوا الصحراء ما بين المحبين وبيني،
ممكن أن تمنعوا في الكهف إحساسي بذرات الزمن،
ممكن أن تقطعوا عني «الأزاد»
ورغيف الخبز، والصوت الذي يأتي من الزنزانة الأخرى
ويغري بالوطن.
غير أني،
سأغني،
وأغني في ظلام السجن حتى
تسطع الشمس على قضبان سجني.

من أعماله:

- ديوان: وعورة الماء/ دار العودة 2016
- جاء الكتاب الأول تحت عنوان: العناد في زمن مكسور، بيروت: دار الكنوز الأدبية، ط 2، 2001
- الكتاب الثاني: الحجر الصبور، بيروت: دار الطليعة، ط1، 2006
- أي خبز فيك يا هذا المطر، بيروت: دار العودة، 2914

محمد فرحات الشلطامي

2010-1944

أديب وشاعر ولد في مدينة بنغازي، وأحد شعراء رواد الحداثة في ليبيا. وقد عدّه الأديب والفيلسوف الصادق النيهوم واحدًا من أفضل أربعة شعراء عرب في العصر الحديث، هو ونزار قباني وعبد الوهاب البياتي ومحمود درويش.

اعتقل الشلطامي عدة مرات في العهدين الملكي والجمهوري، وقُدم للمحاكمة على خلفية مواقفه القومية ودفاعه عن قيم الحداثة والحرية وصدر عليه في بعضها حكم بالسجن، وظل تحت المراقبة إلى أن توفاه الله. كان الوطن محور قصائده التي تضمنت أفكاره وتطلعاته إلى تحقيق مجتمع ليبي حر متحرر من التبعية والاستبداد، ينعم بحياة تواكب مسيرة العصر وتسوده عدالة تحفظ كرامة الإنسان.

مختارات من قصائده:

كتابات على باب الزنزانة رقم 6:

رفاقي
أتعشب في الفجر هذي الصخور؟
أتزهر فوق جدار الردى الأمنيات
وهذه البذور؟
وترد عبر الصدى الأغنيات

وتعبق في الموقد الذكريات؟
يا بنغازي غَطِّينَا فإنّ الليل
قرّ،
وارحمينا
رُبَّ هذه الليلة السوداء في المقهى
تمرّ
وعلى شباكك الموصد،
يخضلّ القمر
عَلَّنا نرتاح في قلبك
ليلة
وإلى فجرك يشتد الحنين

حوار:
أغلقوا الكوة في أعلى
ثم ماذا؟
وضعوا ما بين عينيك وبين الشمس خوذة
جَنَّدوا في كل ثقب،
من ثقوب الباب مليون حرس
ولماذا؟
أغلقوا الكوة أو سدّوا الثقوب،
في جدار السجن بالخرقة، أو حلُّوا عقال
كل ليل همجي
كيف يخفون شعاع الشمس إن كان معي
حرّضوا ضدك من لم يعرفك
ومصير الشمس أن تشرق في كل القلوب
كل قلب شمسه فيه، وحتى إن يكن

عصبوا عيني... من يعصب قلبي؟
يا رفيقي،
كلما كانت ليالي السجن أقتم
كلما كان الحنين،
لضياء الشمس والحرية الحمراء أعظم
ربما يمتصك القبر
وحتى إن يكن،
لستُ مهتمًا بما يحدث لي
في ظلمة القبر، ولكن
كل همي،
ما الذي يحدث فوق الأرض بعدي.
إنما الروعة أن،
تركض نحو الموت مرفوع الجبين
ولتجيء من بعدنا شمس الربيع
وليغنِّ كل أطفال البشر
إنما تقتل من أجل الصباح

أزهار الليل:
وتمنيت كثيرًا
أن أراك
نجمة يسطع في قنديلك الأخضر حب
ومواويل مضيئة
وتمنيت كثيرًا عندما دفأت في قلبي يديك
لو تصير الكلمة
دمعة في غمرة الشوق إليك
وطني

يا رجفة الموال في ليل القرى
يا حبيبي الأسود العينين لو أن الثرى
أحرفًا كنتِ القصيدة
وأنا غنيتك الأحلام أبكيك فأبكي
وردة تنمو على الأهداب في الليل الحزين
ثم تذوي بين أيدي التافهين
وطني يا وطني
يا صليبي قبل أن أخلق حرفًا في قصيدة
بيننا ظلت قوافيك العنيدة
والشعارات البعيدة
وأنا أركض خلف الفجر من سجن لسجن
لأرى عينيك في كل شفق
مرة أهرب من وجهي، وألفًا أحترق
خلفي البحر، وقدامي جحيم، والطرق
صادرتها المحكمة
أُممت في أول الليل، وبيعت في الصباح
ما الذي أملكه يا قمري
كادح أُقتل باسم الكادحين
حينما أبكيك إن غنيت أبكي
لوعة الحزن الذي ينبتنا
عوسجًا في وجنة الشمس وذلّا وخطايا
نحن ما مددنا قاماتنا
أبدًا في وجه ريح

أعماله الأدبية:

1- تذاكر إلى الجحيم، ط1، 1970، ط3 1998

2- أنشودة الحزن العميق، ط1، 1972، ط5 1998

3- أناشيد عن الموت والحياة، ط1، 1976، ط2، 1998

4- منشورات ضد السلطة، ط1، 1998

5- يوميات تجربة شخصية، ط1، 1998

6- عاشق من سدوم، ط1، 2002

7- بطاقة معايدة إلى مدن النور، ط1، 2002

8- قصائد عن الفرح، ط1، 2002

9- قصائد عن شمس النهار، ط1، 2012

10- نص مسرحي من طرف واحد، ط1، 2002

أعيدت طباعة دواوينه العشرة في العام 2013 في مجلد واحد، تحت عنوان «محمد الشلطامي: المجموعة الشعرية».

علي غرم الله الدميني الغامدي

2022-1948

من مواليد قرى الباحة في الجنوب الغربي من المملكة العربية السعودية، أديب وشاعر حداثي مجدد وناشط إصلاحي مستنير ومثابر. عرف بأيقونة مشروع الإصلاح المدني في المملكة، وتعد تجربته الشعرية لجرأتها من أهم التجارب في فترة الثمانينات. وأشرف على ملحق «المربد» الثقافي، في صحيفة «اليوم»، وأسس في العام 1993 بالدمام مجلة ثقافية طليعية اسمها «النص الجديد»، تختص بنشر النصوص الحداثية والدراسات والنقد الأدبي لكنها أغلقت بعد اعتقاله.

ومع مطلع الألف الثالثة أسس موقعًا إلكترونيًا، غدا منبرًا للنتاج الفكري السعودي والعالمي. «فبقدر ما كان علي الدميني مرهفًا في وجه غواية الشعر كان جبارًا في وجه غوايات السياسة. فتحمل بجسده النحيل وروحه الشاهقة من الوحشة كل ما يمكن أن تتحمله الملكات في عزلة العسل. وصابرًا بمثابرة فذة على كل ما تنحت به جدران المعتقلات على أجنحة أصحاب المواقف الصعبة من جروح الشوق للحرية».[1]

انتسب الدميني إلى الحزب الشيوعي السعودي، وكان ناشطًا بارزًا فيه. فاعتقل مع آخرين في العام 2004 على خلفية تقديمهم عرائض الإصلاح، إلى العاهل السعودي الملك فهد. وكان سقف المطالب عريضتي الدستور

1 د. فوزية أبو خالد، جريدة الجزيرة، 27 ديسمبر 2017

الشهيرة التي تضمنت مطلب التحول إلى مملكة دستورية، وفصل السلطات الثلاث وإصلاح القضاء. فصدر الحكم عليه وعلى رفاقه بالسجن تسع سنوات أمضوا منها أقل من سنتين، وخرجوا منه بعفو ملكي من الملك عبد الله عندما تولى الحكم.

يقول علي الدميني: «رأيت وبيقين صلب أن اعتقال الأجهزة الأمنية لنا أسهم في تثبيت مشروعية ومصداقية مطالبنا، ونشرها على نطاق واسع بين الجماهير وفي وسائل الإعلام الخارجية. وبذلك أخرجتنا من مأزق وصول الخطابات إلى الطريق المكرر، المسدود معًا. ولعل اعتقالنا قد عمل على تسجيل الرد العملي على الكثيرين ممن يسخرون من هذه الخطابات الاستجدائية، أو من المتشككين في أن السلطة تقف خلفها. كما برهن الاعتقال على أننا تنكبنا دربًا وعرًا، كان يحتاج إلى الشجاعة والبصيرة في آن واحد».

ويروي الدميني أن الأمير محمد بن نايف بعد استقباله له بالمودة والعناق، قال له: «إن القيادة تتفهم ما تتضمنه خطاباتكم، وهي تعمل باستمرار على معالجة كافة الأمور. ولكنها تطلب منكم التوقف عن هذه الخطابات والبيانات، نظرًا للظروف التي تمر فيها بلادنا والتحديات التي تواجهها. نحن نعرف تاريخك السياسي القديم، وقد تجاوزناه. ولعلنا قد قسونا عليك وعلى رفاقك، لكنه أمر طواه الزمن.

شكرت سموه على ما غمرني به من حسن الاستقبال، وأكدت له، ردًا على إشارته عن رجال المباحث، بأني لا أكن لهم مشاعر العداء فهم يؤدون أدوارهم كموظفين، ولم يكونوا يستخدمون معنا وسائل التعذيب.

أما عن خطابات المطالب التي رفعناها للقيادة، فهي تعبير سلمي وحضاري عن الرأي. ودورنا فيها لم يتعد صياغة ما يعبر عن آراء المواطنين، وما يتداوله الكتاب في الصحافة. وطلبكم منّا بالتوقف عنها، له تأثير سلبي

ولا يخدم المصلحة العليا لبلادنا. وهذا سيشعرنا باليأس، وسيغدو الأفق أمامنا مسدودًا. كما أن في هذا الطلب، رسالة سلبية إلى الخارج. وسيجد فيها الكثيرون شهادة حية على أن المملكة لا تريد الإصلاح، ولا تمضي على طريقه مهما اتخذت من مبادرات. وحرية التعبير، هي المؤشر الحقيقي على جدية أي نظام يسعى إلى الإصلاح.

فأكد سموه موافقته على الآثار السلبية التي ستترتب على إيقافنا من المطالبة بالإصلاح السياسي الشامل، وفي الوقت ذاته أكد على ضرورة الالتزام بما تراه القيادة. فعدت ووضحت لسموه بأنني بما قلته أنطلق من قناعة صادقة وحرص شديد على مبدأ الوحدة الوطنية، والالتفاف حول القيادة.

وحينما قال إنه سيبذل جهده للسعي في عقد لقاءات شهرية بين أعضاء القيادة والمثقفين ليطلعهم على خطوات الإصلاح والاستماع إلى آرائهم في ذلك، طلبت منه أن تكفل القيادة حق التعبير الفردي للأفراد كلهم ومن مختلف الأطياف الثقافية والدينية بما فيهم المتطرفين. لكن اللقاء لم يتم، وظلت الأمور على حالها». [2]

يقول الدميني في قصيدة «يا سادن السجن»:

أقسمت بالله لا خوفًا ولا كذبا/يا سادن السجن أن السجن قد عَذُبَا
صمت ونوم وأحلام منزهة/من رعشة الروح أو ما زادنا طربا
فاهنأ بنا خير محكومين في قفص/لا نسأل الجند إلا الماء والكتبا
لكنّ لي في أقاصي الأرض عائلة/قد فارقت -باجتهاد الظالمين- أبا
فلتعطني سببًا كيما أبلغهم/بأنني قد فقدت البحر والسحبا
نقلت من جنة الدمام في غسق/دامٍ إلى ظلمة الصحراء منتهبا

وقال وهو في سجن وزارة الداخلية بالرياض عام 1988:

2 انظر زمن للسجن وأزمنة للحرية/ علي الدميني، بيروت: دار الكنوز، جذ، ط1، 2004

سوف تصعد يا سيدي السُّلَّما
كلما..
حاصرتني يداك
وستحمل في صدرك الأوسمهْ
كلما..
أوجعتني خطاك
غير أنك يا سيدي، سوف لن تنسى لي
أنني
قد رفعتك من مسبغهْ،
ووضعتك في مرتبهْ،
وأنا .. بعد، لم أنس لك
وجهك الجهم، حين يحين الحساب

وفي مفتتح سيرته الذاتية التي عنوانها: «لست وصيًا على أحد»، يقول الشاعر علي الدميني: يمكن لي أن أفتح الشباك الآن على سنوات العمر، ولكن يلزمني الكثير من الوقت والكثير من العباءات السوداء لأقيم الحداد عليها. أما إذا اضطررت إلى الإنصاف فأستدرك بالقول، إنها لم تكن خاوية إلى ذلك الحد، ولكنها كانت ملأى بأجنحة الأحلام المنكسرة والمتع المجهضة والحكايات الكبرى المتكئة على كراس لا مقاعد لها».[3]

ويقول في قصيدة «الخبت» الشهيرة:
أنشدت للرعيان ثوب قصيدة في البر
عاقرني الفؤاد على النوى
وتباعدت نوق المدينة عن شياهي

3 من مقالة للإعلامية سعدية مفرح بعنوان «علي الدميني.. شاعرًا حرًا»، جريدة القبس وموقع جهة الشعر.

آخيت تشرابي الأمور بنخلة.
وغرست في الصحراء زهو مناخي
«لا تقرب الأشجار» ألقاها الكئيب علي
أرقني صباحي
لكن قلبي يجمع الأغصان، يشرب طعمها
ويؤلف الأوراق في تنور راحي
«لا تقرب الأشجار» غافلني الفؤاد فمسها،
وهبطت
من عالي شيوخ قبيلتي أرعى جراحي
هذا بياض الخبت، أهمز مهرتي للبحر
أرسنها إلى قلبي، فتجتاز المسافة
حجر على رمل المسيرة، هودج، جمل،
وأغصان من الرمان، هل تقفز؟
دعاني عرف ثوب البحر، أفرغت الفؤاد
من المخاوف وانهمرت
إلى مسيل الخبت،
يا ابن العبد ألق إلي أدوية البعير فإنني
سأنسق الأورام.
أستل الجراح من التفرد والزهادة.
وأضم هودج خولة القاسي، أزين وحشة الممشى
بعقد
أو قلادة
هذي بلادي لم أكن أغتابها في الليل،
بل أهذي بوقع تحرك الرعيان في عرصاتها البيضاء،
أفردها لهمس الريح

ألبسها شتاء،
ألتقي والماء في مرعى الطروش.
وأبتني قصرًا من الصفصاف،
قد أهذي
فإن لكل عاشقة شهادة.
أفردت يا ابن العبد «ريحة» الجرب
الجديد
من البعير
فلا يلمك أخوك
ما فرطت في شرف القطيع،
ولم تبع تيسًا بناقة.
سلبوك ماء «الحسي» والخدر المريح،
وما سلبت الإبل مرعاها
ولا الصحراء ألقت في حشاياك البلادة.
مولاي يا بن العبد
يا طرفة المفرد
هل كنت تبغي الود
أم كنت لا تقصد
قلبي على قلبك
وحقولنا تحصد
من زهرة في الشيح أقرأ فتحة الأبواب..
أرصد ما لكفك من مثالب
وأغذ في الدهناء سير المهرة البيضاء
أرقب ذكريات طفولة الأجداد،
رائحة الحليب ولذعة الأقط البهي،

وصوت طرفة تائهًا في الريح
مستمسكا بالشيح
والخاتم الأبيض.
في الشارع الخلفي
كان المدى خلفي
والوجه في الحائط
(يا الله على الممشى
بكره نصوب الخبت
والبحر ذا حائط)
غرست على صدري
بقميصها الصدري
وشما لريح البحر
وغدائر الليمون
حبيبتي أمون
(وجهك من الكادي
ذا في الصدر يطرون
يا قلب وقف بي
ما أقدر على المندار
والله ما لي شف
في كادي الديره
ما دام هذي الكف
ما لمست أمون).
في الشارع الخلفي واجهت البعير يشم «عرفجة» تيبس طلعها
ويدور في الطرقات ملتهمًا بقايا الناس، والأطفال،

يا جمل العشيرة
هل غربة نفقت؟
هل طلعة نبتت؟
أم جئت تبحث في تراث الناس عن جدث
وتحفر في الطريق ملاذة للروح
أين مرابض العربان؟
أين مباهج الصحراء والفتيان، والرمل الذي أفردت
يا وجع العشيرة
غطى على غاشية العين
إفراد المحب، ولوعة الوسنان
إلقاء العشيق بباطن الأفراد،
أمون التي أهوى،
وألحان البحار البيض
طرفة هل أتى جرب فغطى الناس؟
أم رحمتك صحراء البلاد بدفئها في البرد؟
إن الدهر غاشية، ووجه الشارع الخلفي لا يشفيك
من درن التفرد والبداوة
هذا نهار أنت تروقه وهذي حارة في الأرض،
ليست رقعت في البر
هل تقدم؟
أقدم فذا وطني،
وذي الصحراء أجمع طيرها في القلب
ألتحف السماء وأشرب الأيام
أعصر منحنى الأوجاع
تفردني

فأعشقها
وتلمسني
فأقربها وتنحسر العداوة
لخولة أطلال، أجوس زواياها، ببرقة ثهمد
إذا أفردتني الأرض جاوزت للغد
أبوح بطعم الحب أقتات موعدي
أعاتب أحبابي، بلادي بفيئها
وأهلي وإن جاروا عليّ فهم يدي.

فرج بيرقدار

1951

شاعر سوري من جيل الثمانينات يعيش حاليًا في السويد، استطاع أن يجد لنفسه مكانًا ساطعًا في المشهد الشعري السوري.

اعتقل في العام 1987 وأمضى في سجني تدمر وصيدنايا أربع عشرة سنة، على خلفية أفكاره اليسارية وانتمائه إلى حزب العمل الشيوعي. اكتشف الشعر وهو في السجن بوصفه ومضًا في مواجهة العتمة وعدالة في مواجهة الظلم، وحبًا في مواجهة الكراهية والطغيان. فكان له حرية وحياة، في مواجهة الأسر والموت.

بدأ يكتب الشعر وهو في السجن على الذاكرة، إذ لم يكن ثمة أوراق وأقلام. ولأن الذاكرة بدأت تنخل رمادًا كثيفًا من اليأس والنسيان، كما يقول، راح يدرب ذاكرته للكتابة عليها بشكل مباشر. ولكن حين كثرت القصائد وخاف أن تخونه الذاكرة، لجأ إلى بعض الأصدقاء فحفظ كل واحد فيهم واحدة من تلك القصيدة.

وفيما بعد ساعده سجناء كثيرون في نسخ وحماية وتهريب كل ما يكتب، من غير كتابة اسمه الصريح عليها. فكان لا بد له من الشعر لكي يعرف نفسه ويحميها ويوازنها فوق صراطها الممتد ما بين اللعنة والقداسة، ما بين حجرية الظروف ورقرقة الدمع والأحلام. ويقول:

«وشيئا فشيئا بدأت أدرك أن الشعر بالنسبة إلي هو طائر الحرية الأجمل، هو التمرين الأقصى على الحرية وبصيغة أخرى هو ما ليس قابلًا للأسر. حررته في داخلي، فحررني داخليًا مما يحيط بي من جدران وأنفاق وجنازير وأقفال».[1]

وفي حوار صحفي معه يقول: «أنا حصيلة سجني ومنفاي، فهما المحطتان الأطول والأكثر تعرجًا وتعطلًا في حياتي وإن كانت محطة المنفى أقل وطأة بكثير. في المنفى/ أنتَ الذي يدور/ حول اللعنة. أمّا في السجن/ فإنَّ اللعنة / هي التي تدور/ حولك.

لكن السجن أتاح لي كتابة الشعر أكثر بكثير، مما أتاحها المنفى. ومع ذلك فالسجن والمنفى لا يشكلان لي غير جزء من هويتي أو تكويني، فما زال لدي من الذكريات خارج السجن والمنفى ما يمنحني هوية إنسانية تساعدني على أن لا أتقوقع».

زارت فرج أخته في السجن، وقالت له: «المهم يا أخي أن تخرج سالمًا مرفوع الرأس». فقال:

سامحيني يا أختاه
أعدك فقط برأسي مرفوعًا
أعدك وأشتهي أن أبكي قليلًا
ليس ضعفًا ولا خوفًا ولا يأسًا
غير أنهم أهانوني أكثر مما تتوقعين
ولم أستطع أن أفعل شيئًا
لم أستطع ولكن...
هذا رأسي
خذيه بين أحضانك أيتها الغالية
أسنديه إلى ركبتك قليلًا

1 انظر خيانات الصمت واللغة، ص12

وأعيريني من سياج حزنك الطويل
فراشة أو ظلها
وردة أو ظلها
ظلًا أو ظله
أعيريني قصيدة لا أستطيع كتابتها
وعشبًا لا أستطيع قراءته
واطمئني إلى خاتمة ما أمضي إليه
اطمئني.

«لم أكن أعتقد أنهم يمكن أن يكونوا على هذا النحو الحجري وهم يدقون لحمك وعظامك في تلك الأجران الجهنمية. يكاد قلبي يتوقف من شدة الخجل، ولكن.. هل رأيت ملامحهم عندما كنت مشبوحًا على السلم بشكل مقلوب؟

وحدها الروح كانت تجاهد في صعود ذلك السلم الأسطوري، ذلك المعراج الضليل وهو يأخذك من الحياة إلى الموت. كأنه ليس رأسك هذا الذي يتدلى ثقيلًا ثخينًا محتقنًا، وقد فلغته الكابلات والسياط المضفورة من أذيال آلهة الحقد والكراهية.

كيف سيصدقونك عندما تحكي لهم عن ذلك الكرسي الذي يجلس على المرء بمنتهى الفجور والقسوة والجبروت.

كرسي غاشم أطرش.. لعنة هذا الكرسي الذي يسمونه الكرسي الألماني، ولكي لا أسيء إلى الشعب الألماني فإني أفضل أن اسميه الكرسي النازي».[2]

---

2 نفسه، ص32

تدمريات .. ما فوق سوريالية

1

أسوار عالية من الإسمنت العنيد البارد../ أبراج للمراقبة../ حقول ألغام../ حواجز ونقاط تفتيش../ تحصينات ووحدات عسكرية عالية التدريب../ وأخيرًا.. محيط من أمثولات الرعب الوطني الخالص/ يا أسماء الله!/ حتى لو سقطت سورية بكاملها/

فإن هذا السجن.. يستحيل أن يسقط.

2

هل خطر في بال فنان/ أن يرسم سماء زرقاء مغرورقة/ ترتدي برقعًا من الأسلاك الشائكة؟/ من أتيح له أن يقف في واحدة من باحات سجن تدمر/ ويختلس نظرة خاطفة إلى أعلى/ سيرى هذه اللوحة الفادحة/ وسيدرك عندها أي عبقرية ترعى واقعنا وأحلامنا!

3

عسكري ذو ملامح موقوتة، يأمر سجينًا عجوزًا أن ينثني ويلحس له بلسانه جزمته العزيزة.. ثم ينهره، ليمسحها بكم سترته المهترئة..

وبعد ذلك، يصفعه بالجزمة على وجهه، وهو يشتمه، مستنكرًا تجهمه الذي يدل على عدم رضا داخلي، أثناء تنفيذ المهمة. معنويات العسكري، وهو يرى ذلك العجوز الوقور، ينظف له جزمته، توحي بأنه قادر على إغلاق جبهة بمفرده!

4

سياط تتخطف ظلالها، وتعيد اشتقاق الألوان.

قامات محنية وربما عارية تمامًا، تنسدل فوقها حرامات

عسكرية بلون الجرب.

عربدة السياط مرسومة بحركية بارعة، تبدو وكأنها ستخرج من اللوحة، وقامات السجناء تتلوى تحت لسعها وتستجير، فتخفق الحرامات، وتنفث غبارًا كثيفًا.

كأنك أمام كائنات خرافية عمياء..

كائنات على هيئة خفافيش ضخمة، تتخبط في وهدة من الجمر.

من يصدق أن بإمكان اللوحة تصوير مشهد سوق السجناء إلى الحمام، بكل هذه الحمحمة المجنونة والواقعية إلى درجة الفوران؟

5

في يسار اللوحة:

أشباح متراهصة، أقرب ما تكون إلى جذوع أشجار، ضربتها عاصفة من خارج علم الله ..

هكذا يبدو السجناء.. وهم جالسون في الباحة للتنفس.

إلى اليمين قليلًا:

سجينان... أحدهما في وضعية سجود، والآخر يجلس في مواجهته، آخذًا وضعية الركوع. الساجد مكشوف الظهر، وقد كممت الثياب رأسه المدفون بين فخذي زميله.

أما الراكع، فيمسك به من تحت إبطيه، محاولا تثبيته.

عسكريان متقابلان تهوي سياطهما بالتناوب على ظهر السجين الساجد، فتتفطر أنحاء اللوحة بصرخات بهيمية مشروخة.

مع كل صرخة تتقصف حروف كلمة واحدة، تتكرر

بإيقاعية متلاهثة: ي‌ا الله.. يا الله..

مرة قرارًا، ومرة جوابًا.

ملامح الراكع تتمعج وترتج، وكأنها ترسم خطًا بيانيًا لانتفاضات جسد زميله.

الآن.. ظهر السجين الساجد يأخذ لونًا خمريًا متوهجًا..

والجلد المكشوط، مرسوم بمهارة بنت حرام..

مهارة فائقة إلى حد يثير القشعريرة حتى في ظهرك.

6

اللوحة السادسة ذات خطوط متوترة، وضربات ريشة قاسية ومتمكنة إلى حد الاستهتار. إنها ترسم رأس سجين حليق الشعر والشاربين.. بعينين مغمضتين على ذروة من الألم الذي تحفره خطوط التظليل بطريقة تبدو فيها، كما لو أنها آثار سكاكين متقاطعة.

عسكري يضغط رأس السجين بيد، مما يجعل العنق مائلة إلى اليمين، وفي اليد الأخرى «بانسة» مطبقة على أذن السجين.

من الواضح أن اللوحة ترصد مشهد اقتلاع أذن السجين، أو ربما لحظة نتر الأذن بالبانسة، وما يرافق ذلك من طقطقة وتشقق.

يمكنك أن ترى ذلك بأكثر من عينيك، بل يمكنك أن تسمع ما يحدثه التمزق والاقتلاع من أصوات، تشبه أصوات انتزاع جذور النجيل القاسي من أرض غير محروثة.

كذلك يبدو مرسومًا على نحو برقي خاطف، وبطريقة تؤكد أن الألوان ليست مسألة بصرية فقط، وإنما هي قابلة وقادرة على اختزان الرائحة والحركة وحتى

الصوت.

7

في أول الباحة عسكريان يمسكان سجينًا من يديه ورجليه..

يؤرجحانه بحركة بندولية متصاعدة، ثم يطوحان به في الهواء.. وما يلبث أن يرتطم جسده بالأرض، حتى يمسكا به ثانية من يديه ورجليه، ويعيدان اللعبة من جديد.. مرة ثالثة ورابعة وخامسة، ثم تستريح الجثة على أقل من مهلها.

في مكان آخر من هذه اللوحة.. في آخرها تقريبًا:

عدة متناثرة لورشة لحام بالأوكسجين، بينها مطرقة كبيرة «مهدة» يتناولها العسكري..

يرفعها عاليًا بمشقة وتصميم، وينزل بها على منتصف العمود الفقري لذلك السجين أو لغيره.

صرخة السجين تجعل ألوان الجزء العلوي من اللوحة كامدة بحّاء، مع مسحة ضبابية تتموج بارتعاشات صغيرة متناهية.

في المنتصف.. بمحاذاة الجانب الشرقي للوحة:

عسكري يمدد سجينًا على الأرض، وهو يشير إليه، أن يتوسد برأسه رصيف الباحة.

بعناية شديدة يشير إليه العسكري، ليرتفع قليلًا، ثم لينخفض قليلًا، حتى أصبح عنق السجين على الحافة.. على الحافة تمامًا.

يتلفت العسكري حوله بعصبية، ثم بإيماءة حازمة من رأسه ويده، يدعو أقرب عسكري إليه. يتقدم العسكري الآخر، وعيناه تتلامحان بما يشبه الخوف، وربما الحزن أو العجز. لا يبدو أي تشابه بين هذا

العسكري المضطرب وبين زملائه الذين تظنهم للوهلة الأولى مسوخًا أو تماثيل، مأخوذة عن قالب واحد.

يقف العسكري الأول على ظهر السجين، ثم يستند بذراعيه على كتفي زميله.

يقفز في الهواء عدة قفزات رشيقة نابضية، وفي القفزة الأخيرة يسدد بقدميه، ويهوي بقوة، مرتطمًا بعنق السجين، ثم...

أصداء صمت ثقيل مخنوق، لا تعرف من أين بدأت، ولا أين ستنتهي.

تريدون الحق؟

لوحة بانورامية مذهلة..

لا غيرنيكا، ولا الآلهة، ولا الأساطير..».[3]

أعماله الشعرية:

1- وما أنت وحدك، دار الحقائق، بيروت 1979.

2- جلسرخي، رقصة جديدة في ساحة القلب، دار الأفق، بيروت 1981.

3- حمامة مطلقة الجناحين، دار مختارات، بيروت 1997، الطبعة الثانية دار خطوط وظلال، عمّان 2021.

4- تقاسيم آسيوية، دار حوران، دمشق 2001.

5- مرايا الغياب، الطبعة الأولى عن وزارة الثقافة، دمشق 2005، ومنعت أجهزة المخابرات توزيعها، الطبعة الثانية عن دار سامح للنشر، السويد 2020.

3 نفسه، ص62

6- أنقاض، دار الجديد، بيروت 2012.

7- تشبه ورداً رجيماً، دار الغاوون 2012.

8- قصيدة النهر، دار نون 2013.

9- عروة في قميص السؤال، دار سامح للنشر، السويد 2022.

صدر له أيضاً ثلاثة كتب حول تجربته وسيرته الشعرية:

1- خيانات اللغة والصمت، دار الجديد، بيروت 2006.

2- ليس للضحك.. ليس للبكاء، «مركز الآن» 2020.

3- الخروج من الكهف.. يوميات السجن و الحرية، جائزة ابن بطوطة 2012.

الشاعر عبد الله زريقة

1953

شاعر مغربي ولد في الدار البيضاء، درس في الجامعة علم الاجتماع وتخرج في العام 1978. وفي العام نفسه تعرض للاعتقال فكان الشاعر المغربي الوحيد الذي اعتقل وحوكم وصدر في حقه حكم بالسجن سنتين قضاهما في سجن مكناس من أجل قصيدة.

«ولدت في غرفة بها صراخ، كيف لا أصرخ؟»، هكذا قال عبد الله زريقة، وكان قصده أن ما كتبه من نصوص شعرية صارخة هي استجابة موضوعية لحجم الصراخ المستلهم من سنوات مغرب الجمر والقمع والرصاص.

يضع الشاعر زريقة القارىء في معظم أشعاره، في أجواء قاتمة تعبر عن تحولاته الذاتية العميقة. يقول في ديوانه «فراشات سوداء»:

...وأخشى المائدة/ التي يجتمع حولها للأكل/ يجتمع حولها للقتل/ وأخشى الإنسان / يملك عينين اثنتين/ عين تأكل/ وعين تقتل.[1]

وفي ديوان «فراغات مرقعة بخيط شمس»، يقول:

وسمعت هذا العصفور الذي في القفص يخاطب العصفور/ الذي في قفص صدري.[2]

1 انظر ديوان «ضحكات شجرة الكلام»، ص 14-15

2 نفسه، ص 55-57

في شهادته عن الشاعر عبد الله زريقة وعن المكانة المتقدمة التي يحتلها، يقول الشاعر والروائي المغربي حسن نجمي: «عبد الله زريقة شاعر مغربي كبير فرض على المشهد الشعري قيمته الشعرية والإنسانية في صمت وتواضع كبير. لا يدعي عبد الله أي ادعاء شعري أو جمالي. إنه يكتب فحسب. لقد شيد لنفسه ولقصيدته مكانة استثنائية في المغرب العربي بفضل صبره وطاقة احتماله وقدرته على التقشف في حياته وفي شعره. ولم تكن لعبد الله متطلبات كبيرة لكي يكون شاعرًا كبيرًا وحقيقيًا، وهو بالفعل كذلك، بل كان مطلبه الصغير وما زال أن ينأى بنفسه عن الزعيق العام الذي استسلم له أغلبنا من الشعراء المغاربة. وأن ينأى عنه كل نص عمومي وكل فعل ثقافي أو اجتماعي أو سياسي قد يؤثر على صمته وعلى المسافة النبيلة التي اختطها لنفسه اتجاه الدولة والمجتمع واللغة المتورمة بأنفاس المؤسسات العمومية».[3]

لا شك في أن اسم الشاعر عبد الله زريقة سيظل حاضرًا في المشهد الشعري المغربي، وفي مكانة لها فرادتها وخصوصيتها الشعرية.

من أعماله:

«رقصة الرأس والوردة» 1977، «ضحكات شجرة الكلام» 1982، «زهور حجرية» 1983، «فراشات سوداء» 1988، «فراغات مرقعة بخيط شمس» 1995، «حشرة اللامنتهى» 2004. وفي السرد رواية «المرأة ذات الحصانين» 1991.

في قصيدة «ملحق بالحديد الأحمر»، يقول:[4]

أصدقائي جبال المغرب

الأمس إحدانا أسكتت قلبها بالجوع

---

3 انظر ديوان «إبرة الوجود»، ص 30-41

4 تجربة عبد الله زريقة: الشعر من النضالي إلى الكوني/ عز الدين بوركة، مجلة نزوى العمانية، 3 كانون الثاني، 2020.

ولم ترحل
الأمس ترك أحدنا فمه قطعة شمس
وابتسم
ولم يرحل ولم يرحل
الأمس
هو لم يكن وحده في مطر الليل
بل فتح نافذة
ليطل على العالم
ويقول للمغرب
للأنين عبر البحر
أصدقائي
أنا لم أدفع دمي وحدي
أنا لم أستمتع بالمطر وحدي
أنا لم أضفر كلماتي حبلا وحدي
أنا كان جسدي شاملا
كنا ثلاثة أجساد منكم
كنا ثلاث نوافذ
كنا ثلاث أو مائة عائلة
كنا حبلا واحدا
في مطر في ليل في ساعة حائط
ونزلنا كلنا
كنا سماء واحدة
كنا كلنا لا نرحل لا نرحل
الذي مات وترك حبلا
الذي قطعة شمس في فمه

الذي أنينكم أنتم

الذي توجعتم كلكم وحدكم كلكم

الذي كلكم ثلاثة سجون

ثلاثة مغرب

ثلاثة دم

ثلاث شمس

الذين كلكم رحال

لأن الذي يصنع الحبل

لمخاطبة المغرب

لا يرحل لا يرحل لا يرحل!

وفي قصيدة اسمها «في تقرير مصير جسم يحب الشجرة»، يقول:[5]

لمّا أحببت الشجرة وأجدت مدّ عنقي

حتى السقف الحديدي

حفروا يدي بين القصيدة والقصيدة

وسألوني:

ها أنت الآن معصوب العينين مصلوب الجسد المثلث

ونحن في السكر ننفخ الكحول في وجهك

نحفرك

نحفرك

حتى نجد جذر الشجرة في عنقك

فاقرأ شجرتك!

***

5 عبد الله زريقة شاعر مغربي استثنائي ينأى عن الزعيق العام/ إدريس علوش، موقع هسبريس: فن وثقافة، 29 آب 2013.

هل تساءلتم
ماذا قالوا لوجهي المعلق بين خشبتين
ماذا قالوا ليدي المحفرتين
لكن
هل تساءلتم:
ماذا رأيت وأنا معصوب العينين
كنت في اللحظة بين الحديد والخشب
فأعلنت
أن جسدي مربع بين قائمتين
وأنني
أرفع سلاسلي بفمي فأضع الحديد بين أسناني
وأمضغه بسهولة
***
وقلت:
إني اليوم جمعت أطرافي
وتحسست كلماتي في عروقي
ومشيت فوق جروحي
وأعلنت:
أن شهادتي:
جسد حديدي
يقتات من أعراش الدم المرجاني
وأن سمائي أمطرت أربعة فصول:
في الصيف الأول:
كان البرق الأزرق تمدد أطفالا
في الخريف الثاني:

أرعد مرتين ثلجا دمويا
في الشتاء الثالث:
كانت كلمتي الطفيلة قد تشكلت
في الربيع الأخير:
كنت أحصي
اعتقالاتي
واختطافاتي
واغتيالاتي.

المصادر والمراجع

القرآن الكريم

العهد الجديد، بيروت: منشورات دار المشرق، 1986

- ابن الرومي: حياته من شعره/ عباس محمود العقاد، بيروت: دار الكتاب العربي، ط6، 1967
- ابن شهيد الأندلسي: حياته وأدبه/ د. حازم عبد الله خضر، بغداد: منشورات وزارة الثقافة والإعلام، دار الشؤون الثقافية، سلسلة الأعلام المشهورين (19)، 1984
- أبي شوقي/ حسين شوقي، القاهرة: مكتبة النهضة المصرية، 1967
- الإحاطة في أخبار غرناطة/ لسان الدين (ابن الخطيب)، تحقيق محمد عبد الله عنان، مجلة معهد المخطوطات العربية، مج 4، 1956
- أخبار وتراجم أندلسية/ أبو طاهر السلفي الأصبهاني، تحقيق إحسان عباس، بيروت: دار الثقافة، ط1، 1963
- أدب السجون/ نزيه أبو نضال، بيروت: دار الحداثة للطباعة والنشر، 1981
- أدب السجون: خلال سنوات الحكم الدكتاتوري في العراق 1963-2003: دراسة تطبيقية/ عدنان حسين أحمد، لندن: دار الحكمة، 2014
- أدباء السجون/ عبد العزيز الحلفي، بيروت: دار الكاتب العربي، طبعة جديدة ومنقحة، د.ت
- الآداب السلطانية/ د. عز الدين العلام، الكويت: سلسلة عالم المعرفة (324)، فبراير 2006
- أدب السياسة في العصر الأموي/ أحمد محمد الحوفي، مصر: دار النهضة للطباعة والنشر، ط2، 1979
- الأدب في العصر الأيوبي/ د. محمد زغلول سلام، منشأة العارف

بالإسكندرية، 1994
- أدب المقاومة/ د. غالي شكري، مصر: دار المعارف، ط1، 1970
- أربعون عامًا من النقد التطبيقي / د. محمود أمين العالم، بيروت: دار المستقبل العربي، 1994
- الرواية العربية بين المحلية والعالمي: محمد برادة ص26، ندوة مهرجان القرين الثقافي، الكويت 2004
- الأسر والسجن في شعر العرب: تاريخ ودراسة / أحمد مختار البزرة، دمشق -بيروت: مؤسسة علوم القرآن، 1985
- الأشباه والنظائر من أشعار المتقدمين والجاهليين والمخضرمين/ الخالديان سعيد ومحمد ابنا هاشم الخالدي، تحقيق د. إحسان عباس، بيروت: دار الثقافة للطباعة والنشر والتوزيع، 1989
- أعلام العقلانية والتنوير ومجابهة الاستبداد/ عبد الله حنا، حلب: نون للنشر والطباعة، ط1، 2010
- الأعلام من الأدباء والشعراء: محمود سامي البارودي غمام الشعراء في العصر الحديث/ الشيخ كامل محمد عويضة، سلسلة رقم 93، بيروت، دار الكتب الوطنية، 1994
- أعلام النبلاء بتاريخ حلب الشهباء/ محمد راتب الطباخ 8 أجزاء، تحقيق محمد كمال، حلب: منشورات دار القلم العربي، ط2، 1988
- الأغاني/ أبو الفرج الأصفهاني، دمشق: دار الفكر، ط2، 1995
- أمراء الشعر العربي في العصر العباسي/ أنيس المقدسي، بيروت: دار العلم للملايين، 1963
- أنماط الرواية العربية الجديدة/ د. شكري عزيز الماضي، الكويت: المجلس الوطني للثقافة والفنون والآداب، كتاب عالم المعرفة، سبتمبر 2008
- الالتزام في الشعر العربي/ أحمد أبو حاقة، بيروت: دار العلم للملايين،

ط1، 1979
- الأوردة المفتوحة لأميركا اللاتينية/ إدواردو غاليانو، ترجمة أسامة إسبر، دمشق: دار الطليعة الجديدة، ط1، 2002
- البيان والتبيين/ الجاحظ، تحقيق عبد السلام هارون، بيروت، د. ن. د.ت. ط4
- تاريخ الأدب الأندلسي: عصر سيادة قرطبة/ د. إحسان عباس، بيروت: دار الثقافة، ط3، 1973
- تاريخ الأدب الأندلسي: عصر الطوائف والمرابطين/ د. إحسان عباس، بيروت: دار الثقافة، ط5، 1978
- تاريخ الأدب العربي/ حنا الفاخوري، بيروت: المطبعة البولسية
- تاريخ الأدب العربي/ عمر فروخ، بيروت: دار العلم للملايين، مج6، ط8، 2006
- تاريخ الأدب العربي: الأعصر العباسية/ عمر فروخ، بيروت: دار العلم للملايين، ط4، 1981
- تاريخ الرسل والملوك للطبري/ تحقيق محمد أبو الفضل إبراهيم، دار المعارف، مج11، ط2
- التبر المسبوك في نصيحة الملوك/ أبو حامد الغزالي، تحقيق محمد أحمد دمج، بيروت: دار الكتب العلمية، 1988
- تجربة السجن في الأدب الأندلسي/ رشا عبد الله الخطيب، أبو ظبي: المجمع الثقافي، ط1، 1999
- تشريع أصول الاستبداد: قراءة في نظام الآداب السلطانية/ كمال عبد اللطيف، بيروت: دار الطليعة النشر، 1999
- التكملة لكتاب الصلة لابن الأبّار/ تحقيق عبد السلام الهراس، بيروت: دار الفكر للطباعة، 4 أجزاء، 1995
- ثقافتنا بين نعم ولا/ غالي شكري، بيروت: دار الطليعة للطباعة النشر،

1972

- الثقافة العربية وعصر المعلومات/ د. نبيل علي، الكويت: سلسلة عالم المعرفة (276)، ديسمبر 2001
- الثقافة والمثقف في الوطن العربي/ مجموعة مؤلفين، بيروت: مركز دراسات الوحدة العربية، 1992
- ثنائية السجن والغربة/ فتحي عبد الفتاح، القاهرة: دار الشروق، ط1، 1998
- جدلية المثقف والسلطان في السرد السلطاني: بين الاستبداد والاغتراب/ د. وضحا محمد عواد المحارب.
- جذوة المقتبس في ذكر ولاة الأندلس/ محمد بن عبد الله بن حميد الأزدي، تحقيق إبراهيم الأبياري، القاهرة: الدار المصرية للتأليف والنشر، 1966
- الحداثة أخت التسامح: الشعر العربي المعاصر وحقوق الإنسان/ حلمي سالم، القاهرة: مركز القاهرة لدراسات حقوق الإنسان، 2000
- الحرية والطوفان/ جبرا إبراهيم جبرا، بيروت: المؤسسة العربية للدراسات، د.ت.
- الحلة السراء في تراجم الشعراء من أعيان الأندلس والمغرب/ أبو عبد الله محمد بن عبد الله القضاعي، وضع حواشيه وعلق عليه علي إبراهيم محمود، بيروت: دار الكتب العلمية، د.ت
- حق الحرية في العالم/ وهبة الزحيلي، دمشق: دار الفكر المعاصر، 2014
- حكايتي مع السجون: مفكرون وقضبان/ حفني المحلاوي، مصر بيروت، الدار المصرية اللبنانية، ط1، 1993
- حياة الشعر في الكوفة إلى نهاية القرن الثاني للهجرة/ د. يوسف خليف، القاهرة: المجلس الأعلى للثقافة، ط2، 1995
- خزانة الأدب للبغدادي/ تحقيق عبد السلام هارون، القاهرة: مكتبة الخانجي، 3أجزاء، ط4، 1997

- الخطط المقريزية: المواعظ والاعتبار بذكر الخطط والآثار/ أحمد بن علي المقريزي، تحقيق: محمد زينهم، مديحة الشرقاوي، القاهرة: مكتبة مدبولي، ط1، ج2، 1997
- دولة السلطان: جذور التسلط والاستبداد في التجربة الإسلامية/ أحمد محمد سالم، القاهرة: الهيئة العامة لقصور الثقافة، إصدارات خاصة (100)، 2011
- ديوان أعشى همدان/ تحقيق حسن عيسى أبو ياسين، بيروت: دار العلوم للطباعة والنشر، ط1، 1983
- ديوان يزيد بن مفرغ الحميري/ جمعه وحققه الدكتور عبد القدوس أبو صالح، بيروت: مؤسسة الرسالة، 1975
- الذخيرة في محاسن أهل الجزيرة/ أبو الحسن علي بن بسام الشفتريني، تحقيقي د. إحسان عباس، ج8، تونس: الدار العربية للكتاب
- ذكريات من منزل الأموات/ فيدور دوستويفسكي، ترجمة سامي الدروبي، دمشق: دار ابن رشد، 2005
- رحلة ابن بطوطة إلى الهند ج2، سلسلة الرحلات الجغرافية، مكتبة عيسى البابي الحلبي
- رحلة في الشعر اليمني/ عبد الله البردوني، بيروت: دار العودة، 1962
- رسائل أبي حيان التوحيدي/ تحقيق إبراهيم الكيلاني، دمشق: دار طلاس للدراسات والترجمة والنشر، ط1، 1985
- رسائل الجاحظ: رسالة الفتيا، 7 إلى عبد الله أحمد بن أبي داود/ تحقيق عبد السلام هارون، مصر: مكتبة الخانجي، مجلد 2، 1964
- زمن للسجن وأزمنة للحرية/ علي الدميني، بيروت: دار الكنوز الأدبية، ج1، ط1، 2004
- زيد الموشكي: شاعرًا وشهيدًا/ عبد العزيز المقالح وآخرون، صنعاء: مركز الدراسات والبحوث اليمني، بيروت: دار الآداب

- 7 سنوات في سجن القذافي: السجن الأول سجن الكويفية/ صلاح الدين الغزال، 2011
- السجن السياسي في الرواية العربية/ سمر روحي الفيصل، دمشق: اتحاد الكتاب العرب، 1983
- السجن في الشعر الفلسطيني: بين 1967-2001/ فايز أبو شمالة، رام الله: المؤسسة الفلسطينية للإرشاد القومي، 2003
- السجن الوطن/ فريدة النقاش، بيروت: دار الكلمة ودار النديم، 1980
- سراج الملوك/ أبو بكر محمد بن محمد الطرطوشي المالكي، تحقيق محمد فتحي أبو بكر، تقديم د. شوقي ضيف، القاهرة: الدار المصرية اللبنانية، 1994
- السلطة الثقافية والسلطة السياسية/ علي أومليل، بيروت: مركز دراسات الوحدة العربية، ط2، 1998
- سير أعلام النبلاء/ محمد بن أحمد بن عثمان الذهبي، المحقق شعيب الأرناؤوط-بشار معروف، بيروت: مؤسسة الرسالة، مج29، 1982
- السيطرة على المعلومة: دراسة حول النظام والصحافة في عمان/ محمد الفزاري، لندن: إصدارات مواطن، بيروت: الدار العربية للعلوم ناشرون، 2020
- شعر الأسر والسجن في الاندلس/ بسيم عبد العظيم عبد القادر إبراهيم، القاهرة، مكتبة الخانجي 1995
- شعر دعبل بن علي الخزاعي/ د. عبد الكريم الأشتر، دمشق: مطبوعات المجمع العلمي العربي بدمشق، 1964
- شعر السجون في الأدب العربي الحديث/ د. سالم المعوش، بيروت: دار النهضة العربية، ط1، 2003
- الشهب اللامعة في السياسة النافعة/ ابن رضوان، أبو القاسم عبد الله يوسف، تحقيق علي سامي النشار، الدار البيضاء: دار الثقافة، 1984

- الصلة من تاريخ أئمة الأندلس لابن بشكوال/ تحقيق إبراهيم الإبياري، القاهرة: الكتاب المصري، بيروت: دار الكتاب اللبناني، مج3، 1989
- الطاغية: دراسة فلسفية لصور من الاستبداد السياسي/ د. إمام عبد الفتاح إمام، الكويت: سلسلة عالم المعرفة (183)، 1994
- طبائع الاستبداد/ عبد الرحمن الكواكبي، كتاب مجلة الدوحة، تقديم د. محمد لطفي اليوسفي، الدوحة: وزارة الثقافة والفنون والتراث، 2011
- العصر العباسي الأول/ د. شوقي ضيف، القاهرة: دار المعارف، 1966
- العقل السياسي العربي: محدداته وتجلياته/ د. محمد عابد الجابري، الدار البيضاء: المركز الثقافي العربي، 1990
- علال الفاسي: استراتيجية مقاومة الاستعمار/ أسيم القرقري، الدار البيضاء: دار أفريقيا العربية، 2010
- الفن ومذاهبه في الشعر العربي/ د. شوقي ضيف، مكتبة الدراسات الأدبية (19)، القاهرة: دار المعارف، ط3، 1946
- في تشريع أصول الاستبداد: قراءة في نظام الآداب السلطانية/ كمال عبد اللطيف، بيروت: دار الطليعة،
- قصة الأدب في الأندلس/ محمد عبد المنعم خفاجة، بيروت: مكتبة المعارف، 1962
- قصة الاستبداد: أنظمة الغلبة في تاريخ المنطقة العربية/ د. فاضل الأنصاري، دمشق: وزارة الثقافة السورية، ط1، 2004
- الكامل في التاريخ/ ابن الأثير، بيروت: دار الكتاب العربي، 1985
- كشف الظنون عن أسامي الكتب والفنون/ مصطفى بن عبد الله كاتب جلبي المعروف بالحاج خليفة، المحقق محمد شرف الدين يالتقايا، بيروت: دار إحياء التراث العربي، مج2، د.ت
- كوبر.. ذكريات معتقل سياسي في سجون السودان/ د. محمد سعيد القدّال، الخرطوم: الشركة العالمية للطباعة والنشر، ط1، 1998

- اللطائف والظرائف/ محمد بن إسماعيل الثعالبي، بيروت: دار المناهل، ج1. د. ت
- المتلاعبون بالعقول/ تأليف هربرت.أ. شيللر، ترجمة عبد السلام رضوان، الكويت: سلسلة عالم المعرفة(106)،أكتوبر 1986
- المثقفون في الحضارة العربية: محنة ابن حنبل ونكبة ابن رشد/ د. محمد عابد الجابري، بيروت، مركز دراسات الوحدة العربية، 1995 / ص39
- محمد بن عمار الأندلسي، جمع وتحقيق صلاح خالص، بغداد مطبعة الهدى 1957
- المراقبة والمعاقبة: ولادة السجن/ ميشال فوكو، ترجمة علي مقلد، مراجعة وتقديم مطاع الصفدي، بيروت: منشورات مركز الإنماء القومي، 1990
- مروج الذهب ومعادن الجوهر للمسعودي/ تحقيق د. يوسف البقاعي، بيروت: دار إحياء التراث العربي، ط5، 1973
- معجم الأدباء: إرشاد الأريب إلى معرفة الأديب/ ياقوت الحموي، المحقق د. إحسان عباس، بيروت: دار الغرب الإسلامي، مج7، ط1، 1993
- معجم الشعراء/ محمد بن عمران المرزباني، تحقيق أ. د. ف. كرنكو، بيروت: مكتبة القدسي، دار الكتب العلمية، ط2، 1982
- المفصل في تاريخ العرب/ جواد علي، بيروت: دار العلم للملايين، 1976
- مقدمة ابن خلدون: العبر وديوان المبتدأ والخبر في أيام العرب والعجم والبربر ومن عاصرهم من ذوي السلطان الأكبر/ تحقيق علي عبد الواحد وافي، القاهرة: لجنة البيان العربي، 1960-1963. ج3، ص 495
- معجم المؤلفين/ عمر رضا كحالة، بيروت: مؤسسة الرسالة، مج4، 1993
- نفح الطيب في غصن الأندلس الرطيب/ أحمد بن محمد المقري، تحقيق د. إحسان عباس، بيروت: دار صادر، ج7، 1968

- نهاية الأرب في فنون الأدب: قسم الأدب / شهاب الدين النويري، مج33، تحقيق عدة محققين، بيروت: دار الكتب العلمية، ط1، 2004
- وفيات الأعيان وأنباء أبناء الزمان لابن خلكان/ تحقيق إحسان عباس، بيروت: دار صادر، مج8، 1972
- يتيمة الدهر للثعالبي/ تحقيق مفيد قميحة، بيروت: دار الكتب العلمية، مج5، ط1، 1983

رسائل جامعية

- الحبسيات في الشعر العربي: رسالة جامعية/ سكينة قدور، جامعة منتوري، قسنطينة، الجزائر، 2006-2007
- السجون وأثرها في الآداب العربية من العصر الجاهلي حتى نهاية العصر الأيوبي/ واضح الصمد، المؤسسة الجامعية للدراسات والنشر والتوزيع، ط1، 1995
- شعر الأسر في العصر العباسي/ محمد البلاجي، الدار البيضاء، جامعة الحسن الثاني، أطروحة جامعية 1990
- شعر السجون السياسي في النصف الأول من القرن العشرين، عبد المعطي صالح عبد المعطي، جامعة عين شمس، 1992
- الشعر في سجون مصر 1882-1980/ الباحث محمد محمود الغرباوي، 1992

الروايات

- أجنحة في زنزانة/ مفيد نجم، بيروت: المؤسسة العربية للدراسات والنشر، جائزة السويدي 2015

- أحباب الله/ كمال الشارني، منشورات كارم الشريف، 2012
- أحلام بالحرية/ عائشة عودة، رام الله: مواطن-المؤسسة الفلسطينية لدراسة الديمقراطية، ط1، 2004
- أروقة الذاكرة/ هيفاء زنكنة، لندن: دار الحكمة، 1995
- أيام الرمادة: حكايات خلف القضبان/ نواف العامر، نابلس: المكتبة الشعبية ناشرون، 2013
- باب الشمس/ إلياس خوري، بيروت: دار الآداب، ط5، 2008
- بالخلاص يا شباب/ ياسين الحاج صالح، بيروت: دار الساقي، 2012
- بين السجن والمنفى/ أحمد عبد الغفور العطار، بيروت: المركز الثقافي العربي، ط1، 2011
- تزمامرت 10/ أحمد المرزوقي، الدار البيضاء: المركز الثقافي العربي، 2012
- تلك الرائحة أو مكتب يوليو/ صنع الله إبراهيم، القاهرة: دار الثقافة الجديدة، 1969
- ثمنًا للشمس/ عائشة عودة، رام الله: مواطن-المؤسسة الفلسطينية لدراسة الديمقراطية، ط1، 2012
- ثنائية السجن والغربة/ فتحي عبد الفتاح، القاهرة: دار الشروق، ط1، 1998
- جدار بين ظلمتين/ رفعة جادرجي، بيروت: دار الساقي، 2003
- حزّ القيد/ محمد عيد العريمي، بيروت: المؤسسة العربية للدراسات، ط1، 2005
- الحقد الأسود/ شاكر خصباك، بيروت: مطبعة الخال إخوان، 1966
- حكايتي مع السجن/ حفني المحلاوي، بيروت: الدار المصرية اللبنانية، ط1، 1993
- خمس دقائق وحسب.. تسع سنوات في سجون سورية/ هبة

السـراج، 1995
- خيوط الظلام/ سمير ساسي، اللاذقية: دار الحوار، 2011
- ذاكرة الآخر/ إبراهيم سرفاتي وكريستين دور، 1993
- ذكريات من منزل الأموات/ فيودور دوستويفسكي، ترجمة إدريس الملياني، المركز الثقافي العربي، 2014
- رائحة الخطو الثقيل/ إبراهيم صموئيل، بيروت: المؤسسة العربية للدراسات والنشر، ط4، 2005
- رسائل السجن/ أنطونيو غرامشي، ترجمة سعد بو كرامي، لندن: طوى للثقافة والنشر والإعلام، ط1، 2014
- الزنـزانـة رقـم 10 /أحمـد المـرزوقي، الـدار البيضـاء: منشورات طارق، ط1، 2009
- ستائر العتمة/ وليد الهودلي، رام الله: المؤسسة الفلسطينية للإرشاد القومي، ط1، 2003
- السجن/ نبيل سليمان، اللاذقية: دار الحوار، 2012
- السجن-الوطن/ فريدة النقاش، بيروت: دار الكلمة للنشر، ط3، 1983
- السجينة/ مليكة أوفقير وميشيل فيتوسي، ترجمة غادة الحسيني، بيروت: دار الجديد، ط6
- سيدنا الخليفة: قصص/ عبد الستار ناصر، بغداد: المناهل، 2016
- شرف/ صنع الله إبراهيم، القاهرة: دار الهلال، 1997
- شرق المتوسط/ عبد الرحمن منيف، بيروت: المؤسسة العربية للدراسات والنشر، ط13، 2001
- الشرنقة/ حسيبة عبد الرحمن، 1999
- العربـة الـذهبية لا تصعـد إلى السمـاء/ سلوى بكر، القاهرة: سينا للنشر، 1991
- العين ذات الجفن المعـدنية/ شريف شحاتة، القاهرة: دار الثقافة

الجديدة، 1980
- في طريقي إلى السجن/ محمد عبد القادر الجاسم، الكويت: دار قرطاس، 2012
- القطار/ صلاح حافظ، مصر: وزارة الثقافة والإرشاد القومي، 1974
- قمر أبو غريب.. كان حزينًا: قسم الأحكام الخاصة 1987-2002/ د. ضرغام عبد الله الدباغ، الشارقة وبغداد: دار ضفاف للطباعة والنشر، 2014
- قهوة الجنرال/ غسان جباعي، رأس الخيمة: دار نون للنشر، 2014
- القوقعة/ مصطفى خليفة، بيروت: دار الآداب، 2008
- الكراديب: أو أطياف الأزقة المهجورة/ تركي الحمد، بيروت: دار الساقي، 1988
- لن يموت الحلم، رواية من رباعية/ د. رأفت خليل حمدونة، د. ن.
- ما لا ترونه/ سليم عبد القادر زنجير، بيروت: مؤسسة الرسالة، 2007
- مدينة الله/ حسن حميد، بيروت: المؤسسة العربية للدراسات والنشر، ط1، 2009
- مذكراتي في سجن النساء/ د. نوال السعداوي، بيروت: دار الآداب.
- المستنقعات الضوئية/ إسماعيل فهد إسماعيل، بيروت: دار العودة، 1979
- الممر: شذرات من حقائق سنوات الرصاص/ عبد الفتاح الفاكهاني، ترجمة أحمد المرزوقي، الدار البيضاء: منشورات دار طارق، 2011
- من الصخيرات إلى تازمامرت: تذكرة ذهاب وإياب إلى الجحيم/ محمد الرايس، ترجمة عبد الحميد جماهري، دار النشر المغربية، ط1، 2000
- وراء القضبان/ أحمد حسين، مصر، 1949
- يا صاحبيّ السجن/ أيمن العتوم، بيروت: المؤسسة العربية للدراسات والنشر، ط1، 2012

- يوميات قلعة المنفى: رسائل السجن 1972-1980/ عبد اللطيف اللعبي، دار التنوير/ المركز الثقافي العربي، 1985

دواوين الشعر

- أباريق مهشمة/ عبد الوهاب البياتي، بغداد: منشورات الثقافة الجديدة، ط1، 1954
- إبرة الوجود/ عبد الله زريقة، بيروت: دار النهضة العربية، ط1، 2008
- أزهرت شجرة الحديد ومراثي/ عبد اللطيف اللعبي، منشورات البديل، 1984
- أشعار زيد الموشكي، صنعاء: مركز الدراسات اليمنية، 1984
- أشعار في المنفى/ عبد الوهاب البياتي، بغداد: دار لديمقراطية الجديدة، 1957
- الأعمال الشعرية الكاملة/ حنا أبو حنا، الناصرة: منشورات المواكب ومجلة المواقف، 2008
- الأعمال الشعرية الكاملة/ محمد القيسي، بيروت: المؤسسة العربية للدراسات والنشر، 1999
- الأعمال الكاملة للشاعر محمد عفيفي مطر، القاهرة: دار الشروق، ط1، 1998
- الأطفال والعساكر/ محجوب شريف، الخرطوم: مطبعة أرو التجارية، ط3، 1986
- أغاني المحرك/ نيكولا فابتزاروف، ترجمة أحمد سليمان الأحمد، 1999
- أكره الحب/ طه عدنان، بيروت: دار النهضة العربية، ط1، 2009
- أناشيد عن الموت والحب والحرية/ محمد الشلطامي، ط2، 1998
- تأبط منفى/ عدنان الصائغ، مصر: دار آفاق، ط2، 2006

- حصاد السجن/ أحمد الصافي النجفي، بيروت: مكتبة دار المعارف، 1983
- حوافر الليل/ فايز أبو شمالة، القدس: اتحاد الكتاب الفلسطينيين، 1991
- خيانات اللغة والصمت/ فرج بيرقدار، بيروت: دار الجديد، 2011
- الخيل والحواجز/ علي عبد القيوم، القاهرة: دار قضيا فكرية، 1994
- سلالم الميتافيزيقيا/ عبد الله زريقة، الدار البيضاء: دار نشر الفنك
- سيضمنا أفق السناء/ فايز أبو شمالة، القاهرة: مكتبة مدبولي، ط1، 2002
- صبرًا قالت الطبائع الأربعة/ كمال سبتتي، ألمانيا دار الجمل، 2006
- صواريخ/ راشد حسين، الناصرة: مطبعة الحكيم، 1958
- ضحكات شحرة الكلام/ عبد الله زريقة، الدار البيضاء: الدار العالمية للطبع والنشر والتوزيع، 1984
- الفارس الذي قتل قبل المبارزة/ عبد الناصر صالح، منشورات دار أسوار عكا، 1977
- ديوان توفيق زياد، بيروت: دار العودة، 2000
- ديوان أبو دلامة، بيروت: دار الجيل، 1994
- ديوان ابن زيدون/ تحقيق علي عبد العظيم، مصر، 1955
- ديوان أبو فراس الحمداني/ تحقيق خليل الدويهي، بيروت: دار الكتاب العربي، ط2، 1994
- ديوان أبو العتاهية: أشعاره وأخباره/ تحقيق د. شكري فيصل، دمشق، 1965
- ديوان أبو نواس/ تحقيق أحمد عبد المجيد الغزالي، مصر، 1953
- ديوان أعشى همدان/ تحقيق حسن عيسى أبو ياسين، بيروت: دار العلوم للطباعة والنشر، ط1، 1983
- ديوان الإمام الشافعي/ ضبط نصه ووضع هوامشه وفهارسه صالح الشاعر، القاهرة: مكتبة الآداب، ط2، 2006

- ديـوان جعفر بن علبة الحـارثي: سيرته ومـا تبقى من شعره/ جمع وحقق د. عباس هاني الجراح، الإمارات: مركز جمعة الماجد للثقافة والتراث، 2010
- ديوان الحاجري: عيسى بن سنجر الحاجري الأربلي/ تحقيق د. خالد الجبر، د.عاطف كنعان، عمان: جامعة البتراء الخاصة، 2003
- ديوان الحطيئة/ المحقق مفيد محمد قميحة، بيروت: دار الكتب العلمية، ط1، 1993
- ديوان الحلاج/ نشر ماسينيون، باريس: المطبعة الوطنية، 1930
- الديوان/ مصطفى جمال الدين، بيروت: دار المؤرخ العربي، ط1، 1995
- ديوان سراقة بن مرداس البارقي/ حققه وشرحه د. حسين نصار، القاهرة: مكتبة الثقافة الدينية، ط1، 2001
- ديوان طرفة بن العبد/ تحقيق مهدي محمد ناصر الدين، بيروت: دار الكتب العلمية، ط3، 2002
- ديوان عبد الوهاب البياتي، المجمع الثقافي، 1999
- ديوان عدي بن زيد العبادي/ تحقيقي محمد جبار المعيبد، بغداد: وزارة الثقافة العراقية، 1965
- ديوان علي بن الجهم/ تحقيق خليل مردم بك، بيروت: دار الآفاق الجديدة، ط2، 1959
- ديـوان القتال الكلابي/ تحقيقي إحسان عباس، بيروت: دار الثقافة، ط1، 1989
- ديوان مالك بن الريب: حياته وشعره/ تحقيق د. فوزي حمودي القيسي
- ديوان المتنبي: كتاب العرف الطيب في شرح ديوان أبي الطيب/ العلامة اللغوي ناصيف اليازجي/ بيروت: المطبعة الأدبية، 1305 هـ
- ديوان محمد مهدي الجواهري، بيروت: دار العودة، ط3، 1982
- ديوان يزيد بن الطثرية/ تحقيق وإعداد حاتم صالح الضامن، بيروت:

دار صادر للنشر، ط1، 2012
- ديوان يزيد بن مفرع الحميري/ جمعه وحققه د. عبد القدوس أبو صالح، بيروت: مؤسسة الرسالة، 1975
- رسائل الصابي/ جمع وتحقيق ودراسة إحسان ذنون الثامري، لندن: مؤسسة الفرقان للتراث الإسلامي، ط1، 2017
- مختارات شعرية/ رفائيل ألبرتي، ترجمة صالح علماني وعاصم الباشا، بيروت: دار الفارابي، 1981
- مع الفجر/ راشد حسين، الناصرة: مطبعة الحكيم، 1957-1958
- نداء الجرح/ حنا أبو حنا، بيروت: دار العودة، 1970

المعاجم

- أساس البلاغة للزمخشري/ تصحيح وتعليق محمد رشيد رضا، بيروت: دار المعرفة، 1982
- تاج العروس للزبيدي، بيروت: دار الفكر، 1994
- تاج اللغة، وصحاح العربية للجوهري، بيروت: دار الكتب العلمية، 1999
- القاموس المحيط للفيروز أبادي، بيروت: دار الكتاب العربي، 1983
- لسان العرب لابن منظور، بيروت: دار صادر، ط1، 1997
- مختار الصحاح للرازي، بيروت: دار الفكر، 1981
- المخصص لابن سيده، بيروت: دار الفكر، 1978
- مجمل اللغة لابن فارس، بيروت، مؤسسة الرسالة، ط2، 1976
- مقاييس اللغة لابن فارس، القاهرة: مكتبة الخانجي، ط3، 1980

المواقع الإلكترونية

- ويكيبيديا
- بوابة الشعراء
- الحوار المتمدن
- صحيفة الاقتصادي والإمارات اليوم
- موقع الجزيرة
- موقع ديوان العرب
- موقع زمان الوصل
- موقع سودانايل
- موقع كتاب العراق الإلكتروني
- موقع الناقد العراقي
- موقع الوراق
- موقع الوسط: محاضرة لأمينة خليفة هدريز عن الشاعر محمد الشلطامي، 29 يناير 2019

دوريات

- جريدة تشرين
- جريدة الجزيرة
- جريدة الحياة: -الغنائية الباكية/ عبد العزيز المقالح، 17-2-2010
- صحيفة الجديد الإلكترونية: -أجنحة في زنزانة/ مفيد نجم، 1-9-2015
- صحيفة العرب: - «أجنحة في زنزانة»: ذاكرة للموت وتأريخ للرعب والعار/ هيثم حسين، صحيفة العرب: إلكترونية 23-5-2015

- أجنحة في زنزانة: عقدان من الألم الإنساني/ هيفاء بيطار، صحيفة العرب: إلكترونية، 13-6-2015
- صحيفة العرب اليوم: شيرين القطاونة، 9 آذار 2008
- صحيفة قاب قوسين
- المجلة الثقافية
- مجلة نزوى العمانية: عدد 43، يوليو 2005 وعدد 31 يوليو 2002 وعدد 64 ص 65

مؤلفات الكاتبة

- الجمان في الأمثال: دراسة تاريخية مقارنة/ دمشق، 1991، ط1، 1999 ط2، 2002 ط3 عن الدار الوطنية الجديدة في المملكة العربية السعودية ودار الخيّال في بيروت.
- سندباد في رحلة مؤجلة/ قصص. دمشق، دار الأهالي للطباعة والنشر والتوزيع، 1994
- عندما تتكلم الأبواب/ قصص. دمشق، اتحاد الكتاب العرب، 1998
- لكَ أغني/ نصوص، دمشق: دار إشبيلية للدراسات والنشر والتوزيع، 1999
- بروق/ قصص مختارة بالمشاركة، دمشق، 1999
- قصة التسعينات في سورية: نماذج وقراءات، بالمشاركة، دمشق، 1999
- مغامرة سمكة/ قصص أطفال، دمشق: اتحاد الكتاب العرب، 2001
- المرأة العربية في منظور الدين والواقع: دراسة مقارنة. دمشق: اتحاد الكتاب العرب، ط1، 2004
- صمت أزرق غامق/ قصص، دمشق: وزارة الثقافة السورية، 2005
- بيئتي النظيفة/ قصص أطفال، حلب: دار ربيع للنشر والتوزيع، 2005
- تنهدات الأبيض/ نصوص، دمشق: دار الجمان، 2007
- مسافات ومطر/ قصص. دمشق، اتحاد الكتاب العرب، 2007
- غواية الذكريات: من أدب الرحلات، بيروت: الدار العربية للعلوم، 2013

MW01097033

: دائرة الثقافة، 2017

دمشق: اتحاد الكتاب العرب، 2018

- تهويمات بلون الشجر/ نصوص، اللاذقية: دار دال للنشر والتوزيع، 2019
- وقت للحب/ رواية، بلوفديف-بلغاريا: دار الدراويش للنشر والترجمة، 2020
- على تخوم الوجع/ رواية، القاهرة: دار الثقافة الجديدة، 2021
- مقالات وبحوث في سلسلة أدباء مكرمون، دمشق، اتحاد الكتاب العرب